Sue

LUCKY

Jackie COLLINS

LUCKY

LIBRE
EXPRESSION

Titre original :

LUCKY
Publié par Simon and Schuster, A Division of Simon and Schuster, INC.

Traduit par Annie Hamel

Données de catalogage avant publication (Canada)

Collins, Jackie

   Lucky

   Traduction de: Lucky.

   2-89111-317-9

   I. Titre.

PR6053.044L8214 1987   823'.914   C87-096157-8

© Éditions Libre Expression, 1987, pour le Canada
244, rue Saint-Jacques, bureau 200, Montréal, H2Y 1L9

Dépôt légal:
2e trimestre 1987

ISBN 2-89111-317-9

PROLOGUE

Mai 1984
Los Angeles

Les membres du jury pénétrèrent en silence dans la salle d'audience. Puis le juge fit son entrée. La curiosité malsaine de l'assemblée fit passer comme une houle dans la salle bondée.

Lucky Santangelo se tenait debout, tendue, dans le box des accusés. Elle semblait fixer un point très loin devant elle. Sombre, sauvage, terriblement belle. En dépit de tout.

Le juge s'installa à sa place, enfila avec effort ses lourdes lunettes à monture d'écaille, et toussota pour s'éclaircir la voix.

— Mesdames et messieurs les jurés, êtes-vous prêts ? demanda-t-il avec brusquerie.

Le président du jury s'avança vers lui. C'était un homme au teint cireux, avec un tic facial.

— Oui, Votre Honneur, marmonna-t-il, ce qui eut pour effet d'irriter le juge au plus haut point.

— Parlez plus fort ! aboya le magistrat.

— Oui, Votre Honneur, nous avons délibéré, répéta l'homme.

— Alors donnez votre verdict au greffier, s'il vous plaît, lança le juge, hargneux.

Le président du jury fit exactement ce qu'on venait de lui demander. Le greffier prit la feuille pliée et la transmit au juge, qui la lut avec avidité.

Un silence inquiétant planait sur la salle archicomble — un silence tellement pesant que Lucky le ressentit comme un rugissement accusateur.

Elle ne regardait pas le juge. Pourtant elle le vit lire le papier, elle le vit le rendre au greffier. Elle ferma les yeux un instant et pria secrètement. Elle, Lucky Santangelo, était accusée de meurtre. Dans quelques secondes, son destin serait joué.

Elle s'efforça de respirer profondément et régulièrement, et tenta de bannir de son esprit toute pensée négative.

Le greffier s'apprêtait à parler.

« Oh, mon Dieu ! Non ! Cela ne pouvait pas lui arriver. Pas à elle. Pas à Lucky Santangelo. »

Elle les regarda la tête haute. C'était une vraie Santangelo. Et rien ne pouvait l'abattre. Rien.

Après tout, elle était innocente.

N'est-ce pas ?

N'est-ce pas ?

PREMIÈRE PARTIE

L'été 1978

1

Lennie Golden n'avait pas mis les pieds à Las Vegas depuis treize ans. C'était pourtant là qu'il était né et qu'il avait vécu jusqu'à l'âge de dix-sept ans.

En sortant de l'avion, il scruta les alentours, huma l'air en prenant une profonde inspiration. Toujours la même odeur...

L'aéroport faisait son beurre avec les joueurs chroniques, les touristes, et l'Amérique moyenne quand elle était de sortie. Des postérieurs gras et mâles venaient tanguer lourdement contre les corps difformes d'énormes blondes oxygénées, saucissonnées dans des tailleurs en acrylique et ruisselantes de bijoux en toc. Des enfants en bas âge pleurnichaient sans arrêt. Des putes voyageuses en décolleté et pantalons ultra-moulants venaient de débarquer pour affaires. Des étrangers au teint basané serraient très fort la poignée de leur mallette, sentaient l'ail, et jetaient sur leurs blondes maîtresses des regards de propriétaires.

Jess était venue l'accueillir. Jess, toujours la même petite poupée d'un mètre cinquante-cinq, et toujours ce faux air de garçon manqué. D'ailleurs, elle avait toujours préféré frayer avec les garçons. Et plus particulièrement avec lui, Lennie. Ils s'étaient plu tout de suite, dès leur première année d'université. Et leur relation, curieusement platonique, devenait de plus en plus forte avec les années.

Ils formaient un couple vraiment mal assorti. Lui, si grand, si efflanqué, avec ses yeux verts et ses cheveux blond cendré. Une espèce de Robert Redford démesuré. Et elle, petite bonne femme à la tignasse orangée et au corps de playmate miniature.

Elle se précipita dans ses bras.

— Ah ! C'est super que tu sois là ! Tu as l'air en pleine forme. Pour un mec qui passe son temps à baiser, je ne sais pas comment tu fais !

— Hé ! Regardez un peu qui voilà !

Il la souleva dans ses bras comme une enfant. Émue, elle gloussa un peu bêtement, et l'étreignit de toutes ses forces.

— Je t'aime à la folie, Lennie Golden.

— Moi aussi je t'adore, face de singe.

— Je ne veux pas que tu m'appelles comme ça ! protesta-t-elle. Je suis mariée, maintenant, j'ai un enfant, et tout. Tu dois me traiter comme une dame !

Elle agrippa son bras et ils sortirent de l'aéroport en riant.

— Au fait, comment était le vol ?

— Rasoir. Si au moins les hôtesses faisaient preuve d'un peu plus de compréhension...

Elle lui envoya gentiment son poing dans l'estomac.

Il leva le bras en signe de protestation.

— Du calme ! On vient déjà de me couper le sifflet...

— Quoi ?

— Tu te souviens du Show Lee Bryant ? Celui dans lequel je t'avais dit que je passais ?

— Oui.

— Ils ont réduit mon numéro de quatre minutes à trente secondes. Si tu éternues, tu me rates.

Elle fronça les sourcils.

— Quels ploucs ! Mais peu importe. Tu es là. Et je suis sûre qu'ici tu vas faire un tabac.

— Ouais, probable que je vais déclencher une émeute dans les salons de l'hôtel *Magiriano*.

— Oh, arrête ! Tu changes de ville, tu changes de scène, tu changes de public, c'est peut-être exactement ce qu'il te fallait. Et qui sait où ça peut te mener ?

— J'ai l'impression d'entendre mon agent ! Mais joue donc dans ce spectacle de merde, vas-y mon petit, et je ne te donne pas trois mois pour décrocher un numéro régulier dans le Johnny Carson Show !

— Ton soi-disant agent n'est qu'un ringard. Tiens, je devrais m'occuper de ta carrière. C'est quand même moi qui t'ai trouvé cet engagement, non ?

— Tu veux dix pour cent ?

Elle partit d'un grand rire.

— Tu crois vraiment que je renoncerais à mon titre de meilleur croupier au black jack de la ville ? Ta commission, tu peux te la coller où je pense !

Il sourit. Jess était vraiment une amie. Quand il l'avait appelée, deux semaines plus tôt, pour lui dire qu'il devait quitter New York au plus vite, elle s'était vraiment montrée à la hauteur. « Aucun problème, avait-elle répondu. Le responsable des spectacles et des jeux à l'hôtel où je travaille m'adore. Alors tu m'envoies une bande, je lui file, et c'est dans la poche. »

Il avait envoyé la bande. Elle s'était débrouillée pour le faire engager. Une bonne copine, oui.

Tout à coup, une grande brune en chemisier rouge et pantalon noir accrocha son regard. Hautaine et décidée, elle fendait la foule comme si le monde lui appartenait. Ouah ! Quel corps sublime !

Mais au fait, il était libre ! Hum... Ça avait beau faire six mois qu'il avait rompu avec Eden, il ne pouvait pas s'empêcher de penser à elle dès qu'il voyait une jolie femme. Allez, Eden et lui, c'était une affaire classée. Alors pourquoi n'arrivait-il pas à l'admettre ?

Tout absorbé par ses pensées, il avait à peine remarqué qu'ils étaient sortis de l'aéroport. Jess ouvrit la portière d'une Camaro rouge complètement cabossée qui les attendait sur le parking.

— Mon cher petit mari ne peut pas faire cent mètres en bagnole sans rencontrer un obstacle sur son chemin, expliqua-t-elle.

Il se demanda quel genre d'énergumène avait pu épouser une cinglée comme elle.

— Allez, c'est parti ! annonça-t-elle en se glissant derrière le volant. Tu vas voir, à tous les coups le bébé crie, Wayland s'active aux fourneaux, et toi, Lennie, tu vas vraiment te plaire ici. Ça a toujours été le genre d'endroit fait pour toi.

— Ouais, bougonna-t-il. C'est bien ce que je crains.

Dans l'aéroport, Lucky Santangelo se détachait de la foule, qu'elle traversait à grandes enjambées. Lucky Santangelo, une masse de cheveux de jais tout en boucles sauvages, des yeux de braise, une bouche charnue et sensuelle, un bronzage parfait, un corps splendide aux attaches fines.

Elle portait un pantalon de cuir noir, un chemisier rouge ouvert jusqu'à l'extrême limite de la décence, une large ceinture incrustée d'argent et deux très belles boucles d'oreilles. Elle portait même, à la main droite, un diamant si gros et si brillant que l'on vous pardonnera de penser qu'il était faux. Mais il était vrai.

A vingt-huit ans, Lucky n'avait rien d'une beauté conventionnelle. Et il émanait d'elle une aisance presque aussi sensible que les fragrances du parfum exotique dont elle s'aspergeait généreusement.

— Hé ! Boogie ! lança-t-elle.

Elle salua chaleureusement l'homme maigre aux cheveux longs qui était venu l'accueillir dans une vieille tenue kaki.

— Alors, comment ça se passe ? demanda-t-elle.

— Toujours pareil, répondit-il tout bas.

Il avait plissé les paupières et jetait des regards soupçonneux sur tout et sur tout le monde. Il prit le grand sac de Lucky ainsi que son ticket pour récupérer le reste des bagages.

— Alors, rien de particulier, vraiment ? Pas de cancans ? demanda-t-elle avec un large sourire, visiblement ravie d'être de retour.

Il ne répondit rien. Pourtant, il y avait eu des commérages mais il ne voulait surtout pas être le premier à lui en faire part.

Elle parlait avec exubérance tandis qu'ils se rapprochaient d'une énorme Mercedes garée sur le parking, à cheval sur deux places.

— Je crois que j'ai réussi, Boog. L'affaire d'Atlantic City est réglée. Je m'en suis sortie toute seule ! Il ne me manque plus que le feu vert de Gino et ça pourra rouler. Cette fois, je suis vraiment fière de moi !

Il approuva son futur succès d'un signe de tête et ajouta :

— Ce que tu veux, tu l'auras. Je n'ai jamais douté de toi.

Les yeux de la jeune femme pétillèrent d'excitation.

— Atlantic City ! dit-elle. On construira un hôtel qui battra tous les records !

— Tu le construiras, répondit-il, tout en lui ouvrant la portière arrière de la grosse conduite intérieure.

— Oh..., souffla-t-elle, déçue. Tu sais bien que je préfère être à l'avant avec toi.

Il l'aida à s'installer à l'avant et repartit chercher les bagages dans l'aéroport.

Gino Santangelo se réveilla en sursaut. Il se sentit désorienté pendant un instant, mais il reprit très vite ses esprits. Il n'était plus très jeune, mais Dieu merci, il n'était pas encore gâteux. Soixante-douze ans ? Une bagatelle ! Surtout quand ça marchait si bien au lit. Quoi de plus naturel avec Susan Martino pour partenaire ?

Susan Martino. Veuve du grand Tiny Martino, l'un des vétérans surdoués du cinéma et de la télé. Un acteur adulé. Comme Keaton ou Chaplin. Tiny était mort d'une attaque deux ans plus tôt. Gino avait assisté aux funérailles, présenté ses respects à la veuve — qu'il n'avait plus revue jusqu'au jour où elle était venue assister à une représentation de bienfaisance à Las Vegas.

Et ce matin, il venait de se réveiller dans le lit de Susan Martino. Cela faisait cinq nuits d'affilée qu'il passait là, et il ne se plaignait pas.

Comme si elle avait deviné ces tendres pensées, Susan fit son apparition dans la chambre. C'était une très belle femme de quarante-neuf ans. La nature l'avait dotée de pommettes hautes, d'une peau douce et laiteuse et de grands yeux bleu pâle. Gino la regarda s'approcher. Elle portait un peignoir de soie sur un corps parfait et tenait un plateau couvert de délices : un jus d'orange fraîchement pressée, un œuf à la coque, et deux fines tranches de pain légèrement beurrées.

— Bonjour, Gino, dit-elle.

Il émergea d'un fouillis de draps et se passa une main dans les cheveux. Sa tignasse était toujours noire et bouclée, et, même s'il avait les tempes grisonnantes, c'était encore un homme avec lequel il fallait compter. Au fil du temps, son énergie et sa vitalité ne s'étaient pas émoussées, bien qu'une crise cardiaque ait failli lui être fatale l'année précédente et l'obligeât quelque peu à lever le pied.

— Qu'est-ce que c'est que tout ça ? demanda-t-il.

16

— Le petit déjeuner au lit.

— Et qu'ai-je donc fait pour le mériter ?

— Qu'est-ce que tu n'as pas fait, répondit-elle d'un air malicieux.

Il sourit au souvenir de cette nuit.

— Ouais, pas mal pour un croulant, non ?

Elle lui installa le plateau sur les genoux et s'assit sur le bord du lit.

— Tu es le meilleur amant que j'aie jamais eu, déclara-t-elle gravement.

Ça, ça lui plaisait bien. Ça lui plaisait même énormément. En effet, si Susan Martino n'était pas une cavaleuse, on racontait néanmoins qu'elle avait pas mal vécu avant son mariage avec Tiny Martino, vingt-cinq ans plus tôt. Ali Khan, Rubirosa, et même Sinatra, auraient figuré sur son tableau de chasse. Cela suffisait à Gino pour se sentir plus que flatté par son aveu.

Jusqu'à présent, il ne l'avait jamais interrogée sur son passé. Mais tout à coup, il avait envie de savoir.

— Dis-moi, commença-t-il, l'air faussement désinvolte.

— Quoi ? répondit-elle tout en ôtant la coquille de son œuf avec application.

— Tiny, tu l'as souvent trompé ?

— Jamais, répondit-elle sans hésiter. Bien que je ne voie pas en quoi cela te concerne...

Il se sentit soudain possessif à l'égard de cette femme. Susan était le type même de la grande dame. Et combien de femmes de cette race-là y avait-il encore aujourd'hui ?

Les femmes. « Tu consommes et tu jettes », telle avait été longtemps sa devise. Mais depuis un moment, la nouveauté systématique commençait à le lasser. Et encore un joli minois, et encore un billet de mille dollars... C'était quelque chose que de passer par le lit de Gino Santangelo, il voulait qu'elles le sachent. Qu'elles s'en souviennent, oui.

— Et si on passait la journée ensemble ? proposa Susan.

Il allait dire oui quand il se souvint tout à coup que Lucky rentrait aujourd'hui. La belle, la sauvage Lucky — sa fille qui avait *ses* yeux, *sa* peau mate, et *sa* nature passionnée. Elle était partie trois semaines en voyage d'affaires sur la Côte Est. Comment avait-il failli oublier la date de son retour ? Susan, peut-être...

— Et si on remettait ça à demain ? J'ai vraiment trop de choses à faire aujourd'hui, dit-il.

— Oh ! fit-elle, déçue.

Il devait dîner avec sa fille. Il pensa un instant intégrer Susan à leurs plans, mais il se ravisa. Lucky venait de rentrer, et ils devaient se parler seul à seul. Inutile de précipiter les événements. Il s'occuperait des présentations à une autre occasion.

Dans la voiture, en route vers le Strip, Lucky raconta à Boogie tout ce qui s'était passé à Atlantic City. Il était plus qu'un simple chauffeur. Dans certaines circonstances, il s'était révélé efficace comme garde du corps. Et dans tous les cas, c'était un fidèle ami. Loyal, intelligent et peu bavard, il convenait parfaitement à Lucky.

Ils s'arrêtèrent devant le *Magiriano*. Avant d'y pénétrer, la jeune femme resta quelques instants immobile sur le trottoir. Elle voulait savourer l'agréable sensation de rentrer chez elle, dans *son* hôtel.

Le *Magiriano*, une association des deux prénoms de ses parents, Maria et Gino. Le grand rêve de Gino, qui s'était réalisé grâce à elle, à l'époque où son père vivait en Israël. Lucky serait toujours fière du *Magiriano*, sa première réussite en solitaire.

Dans le hall, les allées et venues de touristes et les bruits habituels. Des flambeurs matinaux avaient déjà envahi le casino. Pas de fenêtres, pas d'horloges dans les salles de jeu. Toute notion de temps avait disparu, le plaisir était continu.

Lucky ne jouait jamais. Et d'ailleurs, pourquoi l'aurait-elle fait ? Toutes les tables lui appartenaient. Elle traversa le hall d'un pas conquérant et se dirigea vers son ascenseur personnel, dissimulé derrière des palmiers en pots. Elle utilisa sa carte codée pour déclencher l'ouverture des portes. Comme ça faisait du bien d'être là ! Il fallait absolument qu'elle voie Gino. Elle n'en pouvait plus d'attendre. Elle avait tant de choses à lui raconter.

Jess ne vivait pas dans le luxe. Néanmoins, la petite maison devant laquelle elle se gara avait sa piscine, même si celle-ci était minuscule.

— Cet endroit est génial, mais on va bientôt déménager, expliqua-t-elle, désinvolte, tout en ouvrant la porte. On a repéré une zone d'aménagement près du lac Tahoe, et on cherche à acheter.

— Ah ouais ?

Lennie se demandait « qui » cherchait à acheter. Car d'après le peu qu'il savait sur lui, le mari de Jess ne semblait pas faire grand-chose, excepté s'occuper du bébé pendant qu'elle allait gagner l'argent du ménage.

— Il y a quelqu'un ? cria-t-elle.

Apparut alors un chien miteux du genre bâtard, qui remua une queue qui faisait peine à voir. Elle se pencha pour le caresser.

— Voilà Grass, on l'a trouvé près des poubelles quand il était tout petit. Adorable, non ?

Puis Wayland se montra. Apparemment, Jess s'était trouvé un autre chien errant. Il était vêtu d'un pantalon blanc crasseux et d'une grande chemise brodée. Il était pieds nus et ses pieds étaient sales. Il avait les cheveux mi-longs avec une raie au milieu. Il était blême.

— Enchanté, mon vieux, dit Wayland, raide comme une bûche, en tendant une main maigre et tremblotante.

— Où est le bébé ? demanda Jess.

— Endormi.

— Tu es sûr ?

— Va voir, si tu ne me crois pas.

Pendant un instant, le joli petit visage de la jeune femme se contracta, et Lennie sentit que tout n'allait pas au mieux dans ce jeune ménage. Tout à fait l'ambiance qu'il lui fallait en ce moment. Il soupira.

En guise de déjeuner, Wayland leur proposa un bol de riz complet agrémenté de quelques vieilles feuilles de salade, le tout assaisonné de yaourt plus très frais. Jess tenta de masquer son irritation, mais elle y parvint fort mal. Le bébé, un petit garçon nommé Simon, se réveilla, avala un biberon, puis se rendormit aussitôt.

— Je vais conduire Lennie à l'hôtel, déclara-t-elle brusquement.

Wayland acquiesça. Il n'était pas contrariant.

Dans la voiture, elle s'alluma un joint, souffla rageusement la fumée, et dit à Lennie, agressive :

— Je ne veux pas qu'on en discute, O.K. ?

— Je t'ai posé une question ? répliqua-t-il gentiment.

Puis elle mit le contact, et roula à toute allure jusqu'au *Magiriano*.

— Je te retrouve dans quelques heures, dit-elle à Lennie. Demande Matt Traynor. C'est le type qui t'a engagé. Il te trouvera quelqu'un pour te faire visiter.

— Et toi, où tu vas ?

— J'ai un... euh... un rendez-vous.

— Tu le trompes déjà ?

— Donne-moi une seule raison de ne pas le faire.

C'était difficile après avoir rencontré Wayland.

Matt Traynor était un renard argenté de cinquante-cinq ans en costume trois-pièces. C'était le meilleur directeur de casino et de spectacles de la ville. En outre, il était intéressé au chiffre d'affaires de l'hôtel.

Lucky Santangelo en personne l'avait tarabusté jusqu'à ce qu'il accepte de travailler pour elle, et seule l'idée d'avoir sa part du gâteau avait fini par le persuader d'accepter.

Ayant confié à Lennie qu'il adorait sa bande vidéo, il le bombarda de questions au sujet de Jess, comme s'il avait eu envie de tout savoir sur elle.

Lennie s'efforça de donner quelques réponses, mais quand Matt en arriva au chapitre mariage, il sentit que le moment était venu de s'éclipser. Très vite, il dit qu'il lui fallait sentir l'atmosphère de la salle dans laquelle il allait jouer. Matt Traynor approuva et lui expliqua vaguement comment s'y rendre.

Las Vegas. La chaleur. La fameuse odeur. Le tourbillon des joueurs.

Las Vegas. Sa naissance. Son enfance. Son adolescence.

Las Vegas. Une foule de souvenirs de jeunesse. Son premier coup, sa première cuite, son premier joint. Son premier amour, sa première fugue avec la bagnole de ses parents. Son père et sa mère. Un drôle de couple.

Lui, le comique vieux style qui s'accroche. Jack Golden, un homme célèbre dans le milieu du spectacle, mais ignoré du grand public. Mort il y a treize ans. Cancer de la vésicule biliaire.

Et elle, Alice Golden. Connue dans le passé sous le nom de « l'Embobineuse », l'une des strip-teaseuses les plus sexy de la ville. Ah ! Cette sacrée maman qui, à cinquante-neuf ans, vivait dans un coin minable de Californie avec un vendeur de voitures d'occasion. Alice, ce n'était pas la mère juive conventionnelle. Elle portait des shorts ultra-courts, des minibustiers. Elle se teignait les cheveux, se rasait les jambes.

Quand il était petit, elle le menait à la baguette, mais oubliait de lui préparer son déjeuner.

Pourtant, il avait fini par l'accepter telle qu'elle était. Car elle avait ses bons côtés. L'appartement en désordre était toujours rempli d'amis et d'artistes. La vie était drôle, si on oubliait qu'on était un enfant !

Pourquoi était-il revenu à Las Vegas ?

Parce qu'il avait un engagement sûr. Et puis il avait dû quitter New York en catastrophe. Il s'était battu avec un ivrogne qui n'avait pas cessé de le provoquer pendant l'un de ses shows. Hélas, le perturbateur était un avocat véreux qui s'était débrouillé pour mêler la police à cette histoire. Un procès s'annonçait. Alors autant décamper. Enfin, Eden était sur la Côte Ouest, et il mourait d'envie de la rejoindre depuis des mois. On ne pouvait pourtant pas dire qu'ils se soient quittés bons amis.

Après Las Vegas, il projetait de s'installer à Los Angeles.

Et pas à cause d'Eden.

Mais si, uniquement à cause d'elle.

Admets-le, idiot, tu es encore accro.

Lucky venait d'arriver à la piscine. Elle s'avançait, superbe, sur le bord du bassin, tout en cherchant des yeux Bertil le Suédois responsable des lieux.

Impossible de ne pas la voir dans son maillot tendu sur son corps bronzé. Impossible de ne pas remarquer les plus belles jambes de la ville. Bertil se souvint tout à coup qu'elle était le patron et se précipita à sa rencontre. Il la salua en combinant judicieusement l'enthousiasme et la déférence.

— Enchanté que vous soyez de retour, miss Santangelo.

Elle lui rendit son salut d'un bref coup de tête.

— Merci, Bertil. Pas de problème en mon absence ?

— Je ne voudrais pas vous ennuyer...

— M'ennuyer ? Mais je veux tout savoir !

Il hésita un instant, puis il lui raconta l'histoire de deux maîtres nageurs qui avaient manqué de respect à des clientes.

— Vous les avez renvoyés ?

— Oui, mais ils ont l'intention de nous poursuivre.

— Nos avocats sont au courant ?

— Oui.

— Eh bien, dans ce cas, c'est une affaire réglée, annonça-t-elle, satisfaite.

Il l'accompagna jusqu'à une chaise longue, où elle s'installa pour observer tout ce qui se passait.

— Apportez-moi un téléphone, demanda-t-elle.

Il s'exécuta puis la laissa seule.

Elle tenta de joindre Gino pour la troisième fois. Toujours personne. Mais où était-il donc passé ? Et pourquoi ne l'avait-il pas attendue à son arrivée ?

2

— Olympia, tu es une princesse, une déesse, une reine !

Le corps grassouillet d'Olympia Stanislopoulos frémit de plaisir.

— Encore, Vitos, parle-moi encore...

Vitos Felicidade, le grand chanteur espagnol, changea de cap sur le corps potelé de l'héritière de l'armateur grec, et poursuivit son élogieuse litanie.

— Pour moi, tes yeux sont la Méditerranée, tes lèvres des rubis, ta peau, le plus doux des velours, ton...

— AHHHHhhhhhh...

Son violent cri de plaisir le laissa coi. Elle écarta largement les cuisses, puis les referma sur lui brusquement, le prenant comme dans un étau tout en lui griffant le dos jusqu'au sang.

Le hurlement de douleur du chanteur se mêla à la plainte extatique d'Olympia.

— Pour l'amour du ciel, Olympia ! dit-il sur un ton de reproche.

Ses jérémiades la laissèrent froide. Elle lui donna même une chiquenaude pour le repousser.

— Mais je n'ai pas joui ! protesta-t-il.

— Comme c'est dommage, répondit-elle en sautant à bas du lit.

Olympia Stanislopoulos n'avait jamais brillé par sa gentillesse. Elle bondit dans la salle de bains, claqua la porte derrière elle, et se trouva face à sa propre image dans un miroir en pied.

Beurk ! Toute cette graisse ! Toute cette horrible cellulite ! Elle se pinça un bourrelet à la taille et poussa un grognement rageur. Quel escroc, quand même, ce médecin français ! Il lui avait prescrit un prétendu traitement miracle contre les rondeurs — une petite plaisanterie qui lui avait coûté trente mille dollars — pour la laisser aussi bouffie qu'auparavant. Elle tira la langue à son reflet, haïssant subitement ce qu'elle voyait.

Pourtant ce qui lui faisait face était une fille de vingt-huit ans fort désirable. Un mètre soixante-huit, des seins splendides, une abondante chevelure blonde et bouclée, et un très beau visage. Elle avait d'adorables yeux bleus, un joli nez et des lèvres pulpeuses. Les hommes l'adoraient. Elle était très sexy. Une bombe sexuelle tout ce qu'il y avait de plus classique, hormis cette particularité qui pipait les dés d'entrée de jeu : Olympia Stanislopoulos avait hérité de soixante-dix millions de dollars à sa majorité, une fortune qui, judicieusement investie, valait le double aujourd'hui.

Elle avait été mariée trois fois, la première à un jeune noble grec désargenté. On avait célébré le mariage à bord du yacht de son père, ancré comme il se doit dans le port de son île privée. On avait invité quelques princes et princesses, et même un roi détrôné, dispersés parmi le *nec plus ultra* du grand monde.

Les tourtereaux passèrent leur lune de miel en Inde, vécurent trois mois à Athènes, après quoi ils divorcèrent. Olympia avait en effet découvert que son cher mari préférait les hommes. Non pas qu'elle soit particulièrement prude, non, mais un vieux fond de romantisme subsistait en elle, et la déception fut cuisante. Dimitri, son père, la consola avec un somptueux appartement avenue Foch, à deux pas du bastion parisien des Stanislopoulos.

Très vite, elle rencontra un grand patron de l'industrie italienne. Enfin, il se présenta comme tel. C'était un homme de quarante-cinq ans à la réputation de tombeur. Il la poursuivit sans relâche, d'une capitale européenne à l'autre, et l'épousa finalement le jour de ses dix-neuf ans. Ils restèrent ensemble un an. Elle lui donna une fille, Brigette, pendant qu'il s'employait à dépenser son argent d'une façon éhontée. Ses indélicatesses répétées finirent fatalement par revenir aux oreilles de sa femme, via les potins mondains.

Dimitri arrangea un divorce rapide. La deuxième erreur de sa fille lui coûta trois millions de dollars et deux Ferrari. Le play-boy italien ne devait jamais en profiter. Des terroristes ayant placé une bombe sous son capot, il finit pulvérisé, trois mois après le divorce. Olympia n'eut pas le temps de le pleurer, trop occupée à commettre sa troisième erreur. Il s'agissait cette fois d'un comte polonais ruiné. Celui-ci fit illusion six mois avant de l'abandonner en lui laissant son titre et toutes ses dettes.

Olympia décida alors qu'elle en avait soupé du mariage, et se lança dans de multiples liaisons, ce qui ne sembla d'ailleurs pas la satisfaire davantage.

Elle partageait son temps entre Rome, Paris et Londres, passant sans vergogne d'un homme à l'autre. La majorité d'entre eux l'ennuyaient dès qu'ils avaient livré tous leurs mystères dans l'intimité. Le sexe ne lui suffisait pas. Elle recherchait le grand frisson.

Les hommes mariés, elle aimait assez, les hommes célèbres, encore plus, quant aux hommes de pouvoir, c'étaient ses préférés. Plus le gibier était difficile à capturer, et plus c'était excitant.

L'enjeu était d'arriver à se faire baiser par celui qu'elle avait secrètement choisi. Mais quand on les avait eus une fois, quel intérêt de continuer ? Ces conquêtes multiples et variées n'avaient fait que confirmer ce qu'elle savait déjà : les hommes étaient faciles, et qui se contente d'un homme facile ?

Elle avait eu son premier amant à seize ans. Elle vivait alors avec Lucky, sa meilleure amie, dans une villa « empruntée » à la sœur de Dimitri. Les deux jeunes aventurières avaient fui le collège et disposaient à leur gré de cette grande maison vide sur la Côte d'Azur, d'une Mercedes blanche et d'un joli pactole. Olympia considérait cette période folle et vécue dans l'inconscience comme la plus heureuse de sa vie.

Warris Charters, son premier amant... Elle n'oublierait jamais ce producteur fauché largement plus âgé qu'elle, aux yeux de serpent. Et cette queue incroyable qui semblait devoir bander indéfiniment...

Parfois, elle se demandait ce qu'il était devenu. La dernière vision qui lui restait de lui était celle d'un homme désemparé sous la pluie avec ses deux valises Gucci. Dimitri et Gino l'avaient proprement jeté dehors quand ils étaient venus récupérer leurs vagabondes de filles.

Warris n'avait jamais donné de nouvelles, ce qui était relativement compréhensible. Lucky n'avait plus donné signe de vie, ce qui était déjà nettement plus suspect. Après tout ce qu'elles avaient partagé, on aurait au moins pu s'attendre à un coup de fil. Mais rien. Finalement, Olympia s'était persuadée que Lucky les avait trahies. Si leurs pères étaient venus les chercher, c'est parce qu'elle leur avait téléphoné. Logique en un sens, puisque Olympia était la seule à vraiment s'amuser.

— Olympiaaa ! Mais qu'est-ce que tu fais, ma beauté ?

Vitos frappait à petits coups secs sur la porte de la salle de bains. Mais qu'est-ce qu'il s'imaginait, cet imbécile, qu'elle se branlait ?

Elle ouvrit la porte d'un seul coup et se trouva nez à nez avec lui. Il était nu, et il bandait.

Elle soupira.

Que faire d'autre par un après-midi pluvieux à Paris ?

3

Des corps en bikini, huilés et brillants, étaient allongés au bord de la piscine du *Magiriano*. Lennie flânait au milieu de cet étalage de chair bronzée. Il se souvint de l'époque où il se faufilait avec Jess dans les piscines des hôtels les plus luxueux au lieu d'aller en cours. C'était l'un de leurs jeux favoris, comme zoner dans les casinos sans se faire repérer, ou encore rentrer sans payer dans les music-halls les plus chers. A la fin, tous les types de la sécurité les connaissaient.

Ah ! C'était facile, à dix-sept ans, de quitter Las Vegas pour New York ! Bien sûr, il y avait Jess. Mais New York l'attirait comme un aimant, et franchement, comment aurait-il pu résister ?

Au début, une foule de petits boulots lui permirent de tenir. Il prit une chambre à Greenwich Village. Il n'était jamais à court de petites amies, et il passa deux ans à profiter de la vie sans se poser de questions. L'été, il travaillait comme serveur dans quelque grand hôtel. C'est là qu'il s'aperçut que la comédie pouvait être autre chose que les tartes à la crème et les pantalonnades à la papa (cher Jack Golden !). Il tomba sur des enregistrements du grand Lennie Bruce, il se plut à penser quelque temps que sa mère l'avait appelé Lennie en hommage au grand comique et découvrit l'humour noir, la politique tournée en ridicule et le monologue-marathon. Désormais, il avait trouvé sa voie.

D'abord il écrivit. Des sketches très courts. Des petites choses. Puis il trouva un agent pour vendre ses écrits. Ça ne lui rapporta pas assez pour abandonner ses autres boulots, mais c'était un début.

Son style, c'était le réalisme méchant, pris sur le vif. Parfois, il allait un peu loin. Néanmoins, son agent disposa bientôt d'une clientèle fidèle, friande de ses traits d'humour corrosif, ce qui lui permit de se consacrer entièrement à l'écriture. Il gagnait peu d'argent, mais la vie était agréable et pleine de jolies filles.

C'était bizarre de se retrouver à Las Vegas.

Il croisa une grande blonde au regard effronté. Mais depuis qu'il avait trente ans, il avait envie d'autre chose que de la baise pure et simple. Il ne se priva pas pour autant de la détailler. Elle ressemblait à Eden. Enfin, de très loin. Pas la même couleur de cheveux, mais les mêmes yeux. Des yeux effilés, étroits, des yeux de chat.

Eden Antonio. Il n'oublierait jamais le jour où il l'avait rencontrée. Il vivait avec Victoria, une ravissante cover-girl, depuis deux ans. Victoria l'adorait et le comblait de tous les petits bonheurs domestiques qu'il n'avait jamais connus. C'était parfait, jusqu'au jour où Victoria lui présenta Eden. Il sut immédiatement que Victoria n'avait été qu'un hors-d'œuvre. Eden rentrait d'Europe où elle était allée faire des photos — elle aussi était top model — et raconta son voyage avec ce charme particulier des femmes à la beauté froide et exotique.

Le surlendemain, elle s'installait chez lui. Elle gagnait plus d'argent que lui, mais cela n'avait pas d'importance. En effet, ça commençait à marcher pour lui. Son agent avait réussi à le faire engager dans un nouveau show télévisé où, pour la première fois, il disait lui-même ses histoires. Il avait un public qui l'adorait et il aimait ça. Bien sûr, ce n'était qu'un show hebdomadaire sur une chaîne locale, mais il estima que, pour un coup d'envoi, il ne s'en tirait pas si mal. Il avait alors vingt-sept ans.

Eden avait quatre ans de moins que lui, mais semblait en connaître un bout sur la vie. Elle avait voyagé dans le monde entier, avait collectionné les amants, et elle l'impressionna. Au début, en tout cas, car après trois ans et demi d'une passion destructrice, il avait fait le tour du personnage : névrosée, ambitieuse, insécurisée... mais toujours aussi bandante.

Par moments, il avait pitié d'elle, mais le plus souvent, elle le rendait follement jaloux.

Eden ! Elle l'avait mis dans des états !

Il resterait marqué à jamais par cette intense relation sado maso.

— Plus elle t'en fait voir et plus tu en redemandes ! lui disait son ami Joe Firello.

C'était vrai. Et même à présent, il était prêt à recommencer.

Eden adorait se montrer. Elle voulait sortir tous les soirs. Le week-end, elle prenait des cours plus ou moins bidon d'art dramatique, car elle voulait faire du cinéma et devenir une star. D'ailleurs, elle se prenait déjà pour une star. Quand le show de Lennie fut supprimé après une saison, sa seule réaction fut de s'exclamer :

— J'allais justement te demander de m'y inviter !

Elle pensait sincèrement qu'il n'avait aucun avenir et ne se gênait pas pour le lui dire. D'ailleurs peu lui importait : la seule chose qui comptait pour Eden, c'était elle-même.

Hélas, elle jouait mal, très mal même. Lennie, qui assistait parfois au cours du samedi, en était gêné pour elle. Mais en tant que modèle, elle était inégalable.

— Mais pourquoi ça ne te suffit pas d'être mannequin vedette ? lui avait-il demandé un jour où il l'avait vue massacrer une scène d'*Une chatte sur un toit brûlant*.

— Espèce de fils de pute ! Espèce de minable qui se permet de me juger !

Un flacon de parfum avait volé à travers la pièce, suivi de près par un cendrier.

Deux mois et quelques disputes plus tard, elle avait décollé pour la Californie avec un acteur de sa classe, un grand dadais falot nommé Tim Wealth.

Et Lennie flippa. Elle lui manquait. Pourtant, il jouait dans des petits clubs tous les soirs et vivait des moments exaltants. Le public était très chaud et ces débuts détonnants annonçaient une suite digne de... Lennie Bruce.

Les critiques — quand il en avait — étaient dithyrambiques. Côté cachets, il n'y avait pas de quoi bondir de joie, mais il continuait à écrire des sketches à la commande.

Au fond de lui-même, il savait pertinemment qu'il irait la rejoindre en Californie. Las Vegas n'était qu'un point de départ. S'il touchait le gros lot ici, ça irait tout seul à Los Angeles. Eden était impressionnée par le succès. Si jamais il réussissait, elle accourrait...

— J'avais pensé que tu serais là quand je rentrerais et que tu aurais envie de savoir comment je m'étais débrouillée, dit Lucky.

Il était minuit passé, et elle avait finalement réussi à joindre Gino.

— Je suis crevé, mon petit, expliqua son père. Je vais dormir un moment pour me requinquer.

Ça faisait trois semaines qu'elle était partie, et il était trop fatigué pour la voir ! Mais qu'est-ce qui lui prenait ?

— Mais je t'ai appelé quatre fois, poursuivit-elle calmement — mieux valait ne pas hausser le ton avec lui —, où étais-tu ?

— Dans les parages, éluda-t-il.

« Encore dans les bras d'une quelconque beauté. Soixante-douze ans et toujours la même épée. »

Elle eut un petit silence réprobateur.

— Et si on dînait en tête à tête demain soir ? proposa-t-il.

Elle aurait préféré le voir tout de suite, mais elle accepta son invitation sans broncher.

Le lendemain, elle passa une journée sur les nerfs, brûlant d'envie de tout lui raconter sans plus tarder. Il serait si fier de sa fille...

— Il faut que je fasse des courses, dit Jess.

Lennie grimpa dans la voiture et elle démarra en trombe.

— Des trucs pour le bébé, des boîtes pour le chien, tout ça.

— Mais, et Wayland, ce n'est pas lui qui fait le marché ?

— Tu as goûté sa cuisine, non ? Bon. Alors, tu comprends pourquoi je préfère me charger des courses.

En un temps record, ils remplirent leur chariot. Lennie insista pour payer et, après quelques vives protestations, Jess capitula.

De retour à la maison, ils trouvèrent Wayland flottant dans la piscine, un joint au bec. Le bébé hurlait, allongé dans l'herbe sur une vieille couverture indienne.

— Et merde ! grogna Jess.

Lennie se demanda s'il ne ferait pas mieux de s'installer à l'hôtel. Jess avait suffisamment de problèmes pour ne pas mériter, en plus, un invité.

4

— Tu es resplendissante ! Ça a marché à Atlantic City, hein ? dit-il à sa fille d'un air malicieux.

— Tu veux que je te fasse un aveu, Gino ? Eh bien, moi je te trouve drôlement séduisant pour un vieux monsieur.

Elle ne l'appelait jamais papa ou seulement dans sa tête, certains soirs, très tard, quand des souvenirs d'enfance venaient se fourvoyer...

— Oublie le « vieux », s'il te plaît !

Ils se firent un clin d'œil complice et se dirigèrent vers l'ascenseur privé.

Comme ils se ressemblaient ! Le même regard brûlant, la même peau cuivrée, la même bouche sensuelle.

Il régnait entre eux une complicité totale. Depuis les films jusqu'aux livres, en passant par la cuisine et les gens, ils étaient toujours d'accord.

Ils avaient des résidences séparées, au dernier étage des deux hôtels qui leur appartenaient. Gino vivait au *Mirage* et Lucky au *Magiriano*. Mais ils partageaient également une maison à East Hampton, dans une banlieue chic de New York, un manoir à l'ancienne rempli d'une foule de souvenirs, tout leur passé...

Il fut un temps où ils vivaient dans cette maison en famille : Gino, sa femme, Maria, et ses enfants, la brune et sauvage Lucky et son blondinet de fils, Dario.

Aujourd'hui, il n'y avait plus que Gino et Lucky. Elle et lui contre le reste du monde... Il existait entre eux un lien mystérieux que personne ne pourrait briser, jamais.

Mais il n'en avait pas toujours été ainsi.

Gino Santangelo[1] *était né en Italie. Il avait trois ans quand ses parents émigrèrent aux Etats-Unis, bien décidés à faire du grand rêve américain une réalité. Hélas, les émigrants étaient nombreux et le travail dur à trouver.*

Gino n'avait pas six ans que le grand rêve américain s'était écroulé. Sa mère était partie avec un autre homme, et Paulo, son père, déçu et amer, était devenu un petit gangster minable. Il se mit à boire et ne fréquenta plus que des femmes de mœurs légères.

Quand son père était en prison, ce qui arrivait fréquemment, Gino n'en souffrait pas. Il naviguait dans différents foyers d'emprunt, ce qui en fit un garçon dégourdi, un vrai gosse de la rue avec de vraies ambitions.

A quinze ans, il vola sa première voiture et se fit prendre par les flics. On l'envoya dans une maison de correction du Bronx, un établissement particulièrement dur pour orphelins et délinquants mineurs. La loi du plus fort y régnait et, si Gino s'en tira fort bien, ce ne fut pas le cas de tous ses petits copains. Un certain Costa Zennocotti était ainsi devenu le souffre-douleur des plus grands. Une nuit qu'il hurlait encore plus fort que d'habitude, Gino intervint. Sans réfléchir, il s'arma d'une paire de ciseaux et surgit dans la chambre de torture. Les affreux s'apprêtaient à sodomiser le pauvre garçon, qu'ils avaient attaché sur son lit. Gino se jeta sur l'un des violeurs et le blessa avec les ciseaux.

Cet épisode lui valut un séjour dans une prison du Bronx, six mois

---

1. Voir *le Grand Boss,* du même auteur.

de liberté surveillée, et un ami pour la vie en la personne de Costa. La presse s'étant emparée de cette histoire, le petit Costa fut adopté par une riche famille de San Francisco.

Gino avait bientôt commencé à hanter les lieux mal famés avec un violent désir de faire de l'argent, et par là même un bras d'honneur à la société. Il se désintéressa définitivement de son minable de père, et commença à traîner du côté des caïds de l'époque — des hommes tels que Salvatore Charlie Lucania (le futur Lucky Luciano), Meyer Lansky et Bugsy Siegel. C'étaient ceux-là qui avaient le fric, qui roulaient dans des grosses bagnoles. C'étaient eux qui avaient le pouvoir, les plus belles femmes. C'étaient eux qu'on respectait.

Gino avait voulu voir, et il avait vu. Gino avait voulu le pouvoir et l'avait eu.

Il dut s'acharner pour arriver au sommet, mais le jeu en valait la chandelle. Il commença modestement, puis se distingua dans le commerce florissant de l'alcool prohibé.

A vingt-deux ans, il avait une petite amie très jolie, Cindy, et une maîtresse très riche, Clementine Duke, une dame de la haute société dont le mari, sénateur, lui présenta de gros investisseurs et l'introduisit dans le monde de l'argent. Le sénateur Duke blanchit l'argent de Gino. Au moment du grand krach de 1929, Gino retira ses billes au bon moment, toujours grâce au sénateur.

Entre-temps, il avait pris un associé, Enzio Bonnatti, et au début des années trente, ils étaient suffisamment introduits dans le jeu et dans un certain nombre de rackets pour vivre sans souci du lendemain. Gino refusa de toucher à la drogue et au proxénétisme, ce qui l'amena à se séparer d'Enzio en 1934.

Pour s'amuser un peu, Gino ouvrit ensuite une boîte de nuit le Clemmie's, et devint une personnalité de la vie new-yorkaise. Clementine Duke était aux anges, mais le succès surprenant de Gino auprès des femmes ne l'enchantait guère. Elle le persuada d'épouser Cindy, espérant que cela le retirerait du « marché ». Hélas, les femmes exerçaient sur Gino une attraction fatale. Ses conquêtes se multiplièrent.

Cindy finit par prendre ombrage de ses perpétuelles infidélités, et se mit à coucher à droite et à gauche, pour se venger. Elle le menaça de le dénoncer à la Cour des comptes pour exportation illégale de capitaux.

En 1938, la jeune femme tomba du haut de leur penthouse et s'écrasa sur le trottoir, quelques dizaines de mètres plus bas — un regrettable accident. Gino lui offrit de somptueuses funérailles.

Mais la malchance s'acharna sur lui. Il se demandait quel bénéfice il pourrait bien tirer de la guerre, désormais imminente en Europe, lorsque son père resurgit dans sa vie. Il vivait alors avec une prostituée du nom de Vera, qui tira sur lui un jour où Gino était là. Ce dernier s'interposa, tenta de lui arracher le revolver des mains, y laissa ses empreintes et fut injustement condamné puis emprisonné pour meurtre. Costa Zennocotti, qui était devenu avocat, mit sept ans à obtenir les aveux de Vera, qui mourut peu de temps après que Gino fut sorti de prison avec le pardon du gouvernement et une grosse somme d'argent en dédommagement. Mais rien ne compenserait jamais sept années passés au trou.

En 1949, il décida de changer de décor. Las Vegas, en pleine expansion, était un lieu tentant. En outre, un de ses vieux amis, Jake the Boy, le suppliait d'investir dans cette future Babylone du jeu. Gino créa un groupe financier qui se chargea de trouver des fonds pour la construction d'un grand hôtel, le Mirage. *Bugsy Siegel avait déjà ouvert l'hôtel-casino* Flamingo *(il devait se faire assassiner plus tard pour tricherie éhontée), et Meyer Lansky avait financé le* Thunderbird. *Gino voulait être sur le coup. Il en avait assez bavé ces dernières années.*

C'est alors qu'il rencontra sa future femme, Maria. Elle était jeune, innocente, avec des cheveux blond clair et les traits délicats d'une madone. Ils se marièrent très vite. Lucky naquit en 1950 et, même bébé, c'était le portrait tout craché de son père.

Les portes de l'ascenseur coulissèrent et Lucky sortit au milieu de la foule grouillante qui remplissait le casino. Son ascenseur, ainsi qu'elle l'avait voulu, la déposait au cœur de l'action, contrairement à Gino dont l'ascenseur privé, au *Mirage*, menait directement dans un sous-sol où un chauffeur attendait ses ordres en permanence dans une grosse limousine.

Gino resta un instant en retrait, l'œil aux aguets, une habitude contractée dans la rue. Imperceptiblement, il pressa son coude contre son flanc, sentit la douce pression du revolver bien au chaud dans son étui. Rassuré, il rejoignit Lucky.

Sa fille se retourna et lui sourit.

— Tu as vu, ça marche pas mal pour nous, hein ? lui dit-elle en jetant un regard satisfait sur la foule en ébullition.

— Ouais, mon petit, ils sont chauds aujourd'hui.

En réalité, c'était comme ça à longueur d'année. Ils étaient toujours « chauds », les enfoirés, toujours prêts à dépenser. Ils se sentaient importants parce qu'ils allaient jouer.

Ils dînèrent en tête à tête au *Rio*, le restaurant select du *Magiriano*. Des hors-d'œuvre au dessert, il ne fut question que d'Atlantic City. Fébrile, les joues en feu, Lucky étourdit Gino avec son vibrant récit.

— Je suis arrivée exactement à ce qu'on voulait, annonça-t-elle. Le meilleur endroit sur la promenade, les meilleurs investisseurs. Il y a même des architectes et des entrepreneurs qui commencent à faire des offres. Si on ne traîne pas, on peut même commencer les travaux dans deux mois. Tout est prêt à démarrer. Il ne te reste plus qu'à donner le feu vert.

Elle s'arrêta une seconde pour reprendre son souffle, puis conclut sur les chapeaux de roues.

— Bien sûr, on aura besoin d'un permis de construire, mais ça aussi, c'est au point, je m'en suis occupée, dit-elle avec un sourire triomphant.

Gino l'avait écoutée attentivement. Elle était astucieuse, sa fille. Et rapide. Belle. Et brillante. Sauvage. Et dure. La fille de son père. Le même sens aigu des affaires. Il en était drôlement fier.

Il n'aurait jamais cru qu'une femme l'égalerait un jour. Mais sa fille avait réussi. Sa Lucky.

Enfant, déjà, Lucky était prodigieusement intelligente, et douée d'un fort tempérament. Son frère cadet, Dario, un petit garçon à la santé délicate, était nettement moins brillant. D'à peine dix-huit mois son aînée, Lucky l'avait toujours dominé.

Maria était une mère merveilleuse. Gino les gâtait beaucoup trop. Un maximum de cadeaux et de câlins. Beaucoup de câlins pour Lucky, sa préférée.

A l'occasion de son cinquième anniversaire, ses parents donnèrent une fête extraordinaire pour cinquante enfants, avec des clowns, un énorme gâteau au chocolat et des monceaux de cadeaux. Lucky s'en souvenait encore aujourd'hui comme du plus bel anniversaire de sa vie. Il ne devait plus y en avoir d'aussi joyeux avant longtemps...

Une semaine plus tard, Gino partait en voyage d'affaires. Le lendemain de son départ, sa femme était assassinée. Lucky la découvrit au matin, flottant sans vie sur un matelas pneumatique au milieu de la piscine.

Tout alla très vite. Les photographes, les flics, un avion pour la Californie. Une nouvelle maison avec des barreaux aux fenêtres, des signaux d'alarme dans tous les coins, des gardes avec des chiens. Et Gino toujours absent. Quand par hasard il était là, il se montrait distant. On aurait dit qu'il ne supportait plus de les voir. Et toutes ces gouvernantes qui changeaient sans arrêt...

Lucky souffrit énormément de cette nouvelle vie. Elle se replia sur elle-même, devint dure et secrète, alors que son frère choisissait de vivre dans un monde de faux-semblants.

Quand elle eut quinze ans, son père décida de l'envoyer étudier en Suisse, dans une pension huppée. Elle était à la fois effrayée et excitée à cette idée, mais c'était tentant finalement de changer d'air.

L'établissement suisse se révéla particulièrement strict. Heureusement, Lucky partageait une chambre avec une fille très délurée. Olympia Stanislopoulos l'entraîna dans ses escapades nocturnes, avec au programme drogue, alcool et flirts poussés, après avoir fait le mur.

Il ne leur fallut pas six mois pour se faire renvoyer.

Gino vint récupérer sa fille sans un mot et l'envoya directement à New York, dans une nouvelle pension plus sévère encore que la première. Lucky se débrouilla alors pour contacter Olympia, qu'on avait inscrite à Paris dans le même genre d'établissement. Les deux adolescentes firent la belle de concert, quelques cartes de crédit à l'appui. Lucky rejoignit Olympia à Paris, puis elles filèrent sur la Côte d'Azur dans la Mercedes blanche de Mr Stanislopoulos. Elles s'installèrent dans la maison de la tante d'Olympia, vide en cette saison. Ah, les beaux jours !

Mais le temps se gâta tout à coup, quand leurs pères rappliquèrent.

Lucky se retrouva de nouveau en Californie, à Bel Air. Seule. On avait inscrit Dario en pension.

Parfois, elle ressentait pour son père une haine brûlante. A d'autres moments, elle l'aimait follement. Elle aurait fait n'importe quoi pour attirer son attention. Sans succès...

Pour son seizième anniversaire, Gino lui fit la surprise de l'emmener à Las Vegas. Il la fit coiffer, lui offrit une robe d'un grand couturier et des boucles d'oreilles incrustées de diamants. Puis il l'emmena dîner avec quelques amis. Lucky était ravie. Mais Gino, l'ayant placée à côté de Craven, le nigaud de fils du sénateur Richmond, se désintéressa complètement d'elle, et elle s'éclipsa. Gino ne remarqua rien. Néanmoins il n'apprécia pas de la voir rentrer, ivre et dépenaillée, à trois heures du matin. Puisqu'elle ne pensait qu'à baiser, eh bien, il allait la marier.

Et peu importe que ça lui plaise ou non...

Gino, qui n'avait pas pensé à Susan Martino de toute la soirée, reçut un choc en la voyant brusquement arriver avec un homme au restaurant. Elle lui fit un petit signe de la main en souriant, et alla s'asseoir quelques tables plus loin.

— Qui est-ce ? demanda Lucky.

— Euh... (Est-ce qu'elle était déjà au courant ?) Tu ne la connais pas ? C'est la veuve de Tiny Martino.

— La femme, non, je ne la connais pas, répondit Lucky d'un ton cassant. Mais le type qui l'accompagne me rappelle quelqu'un.

Gino plissa les paupières, mais ne vit rien de plus. Il était myope comme une taupe et se refusait à porter des lunettes, par fierté. Il commença à bouillonner intérieurement. Mais qui donc était ce grand séducteur à cheveux blancs ? Le salaud était assis à côté de Susan.

Ça ne pouvait pas être son amant. Non.

Quand il n'y tint plus, il appela un serveur.

— Qui sont les gens assis à cette table ?

— Des amis de Mr Traynor, monsieur.

— Et où est passé cet enfoiré de Traynor ?

— Il arrive, Mr Santangelo.

Le serveur repartit, un peu nerveux.

— Mais enfin, que se passe-t-il ? demanda Lucky.

— Je le saurai bien assez tôt, grogna Gino. Hé ! Matt ! Venez un peu par ici ! hurla-t-il, sans se préoccuper des autres dîneurs.

Matt Traynor accourut, tout sourires, ses cheveux argentés scintillant sous les lustres du restaurant.

— Lucky, heureux que vous soyez de retour. Vous êtes somptueuse. Gino, c'est un plaisir de vous voir.

— Mais qui est cette espèce d'abruti de mes deux assis à côté de Susan Martino ?

Matt Traynor cligna rapidement des yeux en essayant de comprendre ce qu'il avait pu faire de mal. On racontait que Gino s'intéressait à la veuve de Tiny, mais de là à faire une telle crise de jalousie...

— Susan n'est avec personne en particulier, expliqua-t-il très vite. J'ai invité quelques amis, et j'ai pensé que ça lui ferait plaisir de se joindre à nous. Tiny était comme un frère pour moi.

— Qui est ce con ? Vous allez me le dire, oui ou non ?

— Si j'avais pu deviner que cela vous déplairait..., commença Matt obséquieux.

— Mais qui est cet enculé ? hurla Gino en se levant.

— Dinitri Stanislopoulos. Il est arrivé ce matin, il est ici pour le dîner en l'honneur de Francesca Fern, nous l'avons installé dans la suite présidentielle, dit Matt d'une seule traite. D'habitude il descend au *Sands* — et il perd au *Sands*, si vous voyez ce que je veux dire. Je l'ai rencontré à Monte-Carlo le mois dernier, et je lui ai suggéré le *Magiriano*. Il est plus riche qu'Onassis. Et il adore jouer au baccara.

— Mais bien sûr ! s'écria Lucky. C'est le père d'Olympia ! Pas étonnant qu'il m'ait rappelé quelqu'un !

— Olympia ? dit Gino, le regard vide.

— Mais si ! C'était ma meilleure amie, en pension ! On s'était enfuies toutes les deux sur la Côte d'Azur, et vous étiez venus nous rechercher avec Dimitri ! Tu ne te rappelles pas ?

Gino eut un geste d'agacement. Ça n'était vraiment pas le moment d'évoquer des souvenirs.

— Matt, dit-il brusquement, dites-leur de venir à notre table.

— Je suis sûr qu'ils seront ravis, répondit Matt, qui n'en pensait pas un mot.

Mais qui aurait osé contrarier Gino ?

— Pourquoi veux-tu qu'ils viennent ? Il y a encore tellement de choses dont on n'a pas parlé, protesta Lucky, dès que Matt fut parti.

— Et pourquoi je ne les inviterais pas ? Je suis sûr que Susan Martino te plaira, c'est une femme adorable.

« Et puis quoi encore ! » pensa Lucky. Il était de plus en plus clair que Gino ne s'était pas ennuyé en son absence, et pas avec une de ses petites putes, en plus.

— Tu l'as vue souvent ? demanda-t-elle sur un ton qu'elle voulut léger.

— Oh, juste une ou deux fois, répondit-il, faussement désinvolte.

« Une ou deux fois, mon cul ! Tu bandes pour elle comme un fou, oui ! »

Curieusement, elle était jalouse.

Pourquoi ?

Et pourquoi pas ?
C'était son père, après tout.
Papa.
Gino.

Elle se souvient... des invitations, imprimées à la hâte, de tous ces gens au visage de circonstance, conviés au mariage de Lucky Santangelo et Craven Richmond.

Craven Richmond, ce grand maigrichon. Le fils de Peter Richmond et de Betty, sa femme aux cuisses d'acier.

Craven Richmond. Bien élevé, galant, ennuyeux.

Craven Richmond. Ce mari choisi pour elle par Gino, ce mari qu'on lui avait imposé à seize ans.

Ce mariage ! Quelle ignoble plaisanterie ! Et ce voyage de noces aux Bahamas. Craven s'était révélé aussi peu expérimenté qu'elle côté sexe — car en réalité, elle était restée vierge, malgré tous ses flirts poussés.

Lucky n'attendit pas la fin de sa lune de miel pour prendre son premier amant. Le ton était donné. Comment aurait-il pu en être autrement d'un mariage arrangé avec une famille que Gino avait soudoyée — parfaitement, il les avait payés pour qu'elle épouse leur fils, Lucky l'avait découvert un soir de dispute avec Betty.

Ils s'installèrent à Washington. Craven ne faisait rien de ses journées, à part traîner au quartier général de son père. Quant à Lucky, elle passait son temps à lire, à dépenser de l'argent, ou à rouler sans but sur l'autoroute dans sa Ferrari rouge — un cadeau de Gino. Ce n'était pas vraiment la vie dont elle avait rêvé.

Un jour, elle l'avoua à son père : elle voulait devenir femme d'affaires. Gino lui fit gentiment comprendre que la place d'une femme était plutôt à la maison.

Alors, elle attendit. Et un jour il téléphona. Il voulait la voir, et sans Craven pour une fois. Quand elle arriva à New York, Dario était déjà là. Dario, qui étudiait l'art à San Francisco, Dario, qu'elle n'avait pas revu depuis des années. Dario, son frère, ce mystérieux étranger.

Ils allèrent dîner tous les trois. La conversation s'enlisait quand Gino annonça la couleur : il avait de sérieux problèmes avec le fisc. Il risquait une assignation, et vraisemblablement la prison. Il allait quitter les États-Unis pour quelque temps. Lucky et Dario allaient désormais signer à sa place certains papiers. Costa, son associé, se chargerait de tout, mais Dario devrait le seconder.

Dario, l'esthète, le sensible, rechigna. Alors Gino se mit en colère, alors Lucky se lança.

— Moi, je pourrais travailler avec Costa, commença-t-elle.

Gino ne la laissa pas terminer. S'ensuivit une dispute terrible où elle explosa, où elle lui jeta au visage toutes les rancœurs, les frustrations accumulées au fil des années. Gino, qui voyait le monde selon ses propres critères, ne comprit pas grand-chose à cet accès de rage, qu'il jugea disproportionné. Lui qui pensait lui avoir tout donné...

Elle le traita de macho. Elle le traita de salaud. Il la gifla. Elle s'enfuit en pleurs en lui criant :

— Je te hais ! Tu ne me reverras jamais !

Gino quitta le pays peu de temps après. Il s'installa en Israël pour une période indéterminée. Quelques semaines plus tard, Lucky avait des nouvelles de Costa. Il voulait lui faire signer des papiers. Il allait les lui envoyer.

— Inutile de les lire, c'est une simple formalité, précisa Costa.

C'était mal la connaître que de la prendre pour une femme de paille. D'abord elle lisait. Ensuite, elle signait.

Elle lut et elle signa. Puis elle se dit :

— Pourquoi renvoyer ces papiers ? Et si j'allais les lui rendre en mains propres ?

Deux heures plus tard, elle prenait l'avion pour New York.

Depuis le sommet de sa coiffure impeccable jusqu'à l'extrémité de ses escarpins Charles Jourdan, Susan Martino était irréprochable, parfaite, ultra-sophistiquée. Elle ne portait rien d'autre qu'une discrète petite robe de chez Dior et quelques saphirs flamboyants à quelques milliers de dollars pièce. Et elle ne posait sur les choses que des yeux subtilement maquillés.

« Le genre qui prend tout avec des pincettes », se dit Lucky. Elle essaya de l'imaginer au lit avec Gino et faillit éclater de rire.

— Je suis si heureuse de faire votre connaissance, dit Susan à Lucky. Votre père m'a souvent parlé de vous.

La jeune femme se composa un air avenant tout en constatant que la petite soirée intime avec son père virait tragiquement au rassemblement de vieilles peaux.

Traynor et Dimitri les rejoignirent. A présent qu'il était rassuré, Gino semblait apprécier le Grec. Traynor faisait bonne figure, et Susan se comportait en souveraine au milieu de tout ça. Déjà... Lucky eut subitement envie de partir, de les planter là. Puis elle se calma. « C'est sa vie, après tout, je ne vois pas pourquoi je me sens concernée », se dit-elle.

« Sa vie, tu parles ! C'est notre vie à tous les deux, oui, qu'elle est en train de gâcher... »

Lucky adora New York. Les affaires de Gino la passionnèrent. Elle commença à venir de plus en plus souvent au bureau, puis tous les jours, puis dix heures par jour. Costa se montra coopératif et, en moins d'un an, Lucky avait compris le fonctionnement des nombreuses sociétés qui constituaient l'empire Santangelo.

Dario était ravi. Sa sœur tenait à merveille le rôle qu'il était censé jouer. Gino n'était plus là, il allait donc pouvoir mener la vie qu'il souhaitait. Dario avait toujours préféré les garçons...

Peu avant son départ, Gino avait créé un groupement d'investisseurs pour financer la construction du Magiriano. *Mais depuis qu'il était parti, certains d'entre eux avaient cessé de payer.*

— On doit pourtant avoir des accords avec ces gens, non ? demanda Lucky.

— Rien d'officiel, avoua Costa. Ils ont donné leur parole, c'est tout.

— Et qu'aurait fait Gino avec des gens qui ne respectent pas leur parole ?

— Il a... euh... ses méthodes personnelles.

— Alors, qu'est-ce que vous attendez pour les employer ? C'est vous qui le remplacez, si je ne me trompe.

— Mieux vaut laisser moisir certaines affaires en attendant qu'il revienne.

— Pas question ! fulmina Lucky. Ces hommes vont payer, croyez-moi. Je veux une liste, tout de suite ! Je...

— Ne faites pas l'idiote. Ces hommes ne sont pas des enfants de chœur.

— Ne me traitez plus jamais d'idiote ! Vous avez compris ? cria Lucky.

Costa avait compris. On aurait dit Gino au même âge. Il savait désormais qu'il ne pourrait pas l'empêcher de prendre les choses en mains tant que son père serait absent.

— Il y a un nouvel artiste dans le salon Bahia, dit Matt à Lucky. Pourquoi n'irait-on pas prendre le café là-bas ?

— Il est vraiment drôle ? demanda Lucky, d'un air désabusé. J'ai envie de rire, ce soir.

— Est-ce que j'engagerais un comédien qui n'est pas drôle ?

Lucky eut un sourire effrontément poli. Elle en avait marre de cette soirée. Elle regardait son père, pris au piège de cette vieille poupée Barbie. Si au moins il s'était agi d'une femme chaleureuse, cultivée. Mais cette salope de calculatrice sur le retour, c'en était trop. Lucky était écœurée. Et tout ça pour une partie de jambes en l'air ! Comment Gino avait-il pu tomber dans le panneau, à soixante-dix balais ! Cela lui rappela qu'elle n'avait pas baisé depuis des mois.

Lucky Santangelo sans amant, sans un homme à se mettre sous la dent. L'idée la fit sourire.

Il fut un temps où elle s'en envoyait deux ou trois par semaine. Et dès qu'elle était émue, elle lançait son éternel : « Ne m'appelle pas. C'est moi qui t'appellerai. » Et elle n'appelait jamais. Elle ne voyait d'ailleurs pas pourquoi seuls les hommes auraient eu le droit de se comporter ainsi. Tant qu'elle ne blessait personne... Pourquoi avoir recours à l'amour alibi pour se faire baiser ? Pourquoi devoir s'encombrer d'un homme en permanence parce qu'on prenait son pied avec lui ?

Bien sûr, il y avait toujours des exceptions. Mais, dans la vie de Lucky, il n'y en avait eu qu'une : Marco.

Elle avait à peine quatorze ans quand il était entré dans sa vie. Dans le genre beau ténébreux silencieux, on ne pouvait pas trouver mieux. Elle s'éprit de lui, et se fit tout un cinéma, alors qu'il continuait à la traiter tout à fait comme avant, comme une enfant. Il travaillait pour son père en qualité de chauffeur-garde du corps. C'est lui qui accompagnait Dario et Lucky quand ils allaient au cinéma, ce qui arrivait rarement. Gino préférait les savoir en sécurité derrière les barreaux de la propriété de Bel Air.

Marco était toujours présent. Un peu comme s'il avait participé à chaque sortie, à chaque départ, à chaque événement d'importance — c'était lui qui conduisait la Mercedes le jour de son mariage — et toujours terriblement efficace et courtois. Mais pourquoi était-il poli comme ça ? Quand elle s'installa à Washington, la mort dans l'âme, elle se dit qu'il sortait peut-être pour toujours de sa vie.

D'une manière ou d'une autre, tous ses amants lui rappelaient Marco. Les yeux noirs, peut-être, ou les cheveux noirs bouclés qui venaient lécher le col de la chemise, ou la façon d'allumer une cigarette. Le moindre détail était suffisant pour qu'elle finisse dans leur lit. Mais toutes ces pâles imitations ne valaient sûrement pas l'original.

Après avoir tiré un trait sur son mariage et sur son passé, elle essaya de l'oublier en se lançant à corps perdu dans les affaires. Mais, si Costa était un type malin et un bon avocat de surcroît, ce n'était pas un homme d'action. Il fallait régler le problème du Magiriano. Elle alla tout d'abord demander l'aide d'Enzio Bonnatti, le vieux complice de son père. Costa l'avait emmenée le voir une fois, et il lui avait dit qu'elle pouvait le considérer comme son parrain.

— Costa ne bougera pas, lui dit-elle. Mais je suis prête à faire ce que mon père aurait fait à ma place.

— Gino n'a jamais toléré qu'on lui marche sur les pieds, répondit Enzio. Après tout, je ne vois pas pourquoi tu ne suivrais pas son exemple. Je peux te procurer des hommes. Tu prends le premier nom sur la liste et tu leur dis d'aller voir. T'inquiète pas pour le reste, tout le monde se couchera. Si tu veux que j'intervienne moi-même, aucun problème.

— Merci, je vais m'en charger. Prêtez-moi seulement quelques hommes.

Elle rendit tout d'abord une petite visite au très respectable Rudolpho Crown, banquier de son état. Elle tenta de traiter à l'amiable, mais l'homme se moqua d'elle. Elle décida alors de sortir l'artillerie.

Une semaine plus tard, Crown était réveillé en pleine nuit par le contact d'un objet froid sur ses bijoux de famille. Il ouvrit des yeux effarés sur son petit pénis recroquevillé, qu'on commençait à chatouiller d'une lame effilée. Il se mit à pleurer, à supplier...

— Ce n'est que la répétition générale, Mr Crown. La première aura lieu dans une semaine, si vous n'avez pas payé d'ici là, dit une voix de femme qui semblait venir du couloir.

Rudolpho Crown paya. Fissa. Et ses petits copains s'exécutèrent sans délai. Le Magiriano était de nouveau dans la course.

Quelques semaines plus tard, Lucky se rendit à Las Vegas, pour s'assurer de la bonne marche des travaux. Naturellement, elle descendit au Mirage, et ce fut Marco qui l'accueillit.

Toujours aussi séduisant. Quel âge avait-il, à présent ? Elle calcula rapidement. Quarante et un ans.

— Tu es superbe ! Tu as l'intention de rester longtemps ?

« Le temps qu'il faudra pour t'attirer dans mon lit », pensa-t-elle.

— Oh, quelques jours peut-être une semaine, éluda-t-elle.

— Parfait. Je pourrai donc te présenter ma femme.

« Sa femme ! »

— Ça fait combien de temps que t'es marié ? demanda la jeune femme en luttant pour cacher son affolement.

— Quarante-huit heures. Pour un peu, t'aurais pu assister à la cérémonie !

Il fallut des mois pour que Marco remarque qu'on s'intéressait à lui. Lucky allait et venait entre New York et Las Vegas. Elle suivit de très près la construction, puis la décoration de son hôtel. Elle surveilla d'encore plus près l'évolution du mariage de Marco. Rien à signaler. Elle se noya dans un tourbillon d'activités, devint de plus en plus agressive avec Marco, qui finit par comprendre ce qu'on attendait de lui. Un soir où sa femme n'était pas en ville, il invita Lucky à dîner. Ils évoquèrent quelques souvenirs, puis il la raccompagna. Arrivés à la porte de sa suite, il se décida :

— Je vais rentrer un moment, dit-il.

Elle le sentit derrière elle, tout contre elle. Elle imaginait déjà ses mains sur elle... De sa vie, elle n'avait désiré plus fort un homme. Pourtant, elle se domina et le renvoya gentiment chez lui, car le jour où elle se déciderait à le prendre, ce serait pour la vie.

Les mois passèrent. Marco semblait heureux en ménage. De son côté, Lucky attendait le moment opportun, qui ne venait jamais.

Puis ce fut l'inauguration du Magiriano, le champagne, les lumières, la musique, l'euphorie... Le désir l'emporta. Toute la soirée, ils furent au bord de se jeter dans les bras l'un de l'autre. Et ce qui devait arriver arriva.

Ce fut une nuit divine. Marco décida de divorcer. Il la quitta au petit matin et lui donna rendez-vous pour le déjeuner.

Désormais, il n'y avait plus l'ombre d'un doute. Marco était vraiment l'homme qu'elle aimait plus que tout au monde et avec lequel elle allait passer sa vie.

Quelques heures plus tard, elle l'attendait au restaurant en compagnie de Costa. Le soleil brillait, elle était radieuse. Tout à coup, elle aperçut Boogie, son garde du corps, qui venait vers elle à grands pas. Sans savoir pourquoi, elle frissonna.

— Il y a eu une fusillade, dit-il tout de suite.

En un éclair, elle comprit. C'était Marco. C'était son avenir qui s'écroulait. Elle ferma les yeux pour prier, mais elle savait déjà qu'il était trop tard...

Le salon Bahia était bondé, mais une table se libéra comme par enchantement pour Gino Santangelo et ses invités.

Lucky se retrouva placée à côté de Dimitri. Elle lui demanda des nouvelles d'Olympia.

— Oh, elle vient de divorcer pour la troisième fois, dit-il, fataliste.

A vrai dire, Olympia, cette fille qui avait été sa meilleure amie, ne l'intéressait plus du tout. Elle suivait vaguement son itinéraire à travers les potins mondains, et cette blonde milliardaire un peu bouffie qui collectionnait les maris ne lui inspirait guère que du mépris.

Elle se tourna vers Gino, mais il était tout absorbé dans la contemplation de Susan Martino. Lucky faillit partir, mais décida de rester pour le comédien. Il était en train d'ajuster son micro, tout en commentant l'actualité avec un humour dévastateur. Au bout d'une minute, la salle hurlait de rire. Gagner si vite l'intérêt d'un tel public, généralement ivre et bavard à cette heure de la nuit, relevait carrément du génie. Lennie ne se contentait pas de servir quelques plaisanteries, il parlait de la vie. Il était fin, cruel, atrocement réaliste.

— Comment s'appelle-t-il ? demanda Lucky.

— Lennie Golden, répondit Matt. Comme le trouvez-vous ?

— Pas mal.

Quelques minutes plus tard, Gino se pencha vers sa fille pour lui annoncer que Susan était fatiguée et qu'il allait la raccompagner. « Non, mais quel toupet ! pensa Lucky. C'était *notre* soirée, et il s'enfuit comme un voleur pour aller troncher cette vieille peau ! » Elle se força néanmoins à sourire à l'ennemie. Il était trop tôt pour passer à l'attaque...

Après leur départ, elle se sentit impuissante et désemparée. Elle n'avait rien à dire aux autres et se concentra un moment sur le comédien, qui avait décidément l'air de plaire à tout le monde. Puis elle se leva, salua la compagnie, et sortit.

Elle fit un petit tour dans son casino, en pleine effervescence nocturne. On la reconnaissait, on lui souriait. Elle répondait par un petit signe de tête distrait.

« Oh ! qu'est-ce que j'ai envie de baiser ! il faut absolument que je trouve quelqu'un... » se dit-elle.

Elle se dirigea vers la réception, demanda les clés de sa suite et partit en chasse. Elle ne voulait pas de n'importe qui. Après tout, il y avait si longtemps qu'elle ne s'était plus envoyée en l'air...

Elle rôda une bonne demi-heure, sans succès. Puis elle vit un homme, seul à une table de roulette. Il avait l'air sombre, boudeur. Il lui rappela Marco.

Non ! Instinctivement, elle tourna les talons.

Elle se sentait seule et ne voulait qu'un amant anonyme, pour une séance de baise sans lendemain. Etait-ce donc si difficile à trouver ?

Tout à coup, une main l'agrippa. Elle se retourna.

— Vous êtes partie avant la fin de mon spectacle ! Vous ne savez pas apprécier le talent ?

Elle resta une seconde sans voix. Puis elle sourit.

— Lennie Golden ! Vous êtes exactement l'homme qu'il me faut.

5

Olympia n'aimait pas New York l'été. Il y faisait affreusement chaud, la ville était sale, surpeuplée. Et si ce n'avait été pour le troisième mariage de sa mère, elle n'aurait jamais quitté Paris en plein mois de juillet.

Elle voyagea en Concorde avec Brigette, sa fille de neuf ans, et Mabel, la nurse anglaise. Brigette était une petite fille ravissante qui avait hérité des cheveux blonds et des yeux bleus de sa mère. Elle avait le même genre de corps que son père, longiligne et musclé.

Ravissante, et insupportable. Autoritaire, et délaissée. Voilà ce qu'aurait dit Mabel si on lui avait demandé son avis sur la petite héritière blonde. Mais on ne lui demandait pas son avis.

Charlotte, la mère d'Olympia, était une bourgeoise chic de la bonne société américaine. Elle s'était mariée très jeune avec Dimitri, dont elle avait rapidement divorcé pour se remarier avec un célèbre banquier. Aujourd'hui, elle était prête à s'immoler sur l'autel du mariage pour la troisième fois, le banquier ayant trépassé. L'heureux élu était un producteur de films qu'Olympia n'avait aucune envie de rencontrer.

Au moment où elles quittaient la douane, Brigette s'écria :

— Maman, il y a encore des hommes avec des appareils photo !

Olympia ne raffolait pas des paparazzi, mais puisqu'ils arrivaient toujours à la photographier, autant apparaître à son avantage sur les clichés. Elle ébouriffa ses boucles blondes, tira sur la jupe de son tailleur Saint-Laurent. Ah, ces obligations de femme du monde !

Après le show, Dimitri dédaigna la jeune greluche que lui avait présentée Traynor et préféra jouer au baccara. Matt l'installa à une table privée en compagnie d'hôtes de qualité, dont un chanteur célèbre avec une affreuse moumoute, un trafiquant d'armes arabe, deux magnats japonais de l'électronique, et une jeune Anglaise, la petite amie de l'homme du Golfe.

Dimitri connaissait cette jeune femme et la trouvait à son goût. Les Anglaises avaient cette façon de se comporter au lit qu'il aimait bien, très putes de haut vol. Ce n'était d'ailleurs pas un hasard si Francesca Fern, une star anglaise qui frisait la cinquantaine, était sa maîtresse depuis huit ans. Ah, Francesca ! Son pouvoir sur les hommes, sa présence, sa façon désinvolte d'accepter des bijoux hors de prix comme s'il s'agissait de vulgaires breloques...

Dimitri n'aimait que les femmes sophistiquées, même si elles lui coûtaient très cher. Les escarpins à cinq cents dollars, la robe de chez Dior, le bijou Cartier, étaient indispensables pour l'exciter. La culture n'était pas à négliger non plus. Et Francesca Fern possédait tous les atouts pour le rendre fou. Mais... Francesca Fern était mariée. Pire : elle refusait catégoriquement de divorcer et d'abandonner Horace, son petit mari chétif. Horace n'était pourtant pas encombrant. Quand il accompagnait sa femme lors des croisières annuelles sur le yacht de Dimitri, il se faisait tout petit et si discret que Francesca pouvait passer toutes ses nuits dans la cabine de l'armateur grec.

Dimitri continua à pousser ses plaques sur le tapis, s'enquit du maximum autorisé et misa finalement deux cent mille dollars. Il aimait bien jouer. Ça le détendait. Et il avait vraiment besoin de se calmer. Francesca arriverait dans quarante-huit heures pour un gala organisé en son honneur. Et il venait de le décider, huit ans, c'était suffisant. D'une manière ou d'une autre, Horace devait disparaître.

6

— Hé ! dit Lucky, qu'est-ce qui vous prend ?

— Comment ça — qu'est-ce qui *me* prend ? répondit Lennie, outragé.

Ils se faisaient face dans la semi-obscurité de la suite immense et ultra-luxueuse de Lucky. Elle avait dit : « Vous êtes l'homme qu'il me faut. » Puis elle l'avait pris par la main et avait ajouté, mystérieuse : « Suivez-moi. » Elle l'avait ensuite conduit jusqu'à l'ascenseur le plus proche, puis entraîné dans sa chambre. Elle avait fermé la porte, s'était jetée sur lui, lui avait arraché un baiser, puis mis la main à la braguette. Mais il ne bandait pas. Il essayait de comprendre ce qui lui arrivait.

— Vous voulez de l'argent ? avait-il demandé.

— Vous plaisantez ! avait-elle répondu, tout en baissant la fermeture Eclair de sa robe.

— Restez habillée. Je ne veux pas que vous vous conduisiez comme ça.

— Vous avez un problème ? demanda-t-elle en soupirant.

— Je pense que oui.

Elle eut un geste d'impatience. Apparemment, elle avait frappé à la mauvaise porte. Alors autant se débarrasser de lui au plus vite.

Lennie la dévisageait, à la fois médusé et vexé. Oui, il s'agissait bien de cette femme sublime qu'il avait repérée à l'aéroport. Oui, et c'était encore elle qui était sortie avant la fin de son spectacle, et toujours elle qui l'avait entraîné ici pour le violer. Si elle le prenait pour un vulgaire étalon dépourvu de sentiments, elle se trompait. Et puis il avait passé depuis longtemps l'âge de baiser tout ce qui se présente sous prétexte de tirer un coup.

— Ce qui me chiffonne, dit-il, si vous voulez le savoir, c'est qu'on n'a même pas échangé trois mots.

— Ah ! Ah ! Et si on prend une tasse de thé avant, ça changera quoi ?

— Je n'ai pas l'habitude qu'on me traite comme un objet, répondit-il, furieux.

— Écoutez, tout le monde peut se tromper, dit-elle, la main sur la poignée de la porte. Oublions tout ça et brisons là.

Il en avait connu, des femmes, dans sa vie, mais comme celle-là, jamais. Tout à coup, il se sentit con de ne pas profiter de l'occasion. Peut-être n'était-il pas trop tard pour redresser la barre...

— Et si on reprenait tout au chapitre un ? avança-t-il. On descend, on trouve un bar, on discute un moment, et puis on passe à l'action...

Le pauvre garçon. Il commençait vraiment à l'agacer. Elle ouvrit la porte et se dirigea la tête haute vers l'ascenseur.

— Écoutez, oublions tout ça, lâcha-t-elle.

Il la rattrapa et lui accrocha le bras, comme la première fois.

— Non ! Pas question ! rugit-il.

Le lion en pleine action. Il avait sa fierté, comme tous les autres. Un verre ou deux, une petite séance de drague courtoise, puis la ruée sur la dame, mais à « son » rythme à lui et à « ses » conditions. Elle décida de lui donner une leçon.

— Bon, vous avez gagné. Descendez au Bahia et commandez-moi un Bloody Mary. J'arrive dans cinq minutes, O.K. ?

Lennie s'arrêta trente secondes à la table de black jack de sa copine. Il l'observa un moment en souriant. Les cartes passaient du sabot dans les petites mains de Jess pour atterrir sur le tapis comme par enchantement. Il lui fit un clin d'œil complice puis se dirigea vers le Bahia à grands pas. Ça marchait pour lui. Il avait fait un tabac sur scène et deux semaines de succès s'annonçaient. Et puis ce canon qui se jetait sur lui. Finalement il n'était pas contre une petite parenthèse de deux semaines avec elle. Il se demanda ce qu'elle pouvait bien trafiquer à Las Vegas pour avoir autant de blé, et si c'était une affaire au lit...

Il pressa l'allure en direction du Bahia, commanda une bière pour lui et un Bloody Mary pour elle. Il sourit aux anges, content de lui. Il n'allait plus tarder à avoir de ses nouvelles...

L'appartement de Matt Traynor était décoré dans le style « nouveau riche récent ». Des dorures partout, une fourrure noire sur le lit, et du faux marbre sur une fausse cheminée. Il avait des verres en cristal à ses initiales, et les draps, les serviettes, les chaussettes et même les caleçons étaient brodés à son nom.

La ravissante idiote fraîchement débarquée de l'Ohio qu'il avait ramenée chez lui fut très impressionnée. Il la regardait boire son scotch à petites gorgées en se demandant si elle suçait bien. Il mit un disque de Frank Sinatra. Elle s'extasia. Il décida de passer à l'attaque. Il vint s'asseoir à côté d'elle, lui caressa la joue, rapprocha ses lèvres des siennes... Elle ouvrit la bouche sans problème. Un bon point. Il commença à lui palper un sein, tout en baissant la fermeture Eclair de sa braguette. La demoiselle n'en rata pas une miette et tendit une petite main potelée vers cette virilité en ébullition qui ne demandait qu'à sortir de sa prison. Matt fit « Ah... », puis le téléphone sonna.

Il se leva, rageur, et décrocha.

— Allô ! aboya-t-il en débandant à vue d'œil.

— Matt ? C'est Lucky. J'ai un problème à régler. Je veux vous voir immédiatement.

— Mais... ça ne peut pas attendre demain matin ?

— Non.

Oh... Il commençait à en avoir marre de la famille Santangelo. D'abord Gino, et maintenant sa fille. Ça faisait beaucoup pour un seul soir.

— Si c'est important..., commença-t-il sans empressement.

— Dépêchez-vous ! l'interrompit Lucky. Je vous attends.

Il raccrocha puis s'empressa de fourrer dans son pantalon ce qui n'était même plus le vestige d'une érection.

— Il faut que je parte, annonça-t-il.

— Oh ! C'est vrai ? fit la jeune fille, déçue.

— Oui, mais je ne serai pas long. Tu peux regarder la télé ou aller barboter dans le jacuzzi, en attendant.

— Super ! lança-t-elle, et elle se leva d'un bond.

Pas contrariante, c'était déjà ça...

Lennie regarda sa montre. Il poireautait depuis une demi-heure et il sentit qu'elle ne viendrait plus. Elle n'avait d'ailleurs jamais eu l'intention de venir la salope. Toutes les mêmes ! « Hé ! Tu n'es pas clair mon vieux, se dit-il. Si tu la voulais, c'était facile. Et voilà, elle t'a pris pour un con. Bien fait pour toi. Pourquoi tu ne supportes jamais qu'une femme prenne l'initiative ? Faudra méditer là-dessus, mon grand. »

Il décida de l'appeler. Suite 1122, il n'avait pas oublié. Il se rua sur un téléphone public. Personne. Cherchait-elle déjà un remplaçant ?

L'idée qu'un autre que lui allait profiter de ces lèvres, de ces seins, le rendait fou. « Bon, ça suffit, maintenant. Tu as raté le coche, un point c'est tout. Fini. Ter-mi-né. Allez, pas la peine de te miner comme ça. Ce soir le *Magiriano*. Demain le Johnny Carson Show ! »

Et qui sait ?

Il avait suffisamment ramé pour ça.

7

— Renvoyez le comédien ! dit Lucky.

— Quoi ? fit Matt, un peu étonné.

— Lennie Golden. C'est bien comme ça qu'il s'appelle, non ?

— Vous voulez parler du Lennie Golden qu'on a vu tout à l'heure au Bahia ?

— Il y en a un autre ?

— Je ne comprends pas. Cette première était du tonnerre. Le public marche à fond. Et vous-même m'avez dit que vous le trouviez drôle.

— Je n'ai jamais dit qu'il était mauvais. Je veux qu'on le vire, point final.

— Non mais c'est dément ! Vous me dérangez à trois heures du matin pour me dire ça ! Mais vous me prenez pour un larbin ?

Elle se demanda s'il oserait parler à Gino sur ce ton. Elle se dit que non.

— Votre boulot vous plaît ici ? demanda-t-elle, mielleuse.

— Je ne suis pas qu'un simple employé. Je suis intéressé au chiffre d'affaires de l'hôtel. Je suis le directeur de la société.

— J'en conviens. Mais c'est moi qui vous ai nommé directeur, et je pourrais aussi décider de me passer de vos services.

— Eh bien, faites-le ! cria-t-il, hors de lui.

— J'y songe, répondit-elle calmement.

Ils se regardèrent droit dans les yeux. Matt fut le premier à détourner son regard. Travailler pour les Santangelo lui donnait plus de pouvoir qu'il n'en avait jamais eu dans sa vie, plus qu'il ne pourrait jamais en avoir. Il n'était pas question d'y renoncer. Il ravala sa dignité.

— Bon, alors, qu'est-ce que je dois faire ? demanda-t-il, amer.

— Le payer. Le virer. Et l'envoyer hors de ma vue.

— Puis-je au moins savoir pourquoi ?

— Pourquoi ? A cause de lui, les clients gambergent. Ils arrêtent de boire. Ils arrêtent de jouer. Je veux qu'il ait décampé ce soir au plus tard.

— Si c'est ce que vous voulez...

— C'est tout à fait ce que je veux.

Dès qu'il fut sorti, elle se roula un joint. Puisqu'elle n'avait pas réussi à se faire baiser, autant se défoncer. Elle s'inonda copieusement la tête et les poumons puis pensa à Gino. Depuis combien d'années n'avait-elle plus fait de câlin à son père ?

Gino rentra en Amérique au printemps 77. Lucky attendait son retour avec une certaine nervosité. Elle avait fait ses preuves en son absence et n'avait nullement l'intention de s'effacer devant lui. Depuis la mort de Marco, elle avait certes confié la gestion du Magiriano *à Enzio, mais c'était provisoire. Son père rentrait, le moment était donc venu de reprendre les choses en mains à Las Vegas.*

Les retrouvailles furent agitées. Costa leur avait arrangé un rendez-vous à New York, à l'hôtel Pierre. *D'entrée de jeu, Lucky mit son père au courant de la nouvelle situation, le mettant au défi de l'écarter de ses affaires. Il la laissa parler, pour mieux lui assener le coup de grâce. Si elle était si forte que ça, comment avait-elle pu se laisser berner par Bonnatti ?*

Lucky ne répondit rien. Gino disait vrai. Elle l'avait appris le matin même de la bouche de Boogie qui était venu spécialement de Las Vegas. Enzio Bonnatti l'avait trahie. Au plus haut point. C'est lui qui avait commandité l'assassinat de Marco pour éloigner Lucky de la ville, et gérer le Magiriano *à sa manière. Et il avait réussi, le salaud. Mais elle avait ses plans, et pas question que Gino vienne y fourrer son nez.*

Dario arriva sur ces entrefaites, ce qui acheva de contrarier Lucky. Il s'agissait d'une discussion d'affaires, pas d'une réunion de famille. Mais Dario, qui assumait toujours aussi mal son homosexualité en présence de son père, ne fut pas long à s'éclipser. Gino monta sur ses grands chevaux et envoya Costa chercher son fils. Lucky ne mâcha pas ses mots pour faire sentir à Gino que, s'il avait été un père normal, Dario n'aurait pas ainsi boudé la gent féminine. Le ton monta. Ils faillirent en venir aux mains quand Costa fit brusquement irruption dans la pièce, à bout de souffle. On venait de tirer sur Dario...

Gino tituba jusqu'au fauteuil le plus proche et s'écroula. Il devint

44

livide, porta la main à son cœur et ne parvint à articuler que le mot
« docteur »...

Il fallait que son père soit au bord de la mort pour que Lucky
réalise à quel point elle l'aimait. Et quand, sur son lit d'hôpital, il lui
murmura : « Tu dois nous venger », quand il ajouta tout bas :
« L'honneur de la famille en dépend », elle ne songea qu'à obéir.

Enzio Bonnatti. Un ami. Un parrain. Un assassin. Un traître.

Un ami.

Un parrain.

Un assassin.

Un traître.

Elle conduisit sans heurts jusqu'à sa propriété de Long Island,
parfaitement calme et maîtresse d'elle-même. Une vengeance ? Sûre-
ment, oui.

Il fallait venger Marco, et Dario. Il fallait venger l'honneur des
Santangelo, et il n'y avait plus d'homme pour s'en charger. Cette
responsabilité lui incombait et elle l'honora.

Enzio Bonnatti mourut de mort violente. Mais la balle qu'il reçut,
il l'avait bien méritée. Lucky Santangelo, la jeune femme qu'il avait
tenté de violer, s'était débattue, lui avait pris son revolver, et avait
tiré. Une réaction d'autodéfense classique. Une affaire qui ne remonta
même pas jusqu'au tribunal.

Grâce à la présence constante de sa fille, Gino se rétablit rapidement.
Ils retrouvèrent cette douce complicité qu'ils avaient partagée avant
la mort de Maria. Ils retournèrent vivre à Las Vegas.

— Tu prends le Magiriano et moi le Mirage, dit Gino. Et un de
ces jours, on construira un hôtel ensemble.

Un vieux film de Clint Eastwood passait à la télévision. Lucky le
regarda pendant un moment tout en finissant son joint. Elle aimait
beaucoup Clint Eastwood. C'était le genre d'homme qui l'attirait,
réservé, silencieux, sexy. C'était sûrement un très bon coup.

Petit à petit, elle sombra dans le sommeil. Un cauchemar la réveilla
en sursaut, à l'aube. Elle en profita pour regarder le soleil se lever
sur le désert. Il fut un temps où elle aurait appelé Gino pour qu'il
vienne partager ce spectacle fantastique avec elle. C'était impossible
désormais. Pour la première fois, elle fut heureuse de le savoir
amoureux. Peut-être que Susan Martino serait comme ce soleil dans
sa vie.

Peut-être...

8

Olympia avait parfois envie de jouer les mères modèles. Oh, pas souvent, mais étant donné qu'elle allait retrouver sa propre mère, un effort s'imposait aujourd'hui.

En effet, Charlotte l'impressionnait. Elle ne fumait pas, ne buvait pas, et ne s'adonnait vraisemblablement à aucun autre vice. Grande, mince, active, irréprochable, le genre de mère à vous filer des complexes. Et ennuyeuse avec ça...

Aussi Olympia se fit-elle trois lignes de coke avant de partir. La poudre blanche lui réussissait toujours à merveille. Elle redressa la tête, se jeta un bref coup d'œil devant la glace et se sentit tout à coup prête à faire face à n'importe quoi.

Mabel et Brigette l'attendaient dans l'entrée.

— Maman, je peux avoir un hot-dog ?

— Comment ? dit Olympia en enfilant la veste de son tailleur Saint-Laurent.

— Un hot-dog américain, insista l'enfant avec des yeux implorants.

— Certainement pas ! trancha Mabel. Je me demande où vous allez chercher des idées pareilles !

— Maman ! poursuivit Brigette au bord des larmes, juste une fois !

— Euh, répondit Olympia un peu ennuyée, Nanny Mabel a dit non, alors tu dois obéir, ma chérie. Allez, viens, on y va.

Elles prirent l'ascenseur toutes les trois. Une voiture les attendait en bas. Dès que le chauffeur les vit apparaître, il sortit de la limousine, ouvrit la portière arrière, et se tint là, debout, raide et sans expression. Une nuée de paparazzi surgis de nulle part s'abattit alors sur elles. Olympia sourit aussitôt et prit tendrement la main de sa fille, qui s'arrêta brusquement et se mit à hurler :

— Je vous déteste tous !

— Brigette ! Je vous en prie ! s'exclama la gouvernante, offusquée.

Quelques rires fusèrent et les photographes mitraillèrent. Brigette, qui était désormais le centre de l'attention et adorait ça, se mit à hurler encore plus fort.

Olympia ne souhaitait plus qu'une chose : être ailleurs. L'embêtant, c'est que l'horrible gamine hurlante était « sa » fille.

— Mais faites quelque chose ! souffla-t-elle à Mabel.

— Je regrette, je ne peux pas, répondit la gouvernante.

Ses tentatives discrètes pour pousser l'enfant dans la voiture s'étaient révélées infructueuses.

— Oh, ce n'est pas vrai ! lâcha Olympia, excédée au moment où un flash l'éblouissait. Vous allez filer, espèce de nabot ! cria-t-elle au paparazzo.

Une foule de badauds commençait à se régaler de la scène. Olympia n'en pouvait plus. Elle se tourna vers sa fille comme une furie, la gifla à toute volée et la poussa violemment dans la voiture. La presse n'en rata pas une miette.

Le lendemain matin, Dimitri découvrait les malheurs de sa chère petite-fille, à la première page de tous les journaux. La moutarde lui monta au nez, et il décrocha son téléphone pour appeler Olympia. Ce fut Mabel qui répondit.

— Madame dort.

— Eh bien, réveillez-la ! aboya l'armateur.

— Je ne suis pas autorisée à...

— Dépêchez-vous !

Olympia s'insurgea contre ce crime de lèse-majesté, mais décrocha néanmoins.

Elle écouta les récriminations de son père avec un calme... olympien. Il y avait bien longtemps qu'il avait cessé de l'impressionner.

— A propos, qu'est-ce que tu fais à Las Vegas ? demanda-t-elle quand il se fut calmé.

— Euh... Il y a un gala en l'honneur de Francesca Fern. Elle et son mari m'ont aimablement prié d'y assister.

Mais pourquoi se cassait-il la tête à essayer de cacher une histoire connue du monde entier ? Lui et Francesca avaient trop souvent fait les beaux jours de la presse à scandale, pour qu'il puisse se permettre de lui faire la morale.

Dimitri changea rapidement de sujet, dit qu'il voulait voir sa petite-fille et proposa de les ramener à Paris dans son avion privé. Olympia en fut soulagée. Elle n'aurait pas à traverser le ciel avec le commun des mortels.

Cet après-midi-là, elle flâna le long de Madison Avenue, fit un peu de shopping puis, de retour chez elle, s'étira sur son lit, songeant au grand méchant loup. Montrerait-il le bout de sa queue ce soir ?

9

Jess courut voir Matt Traynor dès qu'elle sut qu'il avait renvoyé Lennie. Elle était révoltée.

— Pourquoi l'avez-vous viré ? cria-t-elle.

Matt dévisagea la jeune femme, visiblement furibonde. Il n'y avait plus que son bureau entre eux. Elle était tellement jolie ! Tellement bandante, tellement petite aussi !

— Jessie baby..., commença-t-il.

— Ne m'appelez pas Jessie, ni « baby ». Donnez-moi une réponse, c'est tout ce que je demande.

Ouh ! Elle le mettait dans des états...

— Eh bien, c'est comme ça ! C'est la politique de la maison...

— N'importe quoi ! On m'a dit qu'il avait fait un tabac.

— Oui, ça a bien marché pour lui. Mais justement. Il retient trop l'attention des gens. Vous comprenez, les clients arrêtent de boire, de jouer...

— Ah ! Ah ! C'est la meilleure celle-là ! Alors pourquoi vous ne virez pas Tom Jones, Diana Ross, Shirley Mc...

Il l'interrompit d'un geste sévère, tout en se demandant si elle suçait bien.

— Ça va, hein ? Quand j'aurai besoin d'une liste, je vous ferai signe. Mais en attendant, on pourrait peut-être discuter calmement de tout ça... mettons ce soir, par exemple, chez moi ?

— Chez vous ? fit-elle en éclatant de rire.

— Et alors, quel est le problème ? demanda Matt, pincé.

— Mais il ne reste plus une fille baisable en ville qui ne connaisse la couleur de vos draps !

— Je donne beaucoup de soirées, se défendit-il.

— Oh ! Je sais ! Et des plus éreintantes, à ce qu'il paraît... !

Traynor eut le sourire du mâle flatté dans sa virilité, ravi qu'elle en sache autant sur lui. Elle avait raison. Il avait des nuits bien remplies. Si ce n'avait été son ex-femme, une féministe après l'heure, qui avait voulu divorcer au bout de vingt-cinq ans de mariage, il serait toujours le mari fidèle et gentil qui pense que les femmes des autres ne sont pas pour lui. Tardive et inespérée, sa liberté l'avait tout d'abord perturbé. Puis, peu à peu, il avait réalisé que les choses avaient bien changé depuis sa jeunesse et qu'avec un minimum d'argent, de charme et d'astuce, on pouvait baiser qui on voulait. Depuis, il mettait les bouchées doubles.

— Alors, vous dînez avec moi ou pas ? demanda-t-il avec brusquerie.

Jess resta pensive quelques instants. Dîner avec ce vieux play-boy parfumé ? Pouah ! Surtout, que personne n'aille penser qu'elle faisait partie de ses conquêtes, ç'aurait été trop humiliant. Mais si elle allait chez lui, on ne les verrait pas forcément ensemble. De toute façon, elle n'avait pas le choix. Il fallait absolument qu'elle sache pourquoi Lennie s'était fait virer. Il avait loué une bagnole en pleine nuit et filé à L.A. Elle devait à tout prix tirer cette affaire au clair.

— D'accord, dit-elle, on se retrouve tout à l'heure.

Lennie arriva à Los Angeles à huit heures du matin. Il faisait déjà lourd et surtout il y avait cette espèce de brouillard humide qui annonçait une longue journée étouffante.

Il prit la sortie Sunset Boulevard sur l'autoroute, et réalisa qu'il n'avait pas la moindre idée d'où il allait. Il n'était venu à Los Angeles qu'une fois dans sa vie : on l'avait emmené à Disneyland quand il était petit.

Il constata subitement qu'il avait toujours sa chemise de scène sur le dos et appuya avec rage sur l'accélérateur. Puis il décida qu'il valait mieux se calmer, se concentrer sur l'instant présent, et il se gara sur Sunset Boulevard. Il sortit son carnet d'adresses de sa veste. Il y avait deux pages couvertes de numéros à l'indicatif de Los Angeles. Des amis, de vagues relations, des agents, des clubs, des gens utiles pour joindre des gens importants, etc. Et puis, il y avait sa vieille maman. Alice, la seule mère juive qui ne posait jamais de questions sur la vie amoureuse de son fils.

Il commença à parcourir la liste. Jennifer. Une adorable blonde avec une bouche incroyable qui avait laissé tomber les cours de comédie pour venir tenter sa chance ici.

Suna et Shirlee, les jumelles, des chanteuses et actrices en puissance qui pour le moment faisaient des voix dans la pub.

Son copain Joe Firello, qui était à L.A. depuis six mois, et qui avait déjà un numéro régulier dans un show hebdomadaire.

Et bien sûr, il y avait Eden. La reine des salopes.

Il voulait la voir. Il avait besoin d'elle. D'ailleurs, elle avait peut-être largué son acteur. Il plongea la main dans sa poche à la recherche d'une pièce pour téléphoner, et se précipita sans hésiter vers une cabine publique. Une voix mâle et peu engageante répondit.

— Eden Antonio, dit Lennie très vite, complètement paniqué.

— Qui la demande ?

— Euh..., c'est Lennie, dit le malheureux soupirant d'une toute petite voix angoissée.

— Elle n'est pas là, répondit le type, hargneux, avant de raccrocher.

Eden Antonio n'était pas une star et elle n'en prenait pas le chemin, mais elle y croyait dur comme fer. C'était l'exemple parfait de l'éternelle figurante qui rêvait de gloire imminente en vivotant de maigres cachets.

Elle était assise au milieu du lit défait et se passait du vernis sur les ongles des orteils.

— C'était qui, mon chéri ? demanda-t-elle.

— Un abruti, répondit Santino Bonnatti en haussant les épaules avec mépris.

Ses petits yeux de fouine semblèrent une fois encore évaluer le décor. Cette Eden, c'était quelque chose ! Mais il n'aurait pas pu en dire autant de son appartement.

— Au fait, j'avais pensé que j'aurais peut-être pu te trouver un endroit un peu plus classe où crécher, qu'est-ce que t'en dis, bébé ?

Eden se concentra sur ses orteils. Elle connaissait Santino Bonnatti depuis six semaines et il l'intriguait. Certes, physiquement, il n'avait pas grand-chose de Paul Newman. Mais il était plein aux as. C'était du moins ce que prétendait Ulla, l'amie qui le lui avait présenté. « Il travaille dans quoi ? » avait demandé Eden. Ulla était restée très évasive. « Il est dans les affaires. Dans l'import-export, je crois. Du sérieux en tout cas. » Depuis, Eden avait envie d'en savoir plus. Et le fait qu'il eut femme et enfants quelque part dans une propriété de Beverly Hills ne la gênait nullement. Elle avait envie d'avoir un petit ami très riche au moins une fois dans sa vie.

— Tu pensais à quoi, exactement ? dit-elle d'une voix tranquille.

— Je ne sais pas, à t'installer dans une maison, par exemple.

— Tu veux dire que tu m'achèterais une maison ? dit Eden, qui battait toujours le fer pendant qu'il était chaud.

— Pourquoi pas ?

Oui, hein, pourquoi pas ? Ça faisait plus d'un mois qu'elle baisait avec cet affreux chauve, et il était temps d'envisager quelques compensations...

— Ce serait formidable, mon chéri !

— Je vais appeler un de mes amis, un agent immobilier qui me doit une petite faveur. On va te trouver quelque chose de chouette.

Il sourit intérieurement. Celle-là, elle savait y faire. Une maison en moins de deux mois !

— Bon, je dois y aller, dit-il.

— Une journée chargée en perspective ? s'enquit-elle, faussement concernée.

— J'attends des marchandises de l'étranger qui doivent arriver aujourd'hui.

Elle se demandait vraiment de quoi il s'agissait. Un jour, c'était de l'huile d'olive en provenance d'Italie, un autre du café de Colombie. Pfft ! Peu importait, pourvu que ça rapporte.

Elle lui ouvrit tout grands ses bras.

— Embrasse-moi avant de partir, minauda-t-elle.

Santino retrouva son garde du corps dans l'ascenseur et ils descendirent ensemble jusqu'au parking souterrain. Le chauffeur les attendait au volant de la voiture.

— Blackie, dit-il à son garde du corps, rappelle-moi qu'il faut que je trouve une baraque pour cette nana.

— Oui, patron, répondit Blackie.

Santino s'installa à l'arrière de la limousine, et commença à gamberger. Cette Eden l'intriguait beaucoup. Elle était belle, froide, et profiteuse. Ce serait assez plaisant de la mater. Elle le prenait pour un pigeon, mais elle ne savait pas à qui elle avait affaire. Le moment venu, elle apprendrait à le connaître. Il ricana et donna l'ordre au chauffeur de démarrer.

Jess rentra chez elle après son entrevue avec Matt et se laissa tomber sur la pelouse, au bord de la piscine à l'eau douteuse. Wayland était dans le coltar — comme toujours —, tellement défoncé que rien ne semblait pouvoir l'atteindre. Le bébé dormait dans un couffin sous un arbre. Jess se mordilla un ongle et songea à sa vie. C'était loin d'être parfait. O.K., ça n'était jamais parfait, mais ç'aurait quand même pu être beaucoup mieux.

Pourquoi donc avait-elle épousé cet abruti ?

Elle était enceinte de sept mois, d'accord. Mais était-ce une raison suffisante pour se marier ? Pas sûr. A vrai dire, elle avait voulu faire plaisir à sa mère qui se mourait d'un cancer. Plus que tout au monde, sa mère souhaitait la voir mariée. Et puis, Wayland était un charmant garçon quand elle l'avait rencontré. Un peu excentrique, mais il avait l'air doué, comment aurait-elle pu prévoir qu'il deviendrait ce zombie défoncé ? Elle n'aurait jamais cru qu'il s'arrêterait de peindre du jour au lendemain pour se révéler nul et improductif sur toute la ligne.

Le bébé se mit à pleurer. Elle se précipita vers le couffin et prit le petit dans ses bras. Cette union avait au moins donné quelque chose de positif. Elle rentra dans la maison et pensa à la soirée en perspective. Si elle arrivait à connaître la vérité à propos de Lennie, et si elle insistait, peut-être que Matt le réengagerait. Dire qu'elle n'avait même pas eu le temps de parler avec son vieux copain. Elle qui comptait sur lui pour la tirer de là... Elle avait besoin d'un ami, mais Lennie était parti.

En un sens, Lennie était soulagé de ne pas avoir eu Eden au bout du fil. Il n'était pas du tout prêt à lui parler. Mieux valait d'abord s'installer et trouver un boulot avant de la relancer.

Il décida d'appeler sa mère, mais tomba sur le répondeur. Il essaya Joe Firello. Sorti aussi. Alors il tenta sa chance chez les jumelles. Ce fut Shirlee qui répondit. Elle eut l'air ravie de l'entendre et insista pour qu'il vienne immédiatement. « Le petit déjeuner est déjà en route ! » précisa la fille. Il accepta. Après tout, il n'avait aucun autre endroit où aller.

10

Lucky se réveilla de fort bonne humeur. Après avoir fait quelques exercices d'assouplissement, elle bondit sous une douche glacée, s'habilla en un temps record, avala un jus d'orange, et partit piquer une tête dans la piscine du *Magiriano*.

Son père commença la journée plus en douceur. Susan lui servit de nouveau un somptueux petit déjeuner au lit, qu'elle agrémenta d'un câlin.

— Je n'aurais jamais cru qu'un homme pourrait encore me rendre aussi heureuse, dit-elle.

Elle eut un sourire qui ressemblait à une bonne nouvelle, un peu comme si on vous annonçait au réveil que vous avez gagné le gros lot.

— On ne t'a jamais dit que tu avais des seins sublimes ? demanda Gino en glissant une main dans l'échancrure de son peignoir.

— Gino..., râla-t-elle en se laissant renverser sur les draps de soie.

Il n'était pas loin de midi quand Gino se résigna à quitter la chaleur de Susan pour retourner affronter la dure réalité.

— Je dîne avec Lucky ce soir, tu veux te joindre à nous ? demanda-t-il.

Susan marqua un temps d'arrêt avant de répondre.

— Tu dînes tous les soirs avec ta fille ? s'enquit-elle.

— Euh... eh bien, assez souvent, oui. C'est une vieille habitude.

— Mais elle n'a pas un petit ami ?

— C'est-à-dire qu'elle a été mariée, avec un con, et par ma faute.

— Comment ça par ta faute ?

— Je l'ai mariée très jeune avec ce garçon en pensant lui rendre service, et j'aurais mieux fait de m'abstenir, voilà. Elle a divorcé pendant que j'étais à l'étranger, et, depuis, elle s'est jetée à corps perdu dans le travail. Et de ce côté-là c'est une sévère, elle en sait pratiquement autant que moi.

— Et vous passez tout votre temps ensemble ? demanda Susan, un peu sèchement.

— C'est un état de choses qui nous convient à l'un comme à l'autre.

« Eh bien, moi, ça ne me conviendra pas longtemps », pensa Susan, mais elle se garda bien de le dire.

— Je comprends, dit-elle gentiment. Je suis d'accord, dînons tous les trois. Lucky a l'air d'avoir une personnalité hors pair. Je serais très contente de faire plus ample connaissance avec elle.

Lucky se demanda si Lennie Golden avait débarrassé le plancher. Elle téléphona à Traynor pour le savoir.

— Allô ! aboya Matt.

— Dites donc, qu'est-ce qui vous prend ? dit Lucky. Ça ne va pas, ce matin ?

— Ça va comme quelqu'un qu'on a tiré du lit à trois heures du matin et qui vient de renvoyer un comédien génial sans savoir pourquoi. Agréable, non ?

— Et qui va le remplacer ? demanda Lucky, en ignorant délibérément les propos acerbes de son interlocuteur.

— Un chanteur de seconde zone.

— Et Golden, comment a-t-il pris la chose ?

— Mal.

— Vous lui avez payé la totalité de son salaire ?

— Plus un bonus, c'était le minimum que je pouvais faire.

— Donc tout va bien.

— Si vous le dites...

Elle raccrocha et se dit qu'elle espérait bien ne plus jamais avoir
affaire à Lennie Golden. C'était le premier homme qui refusait ses
avances.

La veuve Martino avait sorti son plus gros diamant pour l'occasion.
Elle ne passait pas inaperçue avec sa robe de satin rose, sa fausse
blondeur savamment mise en valeur et cette pierre précieuse qui
scintillait pleins feux. « On dirait une bagnole rétro qu'on aurait
briquée pendant des heures », pensa Lucky.

Susan Martino était aimable, très aimable. Trop aimable. Le propos
suave et poli à vous faire bouillir de rage. Non, Lucky ne se mettrait
pas en colère, comme s'y attendait cette vieille peau.

— Alors, qu'est-ce que tu en penses ? demanda Gino, très fier,
dès que sa dernière conquête se fut éloignée en direction des toilettes.

— Je... euh... la trouve très... très attirante, balbutia Lucky. Mais
n'a-t-elle pas quelques heures de vol en trop pour Gino le Taureau ?
ajouta-t-elle cruelle.

— Écoute, à vingt ans elles n'ont aucune conversation, à trente
elles cherchent toutes à se faire épouser, alors tu vois, Susan est tout
à fait ce qu'il me faut.

— Quel âge a-t-elle ?

— Je ne sais pas, dans les quarante, je suppose.

« Tu veux dire cinquante bien sonnés, au moins ! » pensa Lucky.

— Alors elle devait être incroyablement jeune quand elle a épousé
Tiny. Ne sont-ils pas restés trente ans ensemble ?

— Non, elle m'a dit vingt ans.

— Ah oui ? Pourtant j'ai lu quelque part qu'ils avaient été mariés
pendant trente ans.

— Tiens...

Elle avait au moins réussi à semer le doute dans son esprit.

Sur ces entrefaites, Susan réapparut, poudrée de frais, empestant
l'Estée Lauder à plein nez.

Lucky prétexta qu'elle devait faire un tour au casino et prit congé.
Ils n'y prêtèrent pas la moindre attention.

11

La métamorphose des jumelles laissa Lennie pantois. Nez refait, bronzage parfait, cheveux blond platine (teinture californienne), seins arrogants et haut perchés (silicone californienne au maximum de son efficacité).

— Je n'en crois pas mes yeux ! s'exclama-t-il.

— Ça coûte une fortune, mais ça en vaut la peine, dit Suna.

— Ça, tu peux le dire ! renchérit Shirlee.

— Et toi, tu as une gueule de déterré ! s'exclamèrent-elles en chœur.

— Merci beaucoup, répondit-il.

Tout à fait le genre d'accueil qu'il lui fallait !

Elles habitaient une petite maison en bois, de plain-pied, sur Keith Avenue. L'intérieur était à peine meublé, et l'aspect général assez pauvret. Les deux jeunes filles étaient vêtues de tout petits bikinis en léopard acrylique et de sandales aux talons démesurés.

— Alors, qu'est-ce que tu es venu faire ici ? demanda Shirlee.

— Je n'en sais franchement rien ! J'ai roulé toute la nuit sans réfléchir, et me voilà.

— Et tu venais d'où ?

— Las Vegas.

— LAS VEGAS ! Et qu'est-ce que tu faisais là-bas ?

— Oh, c'est une histoire sans intérêt, qui n'a pas duré.

— Et Eden ? demanda Suna. Tu l'as vue ?

— Quelle Eden ? dit Lennie.

— Oh, allons, Lennie !

Il s'efforça de prendre l'air détaché.

— Eden est toujours ici ? demanda-t-il.

Il n'en pouvait plus de ne pas savoir si elle était toujours aussi belle, avec qui elle vivait, s'il lui manquait. Mais il se dominait.

Les jumelles ne lui donnèrent pas la moindre information. Aucune n'avait le courage de lui avouer qu'Eden vivait aux crochets d'un petit chauve marié et pas net, qu'Eden était devenue une femme entretenue. Et coincée.

— Elle vit toujours avec cet acteur ringard ? poursuivit Lennie.

— Je ne pense pas, non, dit Suna. Au fait, tu as un agent ici ?

— Non.

— Alors il faut qu'on t'en trouve un. Ce n'est pas comme à New York ici, on ne réussit pas uniquement avec ses relations et son talent.

— Et vous, demanda Lennie, ça marche pour vous ?

— Super bien ! s'écria Shirlee.

— Enfin, pas si mal, rectifia Suna.

— On a été sélectionnées pour une série télé, continua Shirlee. Fini le doublage ! A partir de maintenant, c'est tout ou rien !

Lennie se demandait ce qu'il faisait là. Ces deux poupées Barbie n'étaient plus les filles sympa qu'il avait connues à New York et qu'il aimait bien.

— Ça vous arrive de voir Eden ? demanda-t-il, incapable d'abandonner le sujet.

— Au début, on la voyait, mais depuis qu'elle a décroché un petit bout de rôle dans un feuilleton, elle ne doit plus nous juger assez bien pour elle. Mais je croyais que c'était fini, vous deux ?

— Ouais, c'est fini, mais je voulais quand même savoir comment elle va. Bon, je peux téléphoner ?

— Dans la cuisine, mais n'oublie pas de mettre l'argent dans la boîte.

Lennie tenta de joindre sa mère. En vain. Puis une brusque impulsion lui fit composer le numéro du *Magiriano*.

— Allô ! pourriez-vous me passer la suite numéro 1122 ?

— Il n'y a personne dans cette suite, monsieur.

— Alors donnez-moi le nom de la personne qui était là hier soir.

— Désolé, monsieur, mais cette suite est inoccupée depuis cinq jours.

— C'est impossible !

Son correspondant raccrocha. Désormais, Lennie n'avait plus aucun moyen de « la » joindre, cette fille qui commençait à l'obséder. Il se dit qu'un petit déjeuner serait le bienvenu pour lui changer les idées. Ne serait-ce qu'une tasse de café... Mais il ne fallait pas compter sur les jumelles pour s'élever au degré zéro de l'hospitalité. Elles eurent soudain à faire et il décampa, écœuré.

Il s'arrêta dans un *fast food* et commanda des œufs et du café. Puis il réussit finalement à joindre Joe Firello, qui lui conseilla de prendre une chambre au *Château Marmont*, un vieil hôtel de Beverly Hills où descendaient les gens du spectacle et qui ne lui coûterait pas la peau des fesses. Joe lui proposa de le retrouver là plus tard. Lennie accepta. Pourtant, quand il eut raccroché, il se demanda s'il avait vraiment envie de revoir Joe Firello. Joe Firello était lancé, alors que lui, Lennie, continuait à ramer comme un débutant. Chevy Chase, John Belushi, Joe Firello... Une série de noms défila dans sa tête en accéléré. Il se sentit soudain victime d'une énorme injustice. Dire qu'il avait pensé que Las Vegas serait un tremplin... Hollywood avait tout à lui offrir. Ou rien. Il se sentit soudain très déprimé.

12

Les choses allaient mal pour Dimitri. Très mal. Il avait tenté de joindre Francesca Fern toute la journée, laissé vingt-cinq messages.

Et elle ne l'avait pas rappelé. Et à présent que le dîner battait son plein dans la grande salle de réception du *Magiriano*, somptueusement décorée pour l'occasion, elle l'ignorait délibérément. Les deux mille orchidées blanches qui ornaient les tables, c'était pourtant lui qui les avait achetées. Le dîner en l'honneur de Francesca Fern... Des stars du monde entier avaient été conviées. Il finit par la coincer.

— Comment oses-tu me traiter comme ça ? Tu joues à quoi exactement ?

— Fiche-moi la paix, animal lubrique. Je sais tout à propos de Norma Valentine.

— Mais je n'ai passé qu'une soirée avec elle, se défendit Dimitri. Aucun intérêt.

— Tu l'as quand même baisée, hein ? Tu lui as quand même envoyé un bracelet Cartier le lendemain ?

— Pfft, c'était une dette de jeu. J'ai joué au poker avec elle et j'ai perdu.

— Ah ! Ah ! En ce cas tu aurais mieux fait d'aller jouer ailleurs. Et de te montrer plus discret. Je ne supporterais pas une telle humiliation ! Jamais ! C'est fini, Dimitri, tu ne remettras plus jamais les pieds dans mon lit.

Et elle le planta là. Lucky avait tout entendu. Elle se rapprocha du vieux séducteur dépité.

— On dirait que c'est cuit ! observa-t-elle narquoise.

Elle avait quelques verres dans le nez...

— Pardon ? hoqueta Dimitri.

— Mais comment pouvez-vous être aussi naïf ! On ne s'attaque pas impunément à deux grandes actrices. Elles se connaissent et se haïssent depuis toujours. Il y a trente ans, à Londres, elles prenaient déjà des cours de comédie ensemble. Vous ne saviez pas que Norma avait soufflé le rôle principal à Francesca dans *Le Chant du sirocco*, en 70 ? Elle a même eu un Oscar pour ça. Vous baisez les deux pires ennemies qui soient, et après vous n'assumez pas. Vous n'êtes pourtant plus un gamin, Dimitri !

— Vous espionnez mes conversations, maintenant ?

— J'étais derrière vous. Je n'ai pas pu m'en empêcher.

— Vous mériteriez une fessée !

— Oh, ça suffit, Dimitri. Il y a bien longtemps que je ne suis plus la gamine que vous avez connue. Et j'en ai marre que vous fassiez semblant de ne pas me voir. Vous ne pouvez pas continuer à agir comme si je n'existais pas. Vous êtes dans « mon » hôtel depuis huit jours, et vous jouez à « mes » tables. Allez, calmez-vous ! J'ai envie de me bourrer la gueule et je crois que vous aussi vous en avez besoin.

Pour la première fois, l'armateur regarda Lucky. Ce corps, ces yeux, cette sensualité ! Rien de tel pour chasser Francesca Fern de ses pensées...

— Si je comprends bien, vous avez décidé de vous saouler et vous cherchez quelqu'un pour vous tenir compagnie ?

— Absolument. Et vous êtes l'élu du moment.

— Dois-je me sentir flatté ?

Elle lança un regard féroce à Gino qui susurrait Dieu sait quoi à l'oreille de la vieille Martino.

— Si vous voulez. Mais partons d'ici. Et vite.

Gino et Susan buvaient du champagne dans la suite de Francesca Fern qui, après son gala, avait donné une réception privée pour quelques hôtes triés sur le volet.

— J'ai eu une vie bien remplie, dit Gino. J'ai fait beaucoup de choses — des bien et des moins bien. Tu vois ce que je veux dire ?

— Je ne t'ai jamais pris pour un saint, répondit-elle.

— Tu sais, quand on vient d'où je viens, mieux vaut compter sur soi-même pour s'en sortir.

— Ça, c'est certain.

— Oui, et je me suis plutôt bien débrouillé. Je fréquente des hommes politiques. J'ai même bien connu certains présidents, et tout ce petit monde me doit beaucoup, crois-moi.

— Je te crois.

— Alors reste avec moi, mon petit. Et tu connaîtras la grande vie.

— Est-ce une demande en mariage, Gino ?

— J'ai bien l'impression que oui.

— Je ne m'y attendais pas.

— Parce que tu crois que, moi, je m'y attendais ?

— Il faut que j'y réfléchisse.

— D'accord. Je te donne une heure. Faudra te décider avant que j'aille me coucher. Je pourrais avoir changé d'avis demain matin !

Elle rit tout doucement.

— Gino ! Tu es incorrigible !

— Possible.

— Mais écoute, il faut que j'en parle à ma famille, à mes enfants.

C'était la première fois qu'elle mentionnait ses enfants. Heureusement, ils étaient grands.

— Non mais tu n'imagines pas que, moi, je vais demander la permission à Lucky ?

— Mais les choses ne sont pas si simples...

— Allez, va, dis oui, ça ne tient qu'à toi.

— Oui, murmura-t-elle.

— Quoi ?

— J'ai dit oui.

— Non, je n'y crois pas !

Il poussa un cri de joie.

— J'ai une nouvelle à vous annoncer, exulta-t-il.

L'assemblée tourna ses regards vers le couple radieux.

— Cette dame et moi-même — Susan Martino et moi — bon Dieu

de bon Dieu ! comment je pourrais vous le dire ? Nous allons nous marier !

A présent qu'il la dévorait des yeux, Lucky trouvait Dimitri réellement excitant. Ces yeux pénétrants, ces cheveux fous et tout blancs, ce nez proéminent. Elle avait collectionné les jeunes amants, mais elle était toujours sensible à l'assurance et à l'autorité des hommes plus âgés. Et plus elle buvait, plus il lui plaisait.

Ils écumèrent plusieurs bars avant d'échouer dans un café grec. Dimitri avalait ouzo sur ouzo et cela ne semblait guère l'affecter. L'armateur se fendit même d'un sirtaki pour l'assemblée et d'un billet de mille dollars en prime pour le patron du café.

Quand ils se retrouvèrent enfin chez elle, Lucky eut un moment de panique. Elle lui servit un verre et s'enfuit dans la salle de bains, où elle s'enferma une minute. « Mais qu'est-ce qui m'arrive ? Allez, courage, ce n'est quand même pas la première fois. »

Elle revint bravement dans le salon et lui fit face, sans dire un mot.

Il murmura son nom, tout doucement et s'approcha d'elle en la regardant droit dans les yeux ; puis il entreprit de lui ôter sa robe de soie avec une grande sensualité.

Elle se sentit comme une débutante prête à plonger. Excitée, en attente, impressionnée.

Ses mains étaient grandes. Ses doigts étaient longs et experts. Il commença à explorer son corps sans avoir l'air d'y toucher, jusqu'au moment où sa main droite rencontra sa petite culotte de soie. Il la fit glisser très lentement sur ses cuisses, ses genoux, ses chevilles.

Elle était entièrement nue et lui était encore tout habillé.

Il l'allongea sur le sofa. Saisissant son verre de brandy, il trempa son index dans le liquide alcoolisé et commença à lui mouiller et à lui pincer la pointe du sein droit, avant de s'attaquer à sa petite sœur. Il se pencha alors sur ses seins, les prit tous les deux dans ses mains, les rapprocha et fit passer sa langue très vite de l'un à l'autre. Elle se mit à gémir.

— Enlève tes vêtements, Dimitri…, murmura-t-elle, suppliante.

— Quelle impatience ! dit-il en riant.

Tout en gardant ses deux seins entre ses mains, il traça une ligne médiane sur son corps, d'un bout de langue ferme et pointu, descendant tout doucement sur son estomac, son ventre, son pubis. Il lui ouvrit les cuisses avec sa tête.

— Je… veux… te sentir…, murmura-t-elle.

Sa langue se révéla aussi experte et inventive que ses doigts.

— Ooooh… oui…, dit-elle. Oh, oui, oui, oui !

Plus elle sentait monter le plaisir, plus elle écartait les jambes. Elle était prête à jouir.

Il s'interrompit un instant pour tremper le bout de sa langue dans le brandy, tout en continuant à lui caresser les seins.

Elle sentait la morsure de l'alcool, la vigueur de sa langue qui bougeait.

— Oh, Dimitri, c'est tellement bon !

Il plongea sa tête plus loin encore entre ses jambes et en aspira tout le miel, résistant à chaque soubresaut.

13

Quand Jess rentra de son petit souper avec Traynor, elle trouva Wayland en « bonne » compagnie. Une douzaine de ses amis étaient affalés un peu partout dans la maison, en train de fumer « son » herbe, de s'empiffrer des provisions qu'elle avait achetées avec « son » argent et de boire « son » gin. Elle n'eut même pas la force de protester. Elle venait de se battre avec Traynor — un coup de pied bien placé s'était révélé indispensable — pour échapper au rituel des draps rayés... En outre, elle n'avait rien appris, pas le moindre indice concernant le brusque renvoi de son ami. Et dire qu'il ne l'avait même pas appelée depuis qu'il était parti. Pensait-il vraiment qu'elle s'en foutait ?

Elle alla chercher le bébé dans sa chambre et revint s'allonger avec lui dans l'herbe haute du jardin. Il n'y avait guère que ce petit bout de sa chair qui lui donnât la force de continuer.

Foxie avait quatre-vingt-cinq ans. Il était chauve, petit et menu comme un elfe, rusé, sans scrupules et d'une énergie sans limites : c'était le meilleur des amis et le pire des ennemis.

Foxie était une légende. Son cabaret, *Chez Foxie*, attirait ce qu'il y avait de plus snob, insolite, hilarant ou pitoyable, brillant ou paumé, riche ou fauché dans tout Hollywood. On y rencontrait des putes, des macs, de jeunes talents, de vieux chasseurs de talents, et des ménagères en manque d'émois. Une fois par mois, on y organisait des strip-teases amateurs où un certain nombre d'inconnues avaient l'honneur de se produire. Plusieurs comiques y avaient fait leurs premiers pas. Joe Firello avait commencé là, et au bout de six semaines, il passait déjà dans les shows télévisés. Il emmena donc Lennie chez Foxie sans hésiter.

— Si tu ne lui plais pas, on pourra toujours voir à l'*Impro* ou au *Comedy Store*. T'inquiète pas, je vais te brancher.

Joe Firello avait quelque chose du singe, en édulcoré. Petit, râblé, il avait la tignasse de Rod Steward et la bouche de Mick Jagger. A vingt-six ans — quatre ans de moins que Lennie — c'était déjà une célébrité. Arrivé trois ans plus tôt à New York avec en tout et pour tout vingt-huit dollars, sa gueule, quelques plaisanteries éculées, du bagout et un culot fou, il portait à présent des pulls en cachemire et roulait en Jaguar.

— Foxie, je te présente un ami, dit Joe. Il s'appelle Lennie Golden et il est drôle.

— Aussi drôle que toi ? grogna Foxie.

— Fais-lui faire un essai, tu verras toi-même.

Foxie prit un cure-dent sur l'une des tables et entreprit de se curer une lointaine molaire tout en penchant la tête de côté.

— Tu veux essayer ce soir, petit ?

— Je n'avais pas prévu de jouer ce soir, dit très vite Lennie. Mais j'ai une bande vidéo de mon travail, et si elle vous plaît, on pourra certainement s'entendre.

— Ah ! Vous les intellos de la Côte Est ! Tous les mêmes ! Vous voulez jamais faire d'essai. Non mais, vous croyez que je vais m'abîmer les yeux à regarder une bande vidéo de merde ? Chez Foxie, on tente sa chance ou on dégage. Je peux vous arranger le coup pour dix heures. C'est ça ou rien.

— Ça marche, dit Joe.

Quand ils furent sortis, Lennie commença à s'angoisser.

— Tu n'as aucune raison de flipper, le rassura Joe. Il va t'adorer. Je vais t'inviter une belle brochette de fans pour ce soir, ajouta-t-il avec un clin d'œil.

Mais rien à faire. Lennie était nerveux, inquiet, tendu. Lennie Golden avait le trac pour la première fois de sa vie. Et pourquoi, grands dieux ? Foxie était comme les autres. Oui, à cela près que, chez Foxie, mieux valait ne pas se planter...

14

C'est Matt Traynor qui réveilla Lucky pour lui annoncer le mariage de son père. Folle de rage d'être ainsi traitée comme la cinquième roue du carrosse, elle enfila un jean, rafla au passage quelques cassettes de jazz sur son bureau, puis elle fonça sur l'autoroute dans sa Ferrari. Elle roula toute la sainte journée en compagnie de Billy Holliday sans réussir à se calmer. Quand elle vint récupérer ses clés à la réception, la nuit était déjà tombée et son père l'attendait.

— J'ai essayé de te joindre depuis ce matin. Qu'est-ce qui se passe, Lucky ? dit Gino.

— Tu oses le demander ? J'aimerais savoir pourquoi tu as chargé Matt Traynor de m'informer de ton mariage. Tu aurais aussi bien pu attendre qu'on l'annonce dans les journaux...

— Écoute, mon petit, c'est un concours de circonstances. Les choses se sont faites comme ça. D'ailleurs je pensais que tu étais là hier soir, parmi l'assemblée, quand j'ai dit à tout le monde que j'allais me marier.

— Ah ! Celle-là, c'est la meilleure ! Et je n'aurais pas bougé, et je n'aurais rien dit ! Mais, ma parole, tu es devenu fou !

— Bon, Lucky, ça suffit. Je regrette que les choses se soient passées ainsi. Je m'excuse. Voilà, tu es contente ? Maintenant j'aimerais bien que tu te mettes dans la tête que je n'ai pas besoin de ta permission pour épouser la femme que j'aime...

— Tu vas faire la plus belle erreur de ta vie !

— Oh ! alors là, des erreurs j'en ai fait un paquet, et bien avant que tu sois née. Allez, cesse donc ces enfantillages et viens m'embrasser.

Elle s'exécuta, à contrecœur. Gino se leva et la serra dans ses bras. Puis il dit qu'il devait partir.

— Tu as l'air bien pressé. Où vas-tu ? demanda sa fille.

— J'accompagne Susan à Los Angeles. Elle veut annoncer la nouvelle à ses enfants personnellement avant qu'on ne parle de nous dans la presse.

— Ses enfants ?

Lucky eut du mal à empêcher sa voix de trembler.

— Oui, elle en a deux. Un garçon et une fille, je crois.

— Quel âge ?

— Dix-neuf, vingt ans, je pense. Mais il faut que je me sauve maintenant.

L'idée que bientôt ces odieux inconnus allaient considérer Gino, « son » Gino, comme leur beau-père acheva de la rendre folle de jalousie. Et leur amour à eux, et leurs soirées en tête à tête, et leur complicité, et leur vie, et leur hôtel, et Atlantic City, fini ?

— Tu reviens quand ? demanda-t-elle, froide et crispée.

— Dans trois ou quatre jours. Je t'appellerai dès mon retour.

— Et Atlantic City, alors ? Tu as oublié ? Je croyais qu'on devait construire un hôtel ensemble. J'ai dépensé une énergie folle sur ce projet. Tout est prêt. Tu n'as plus qu'à dire oui ou non.

— On en parle à mon retour. Promis, tu peux compter sur moi.

Il l'embrassa sur les deux joues et s'éclipsa en souriant.

Quand elle fut seule, Lucky se demanda si elle pouvait encore faire confiance à son père. C'était la première fois qu'une femme lui prenait la tête à ce point. Susan Martino avait gagné. A moins que...

Une lueur mauvaise passa dans ses yeux. Elle appela Boogie. Deux minutes plus tard, il était là.

— Je veux tout savoir sur Susan Martino. De maintenant jusqu'au berceau. O.K. ?

— Aucun problème. Ce sera fait.

Si elle obtenait des renseignements à temps... Mais peut-être ne découvrirait-elle rien de fâcheux.

On frappa à la porte. Six garçons d'étage croulant sous des douzaines de roses rouges faisaient la queue dans le couloir. Lucky les fit entrer et se précipita, curieuse, sur l'un des petits cartons blancs glissé dans chaque bouquet. Un simple mot : « Dimitri ». Tiens ! Il avait déjà laissé trois messages pour elle depuis ce matin. Elle n'avait pas encore rappelé. Elle hésita. Évidemment, c'était un très bon amant. Et puis Gino était parti. Elle serait seule ce soir. Elle risquait de flipper. Elle téléphona. Il partait le lendemain et voulait dîner avec elle. Elle accepta.

Susan Martino vivait dans une immense maison sur Roxbury Drive, une propriété lourdement hypothéquée — ce qu'elle n'avait pas jugé utile de révéler à Gino. Un couple de domestiques suisses vivait dans un appartement privé au-dessus du garage. Ils gagnaient deux mille dollars par mois pour leurs bons et loyaux services, et, selon les dires de son conseiller financier, Susan n'allait pas tarder à devoir s'en passer.

Tiny lui avait légué les vestiges d'une immense fortune amassée au temps de sa splendeur, mais d'ici un an, elle serait ruinée. Ce grand acteur n'avait jamais brillé par sa capacité à épargner, et sa veuve en faisait les frais.

Elle avait quarante-neuf ans, il fallait penser à l'avenir, et Gino Santangelo était apparu comme l'homme providentiel. Mais il ne saurait jamais à quel point il était bien tombé. Le dernier nom sur sa liste des partis possibles. La chance avait été de son côté. Elle avait pu profiter de l'absence de sa fille pour le manœuvrer. Bien sûr il avait trempé dans des affaires louches, bien sûr au lit il la dégoûtait, mais il était riche, très riche. Mieux, il était amoureux, et il allait l'épouser.

— Bienvenue, Mrs Martino, dit la femme de chambre.

— Merci, Heidi. Je vous présente Mr Santangelo. Il va passer quelques jours à la maison. Soyez gentille de lui préparer un lit dans la chambre d'ami.

— Bien, madame, dit la bonne, puis elle se retira.

— La chambre d'ami ? s'exclama Gino en pinçant les fesses de sa fiancée. Tu plaisantes !

— Non, les enfants vont arriver et je ne veux pas qu'ils sachent que...

— Les enfants ! Des adultes qui savent très bien que j'ai déjà baisé leur mère !

— Écoute Gino, je préfère...

— Baby, quand je suis à la maison, c'est moi qui commande, compris ? lui dit-il sur un ton sans réplique.

Ses lèvres frémirent, mais elle ne protesta pas. C'était lui, le seigneur et maître. Enfin, pour le moment...

15

Chez Foxie, tout se passa comme sur des roulettes. On adora Lennie, et le vieux renard lui proposa un contrat de trois mois, avec toute disponibilité pour d'éventuels shows télévisés.

— Il faut que tu signes, le pressa Isaac, son nouvel agent. Foxie, tu te rends pas compte, ils sont tous passés par là !

Lennie signa. Isaac lui plaisait. D'une part, il s'était occupé comme un chef de la carrière de Joe, d'autre part il était noir, ce qui rassura Lennie sur sa volonté de s'en sortir. Et puis ils avaient le même idéal : devenir riche et célèbre le plus vite possible.

Chez Foxie, Lennie se sentit très vite chez lui. Travailler chez Foxie, c'était presque un mode de vie. Il s'y fit des amis. Il y rencontra les gens les plus intéressants et les plus excentriques de toute sa carrière. Il eut bientôt un public fidèle qui revenait tous les soirs, et qui riait toujours avec le même enthousiasme que la première fois.

Foxie donnait parfois des conseils. « Ne charge pas trop sur le sketch de la pute portoricaine, laisse un peu tomber ce look gangster... » Foxie était dans l'ensemble plutôt content de Lennie. Il eut très vite autant de respect pour lui que pour ses strip-teaseuses.

A présent qu'il se sentait un peu plus serein, Lennie décida d'appeler Jess, sa vieille copine. Plusieurs fois il tomba sur cet abruti de Wayland à qui il laissa un message, sans grande illusion toutefois. A peine Wayland avait-il raccroché qu'il avait déjà oublié.

Il tenta également de joindre Eden. La première fois, ce fut un homme qui répondit, et Lennie raccrocha. La deuxième fois, le téléphone sonna interminablement, et lors de sa dernière tentative, on lui répondit qu'il se trompait de numéro. Joe lui avait pourtant dit qu'elle avait un nouveau petit ami. Mais peu importait, il savait qu'un jour ou l'autre elle penserait à lui et voudrait le revoir. Du moins s'en persuadait-il...

Cela faisait des mois qu'elle répétait les mêmes gestes tous les jours. Entrer au ralenti dans le parking de l'hôpital, trouver une place, se garer, entrer dans le hall, prendre l'ascenseur jusqu'au quatrième. Elle aurait pu faire le trajet les yeux fermés. Jess passait une heure par jour avec sa mère, qui était toujours ravie de la retrouver. Le médecin avait dit que ce n'était plus qu'une question de temps. Il aurait été sacrilège de le gâcher.

Elle tourna lentement la poignée de la porte et pénétra dans la chambre sans faire de bruit. Elle étouffa un cri : le lit de sa mère était vide. Ce à quoi elle s'était préparée avait fini par arriver. Elle éclata en sanglots. Une infirmière entra à ce moment-là dans la chambre et lui passa gentiment un bras autour des épaules.

— Nous vous avons téléphoné hier soir. Nous avons laissé un message à votre mari. Vous n'étiez pas au courant ? dit la jeune femme.

— N...on..., bredouilla Jess.

— Venez, je vais vous donner un calmant qui vous aidera...

— Merci, non, je n'en veux pas.

Elle demanda quelle était la marche à suivre, et l'infirmière l'emmena à l'administration où elle dut remplir divers formulaires et signer un chèque conséquent.

Quand elle se retrouva seule dans sa voiture, elle resta un moment les yeux dans le vague. Comment Wayland avait-il pu oublier une nouvelle pareille ? Elle soupira. Et Lennie qui n'était pas là. Tant pis, maintenant que sa mère était morte, elle allait mettre de l'ordre dans sa vie. Et d'abord, elle allait divorcer.

16

Dimitri quitta Las Vegas dans son avion privé. Lucky se sentit soulagée. Elle n'avait aucune envie de poursuivre une histoire avec un homme beaucoup plus vieux qu'elle. Mais ce petit interlude avait été exquis.

Dans la semaine qui suivit son départ, Dimitri lui envoya plusieurs centaines de roses, une invitation permanente sur son yacht, et une liste de tous ses numéros de téléphone à travers le monde. Mais il ne lui manquait pas. En revanche, l'absence prolongée de son père l'irritait profondément. Il lui avait dit qu'il partait pour deux jours, et il n'avait pas donné signe de vie depuis plus d'une semaine.

Dans l'intervalle, elle avait appris un certain nombre de choses sur Susan Martino, mais rien de transcendant. Oui, elle avait pas mal cavalé avant son mariage. Et alors ? Cela ne ferait qu'accroître l'ardeur de Gino, d'autant plus qu'elle s'était montrée par la suite une épouse fidèle et une mère irréprochable, et cela tout au long de sa vie conjugale.

Un seul détail clochait : elle jouait les milliardaires alors qu'elle était en réalité fauchée comme les blés. Elle n'allait pas tarder à se retrouver à la rue. Gino payait-il déjà des traites pour empêcher la saisie de sa propriété de Beverly Hills ? Lucky voulait le savoir, et elle le saurait.

Les enfants Martino impressionnèrent Gino. Ils étaient tellement « bien élevés ». Ils étaient parfaits, comme leur mère.

Nathan, dix-neuf ans, étudiait le droit et la philosophie à l'université. C'était un beau jeune homme, excellent joueur de football par ailleurs, charmant avec les dames et parmi les meilleurs de sa promotion.

Sa sœur, Gemma, d'un an son aînée, avait abandonné ses études pour entamer une carrière de décoratrice. C'était une charmante jeune fille blonde aux cheveux courts, déjà fiancée à un garçon qu'elle avait connu au collège.

Nathan et Gemma vivaient encore avec leur mère.

— Tu leur plais beaucoup, annonça Susan, tout miel, le premier soir.

— Je les trouve très bien aussi, répondit Gino, ravi.

— Mais je préférerais attendre quelques jours avant de leur dire que nous allons nous marier. Je veux que tout se passe au mieux.

— Mais on est venus ici pour leur annoncer la nouvelle ! protesta Gino.

— Ne t'inquiète pas, on le leur dira. Je te demande juste quelques jours de plus pour ne pas les brusquer.

Gino capitula. Après tout, il était très bien ici. Elle le traitait comme un roi. Et il y avait tout de même une différence entre le service — irréprochable, certes — de son hôtel et une femme qui devançait vos désirs vingt-quatre heures sur vingt-quatre. Évidemment, il avait promis à Lucky de lui donner une réponse pour Atlantic City, mais, pour la première fois de sa vie, ses affaires n'étaient pas prioritaires.

— Écoute, maman, tu ne peux pas dire le contraire, cet homme est une vraie brute, fit Nathan.

— Il a raison ! renchérit Gemma. Cet homme est vulgaire et prétentieux. En plus, il n'a aucune culture.

— Euh..., répondit Susan, votre père n'avait rien d'un aristocrate non plus.

— Papa était une star ! hurla Gemma. Tu ne vas quand même pas le comparer à ce Gino Saint-Machin.

— Le « Parrain », ajouta Nathan. On l'appellera comme ça.

— Certainement pas, trancha Susan. Mr Santangelo est un homme d'affaires, qui fréquente des hommes de loi et des présidents. Et n'oubliez pas que, grâce à lui, nous pourrons maintenant notre style de vie.

— C'est un gangster, déclara Gemma d'un ton sans réplique.

— Tu fais ce que tu veux de ta vie, maman, mais regarde au moins la vérité en face, ajouta Nathan.

Susan ne répondit rien.

Au bout de dix jours, Lucky se décida à appeler son père. Elle s'était pourtant juré de ne pas le faire, mais ses avocats la persuadèrent qu'il fallait agir, et vite, pour que l'affaire ne lui file pas sous le nez.

— Je n'ai pas l'intention de rentrer tout de suite, avoua Gino.

— Alors, l'affaire est dans le lac, dit Lucky, sur un ton curieusement neutre.

— Eh bien, ce n'est peut-être pas plus mal, répondit Gino. Je ne suis plus si jeune, on essaiera de se trouver un projet un peu moins compliqué à mon retour.

« Un vieux ! Gino se conduisait comme un vieux ! Mais qu'est-ce qu'"elle" lui avait fait ? Comment pouvait-elle l'avoir transformé à ce point ? »

— Et tu rentres quand ? demanda Lucky sur un ton arrogant.

— Dans quelques jours, éluda Gino.

Elle raccrocha comme une furie. Mais qu'allait-elle faire de sa vie ? Elle était coincée à Las Vegas à cause de son hôtel, son père la bloquait dans ses projets. Soudain, elle eut envie de tout plaquer. De tout recommencer ailleurs. Mais il faudrait vendre le *Magiriano*, et ça, Gino ne l'accepterait jamais. Sans parler des autres actionnaires... Peu importe, elle verrait ses avocats, elle retirerait ses billes. Après tout, elle aussi avait le droit de profiter de la vie, de repartir à zéro sans rendre des comptes à personne. En outre, elle ne supporterait jamais la présence de la veuve Martino. Dans un cas comme dans l'autre, un changement de décor s'imposait.

17

Il n'y eut pas grand monde à l'enterrement. Trois voisins, un cousin de Tahoe, et deux amies de sa mère. Jess fit du mieux qu'elle put : elle les invita tous chez elle pour un repas très simple après les funérailles. Wayland fut un hôte parfait : il salua tout le monde avec un enthousiasme qui ne cadrait guère avec les circonstances, déposa le bébé dans les bras de sa mère, puis sortit dans le jardin, s'assit sous un arbre, et entreprit de se couper les ongles des pieds. Puis il se reposa de cette tâche harassante en regardant le ciel d'un air béat.

Jess s'occupa de ses invités, fit la vaisselle, rangea la maison, donna à manger à Simon, le coucha. Puis elle se prépara pour aller travailler.

Elle disposait les cartes sur sa table de black jack encore vide, quand Matt Traynor se pointa, sourire enjôleur en avant-première.

— Alors, quand est-ce que la fille la plus sublime de Las Vegas me donne une seconde chance ?

— Allez vous faire foutre !

— Vous m'en voulez encore pour la dernière fois ?

— Allez au diable !

— Mais vous croyez que je vous avais invitée chez moi pour quoi ? Hein ? Pour jouer aux dominos ?

— Je croyais, dit-elle en articulant exagérément, que nous allions dîner, et que vous m'expliqueriez pourquoi vous aviez renvoyé Lennie Golden.

— Si cela ne tenait qu'à moi, il serait encore là. Si vous voulez bien me retrouver plus tard, je vous en dirai davantage.

— Comme la dernière fois, c'est ça ?

— Jess, dit-il avec un accent de sincérité dans la voix, je vous invite à dîner « dehors ». O.K. ?

Mieux valait encore dîner avec Matt plutôt que de grignoter du riz complet face à un Wayland parfaitement ahuri.

Jess accepta l'invitation. Peut-être allait-elle enfin savoir ce qui s'était passé avec Lennie.

— Oh ! C'est charmant ! dit Eden.

— Je te l'avais bien dit que je te trouverais quelque chose de bien, marmonna Santino de sa grosse voix.

Ils firent le tour de la terrasse en marbre. La petite maison était perchée tout en haut de Blue Jay Way, sur les collines d'Hollywood.

— Il faudra que je trouve un décorateur, ajouta la jeune femme.

— Bien sûr, acquiesça son protecteur. La femme d'un décorateur de mes amis me doit une faveur.

— On dirait qu'il y a beaucoup de gens qui te doivent une faveur.

— C'est comme ça que ça marche, lâcha-t-il, paternel. Et si tu allais faire un tour dans la piscine, ajouta-t-il en lui lançant un coup d'œil vicelard.

Elle savait très bien ce qu'il voulait. Elle se déshabilla avec une lenteur calculée. Se faire désirer était pour elle la seule manière d'avoir quelque pouvoir sur lui, et elle aimait ça. Elle se souvint de sa première séance au lit avec lui. Il avait un holster planqué sous son veston. Pour un peu, elle l'aurait pris pour un flic. Mais les flics ne se trimballent pas en costume trois-pièces à longueur d'années.

— Alors, qu'est-ce que tu attends pour plonger ? demanda-t-il, et cela ressemblait davantage à un ordre qu'à une question.

— J'y vais, j'y vais, susurra-t-elle, en délaçant ses sandales blanches à hauts talons.

— Attends, j'ai changé d'avis. Viens plutôt par ici...

— Il paraît qu'il y a un mec du Merv Griffin Show au premier rang ! lança une des strip-teaseuses à Lennie juste avant qu'il n'entre en scène.

Cela ne lui fit ni chaud ni froid. Il y avait belle lurette qu'il avait compris qu'il fallait donner le maximum tous les soirs. Et peu importe qui était là. Si un gros agent d'Hollywood ou le responsable d'un show télévisé devait le remarquer, c'était uniquement une question de chance, de hasard, de destinée. Cela n'avait rien à voir avec sa propre valeur. Il était bon, il le savait, et c'était tout ce qui comptait.

N'empêche que ce soir, une fois de plus, personne ne vint le féliciter dans sa loge, enfin personne qui eût pu lui ouvrir un grand avenir. Il se retrouva tout seul dans sa chambre d'hôtel à trois heures du matin, et se sentit repris par sa vieille obsession : Eden. Il composa son numéro en se préparant à entendre la voix masculine à l'autre bout du fil.

Mais ce fut elle qui répondit. D'abord un drôle de « Allô » enroué et endormi, puis un « Allô » plus clair, plus désagréable aussi. Il attendit. Suivirent alors un flot d'obscénités qui auraient surpris un correspondant non averti, mais qui le firent sourire, lui. On ne vivait pas trois ans avec une femme sans apprendre à connaître ses bizarreries.

Quelques secondes avant qu'elle raccroche, il lui parla, gentiment, tout doucement, comme à un enfant.

— Eden. C'est moi, c'est Lennie. Tout va bien. Je suis à L.A...

18

Dimitri venait de rentrer à New York. Dès l'instant où il franchit le seuil de son appartement, Olympia comprit qu'elle avait fait une erreur en s'y installant. Son père remarqua le trou de cigare dans sa table ancienne, entra dans une colère noire et engueula le maître d'hôtel, qui encaissa la semonce sans broncher. Olympia ne fit rien pour le disculper...

Puis il se précipita sur sa petite-fille, qui se jeta dans ses bras avec joie. Brigette eut droit à une foule de présents et à un câlin. Olympia tiqua. Quand elle était petite, Dimitri la couvrait elle aussi de cadeaux, mais il l'embrassait rarement et ne la câlinait jamais. Il réservait sa tendresse à ses maîtresses.

— A propos, demanda Olympia, c'était bien Las Vegas ? J'ai entendu dire que c'était plutôt ringard...

— Peut-être, mais j'y étais seulement pour le dîner de Francesca Fern.

— Et comment va-t-elle ? demanda Olympia d'une voix mielleuse.

Comment pouvait-il continuer à s'afficher avec cette vieille prétentieuse au physique de jument ?

— Très bien, répondit Dimitri.

Il n'avait aucune envie de raconter sa vie à sa commère de fille. Inutile d'ébruiter cette rupture inconsidérément...

— Au fait, poursuivit-il pour changer de sujet, j'ai rencontré une de tes amies.

— Qui ça ?

— Lucky Santangelo.

Lucky... Son ex-meilleure amie. Elle ne l'aurait probablement pas reconnue. Il y avait si longtemps. Au moins quinze ans. D'ailleurs, elles n'avaient vraisemblablement plus rien en commun.

— Et où l'as-tu rencontrée ? demanda Olympia, faussement désinvolte.

— Elle dirige le *Magiriano*.

— Je vois ! Un cadeau de son gangster de père, sans doute, cracha Olympia, méprisante et vaguement jalouse.

— Tu n'y es pas. Elle l'a construit elle-même pendant qu'il vivait à l'étranger. C'est une femme d'affaires très avisée.

« Elle l'a construit elle-même. » Vraiment ? De ses propres mains, très certainement ! Olympia ne répondit rien. Essayait-il de la culpabiliser, elle qui n'avait jamais rien su faire d'autre que de s'encombrer de coureurs de dots ?

— Elle est comment ? demanda-t-elle, curieuse.

— Je n'y ai pas vraiment prêté attention, éluda Dimitri. Mais il faut que je me sauve. Alors n'oublie pas, l'avion décolle demain à onze heures précises. Essaie de ne pas être en retard.

— Promis, assura-t-elle alors qu'il quittait déjà la pièce.

Mais elle savait déjà qu'elle ne partirait pas. Elle se contenterait d'expédier sa fille et sa gouvernante avec le grand-père : elles commençaient toutes les deux à lui taper sérieusement sur les nerfs. Elle avait besoin d'être seule quelques jours, le temps de se trouver un appartement, son propre appartement, car plus jamais elle ne supporterait de vivre chez ce maniaque de Dimitri. Il suffisait de déplacer un livre dans sa bibliothèque pour qu'il se mette en rage. Alors, l'avion privé, le yacht, l'île grecque, à la rigueur, elle voulait bien en profiter. Mais il lui fallait son propre pied-à-terre à New York, où elle pourrait faire tout ce qui lui passait par la tête.

Elle téléphona à une amie de sa mère qui sévissait dans l'immobilier, et l'affaire fut réglée. Elle pourrait visiter les lieux quand il lui plairait.

Elle se mit soudain à penser à Lucky. La sauvage Lucky, la gitane aux yeux de braise, la solitaire introvertie. Elle l'avait vite apprivoisée. Elles avaient fait les quatre cents coups ensemble, en Suisse. Et cette nuit enflammée qu'elles avaient passée dans le même lit. Ce délire n'avait pas eu de suite. Mais elles étaient restées suffisamment proches pour faire une escapade dans le Midi de la France. Lucky ! Elle lui avait tout appris. Comment séduire les hommes, comment s'habiller et comment se coiffer. Et dire que, depuis quinze ans, elle n'avait jamais donné de nouvelles. Ingrate Lucky.

19

Depuis qu'elle avait pris la décision de quitter Las Vegas, Lucky se sentait mieux. Ce n'était plus qu'une question de jours. Elle annoncerait la nouvelle à Gino dès son retour. Le seul problème, c'était qu'il n'avait pas l'air de vouloir rentrer. Alors ce fut elle qui partit. Elle rassembla ses maillots de bain, ses livres favoris, et quelques cassettes de *soul*, glissa le tout dans une valise et prit l'avion pour Palm Springs.

Elle descendit au *Canyon Club Hotel* où elle s'installa dans un luxueux bungalow doté d'une piscine privée. « Téléphonez tous les matins à Las Vegas pour savoir si Mr Santangelo est rentré », telles furent ses instructions.

Elle se refit une santé. Elle arrêta de boire, de fumer, et se mit à la diététique. Elle bronzait en compagnie de Teddy Pendergrass et de Marvin Gaye. Elle allait se coucher avec Mario Puzzo, Joseph Wambaugh et Harold Robbins. Elle ne souffrait pas de la solitude. Au contraire, elle appréciait sa propre compagnie. Attendre était intolérable. Mais attendre de cette manière était tout à fait supportable.

— Il faudrait que je rentre, disait souvent Gino.

— Mais pourquoi ? demandait Susan. Tu as ici tout ce qu'il te faut. N'est-ce pas plus agréable de rester avec moi ?

Il était bien obligé d'admettre qu'elle avait raison. Mais cela ne l'empêchait pas de se sentir coupable vis-à-vis de Lucky. Il savait qu'elle lui en voulait, et il était trop tard pour lui téléphoner. Autant rentrer et l'affronter.

La vie à Beverly Hills ressemblait à des vacances. Il se sentait dégagé de toute responsabilité. Pour une fois, le téléphone ne sonnait pas sans arrêt, et on ne venait pas lui casser les pieds avec des problèmes mineurs. Il pouvait faire absolument ce qu'il voulait, ce qui n'arrivait pas si souvent.

Il s'était depuis longtemps entouré des meilleurs hommes de loi, des financiers les plus rusés. Il menait de front un grand nombre d'affaires sans avoir à s'en occuper personnellement. Il avait bien compris la leçon : déléguer un maximum de responsabilités, mais toujours montrer qu'on est présent et prêt à intervenir à tout moment. Et puis Lucky le secondait aussi bien qu'un homme de confiance. En un sens, il était désolé de lui avoir fait faux bond pour Atlantic City, mais enfin, il allait se marier. Il ne pouvait se concentrer sur autre chose pour l'instant. Lucky comprendrait. Elle finirait bien par comprendre.

Quant à Susan, elle n'avait toujours pas mis ses enfants au parfum.

— Allez, Susan, ça suffit cette comédie, tu vois bien qu'ils m'adorent.

Elle leur annonça la nouvelle le soir même, au dîner. Ils eurent de petits sourires polis et Gino exulta.

— Tu as vu, dit-il plus tard, au lit, ils sont ravis. Bon, eh bien maintenant on peut rentrer à Las Vegas. Nous partons demain.

— Je ne peux pas venir, dit Susan, très vite.

— Et pourquoi ?

Elle baissa les paupières, faussement embarrassée.

— C'est impossible pour le moment. Quand Tiny est mort... je ne voulais pas t'en parler, mais il nous a laissés au beau milieu de ce que ses avocats appellent un cauchemar financier. C'est quelque chose que je dois me résoudre à affronter, et je dois dire que j'ai un peu laissé tomber depuis que je t'ai rencontré. Alors quand tu seras parti, je...

Gino l'interrompit en se donnant une grande claque sur le front.

— Bon Dieu ! Mais pourquoi tu ne m'as rien dit ? Ah..., soupira-t-il, c'est de ma faute, j'aurais dû te demander si tout allait bien dans ta vie. Je suis impardonnable.

— Ce n'est pas ton problème, Gino, dit-elle. Mais j'apprécie que tu te sentes concerné.

— Écoute-moi bien. A partir de maintenant, tes problèmes sont les miens. Dès demain, je t'envoie l'un de mes avocats pour qu'il examine la situation avec les tiens. Tout sera réglé au plus vite. Ça te va ?

— Tu n'es pas obligé de le faire, dit-elle.

— Mais bien sûr que si. Et le prochain week-end, tu me rejoins à Las Vegas, d'accord ?

— D'accord.

Elle n'aurait jamais cru que ç'aurait été si facile. Gino la prit dans ses bras, et elle se résolut à une nouvelle séance de baise. Ses rudes assauts la dégoûtaient, mais il fallait bien jouer son rôle. Jusqu'au mariage...

— Dieu soit loué ! Le truand est enfin parti ! soupira Gemma dès que le taxi eut démarré, emportant Gino vers d'autres cieux.

La femme de chambre vint servir le petit déjeuner.

— C'est pas trop tôt, renchérit Nathan. Dis, maman, tu ne vas quand même pas épouser ce gangster ?

— J'aimerais que vous changiez de ton, tous les deux, fit Susan, sèchement. Vous êtes suffisamment grands pour comprendre que j'aie envie de refaire ma vie.

— Oui, mais pas avec un malfrat, rétorqua Gemma.

Susan soupira et but son thé-citron à petites gorgées. Elle les regarda. Quelle belle paire de B.C.B.G. elle avait là ! Au fond d'elle-même, elle savait qu'ils avaient raison. Mais pourquoi Tiny n'avait-il pas été plus prévoyant ? Elle resserra son peignoir de soie, pensa à son avenir et frissonna.

Lucky venait à peine de sortir de la piscine quand on lui annonça le retour de Gino. En moins d'une heure, elle fut à l'aéroport. Le moment de la confrontation n'avait que trop tardé.

20

Ils devaient se retrouver chez *Tiny Naylor*, un *drive-in*[1] de Sunset Boulevard. Lennie était arrivé le premier et se demandait si elle allait vraiment venir. Il était deux heures et demie du matin et ça faisait déjà une demi-heure qu'il poireautait. C'était assez son style, de lui poser des lapins. Il avala une gorgée de Coca. Au téléphone, elle avait été adorable. Accepter de le voir, comme ça, en pleine nuit... Un large sourire éclaira son visage. Quand elle voulait, Eden était la fille la plus délicieuse du monde. Elle pouvait aussi se montrer ignoble, mais au fond, en trois ans, il y avait eu tellement de moments sublimes ! Et puis au lit, c'était parfait. Son long corps souple et inspiré, ses grands yeux topaze...

Il flottait parmi d'inavouables souvenirs quand elle se gara à côté de lui. Elle portait un foulard de soie et des lunettes noires. Baissant sa vitre, elle lui susurra de sa voix de star :
— Tu pensais que je ne viendrais plus ?

Matt ne se comporta pas exactement comme un gentleman. Il emmena Jess dans un restaurant polynésien et se débrouilla pour lui faire ingurgiter mine de rien force cocktails. Quand ils quittèrent les lieux, elle tenait à peine debout. Elle ne se rendit même pas compte qu'il l'emmenait chez lui.

Il dut la porter jusqu'au lit, où elle s'endormit instantanément. Il défit alors fébrilement sa jupe, baissa sa petite culotte. Il était sur le point de la pénétrer quand il eut un sursaut de moralité. « Non mais qu'est-ce que je fais là ? » se dit-il, effrayé par sa propre goujaterie. Il la rhabilla prestement et la couvrit jusqu'au menton d'une couverture de léopard. Dieu soit loué ! Elle ne s'était pas réveillée. Il commença à marcher de long en large dans l'appartement.

Jess émergea quatre heures plus tard, au petit matin. Elle poussa un juron, bondit du lit, enfila ses chaussures à toute allure, ouvrit la porte et partit sans dire au revoir.

1. Un restaurant où vous attendez dans votre voiture que l'on vienne vous servir.

Matt était anéanti. Lui qui s'était attendu à un dialogue du genre :

Elle, affolée : « Oh ! Mon Dieu ! Que s'est-il passé ? Dis-le-moi, s'est-il passé quelque chose ? »

Lui, avec un sourire narquois : « Et qu'aurait-il pu se passer ? »

Elle : « Oh ! Cesse de me torturer ! Tu sais parfaitement ce que je veux dire. »

Lui, rassurant : « Calme-toi, ma chérie, pour quel genre d'homme me prends-tu ? »

Elle, reconnaissante et prête à tout : « Tu es exactement *mon* genre. »

Elle était partie. Matt tournait en rond dans la cuisine. Il avait les reins douloureux, les yeux qui lui brûlaient. Elle n'avait rien demandé. Est-ce qu'elle s'en foutait ? Accepterait-elle jamais de le revoir ?

— Je savais que tu viendrais, dit Lennie, hypocrite.

Il sortit de sa voiture et vint s'installer dans la Thunderbird, à côté d'Eden. Elle portait une robe d'été légère et des escarpins à talons hauts. Il lui enleva doucement ses lunettes. Elle eut un mouvement de cils qui le mit à la torture.

— Bonjour, lui souffla-t-il, en lui caressant les cheveux à travers son foulard.

— Hello, Lennie, répondit-elle, je ne sais pas quoi dire, je suis trop émue...

Elle avait toujours su comment le faire craquer.

— Je pensais qu'on pourrait peut-être aller à la plage, suggéra-t-elle. Tu me raconteras pourquoi tu es ici.

« Eden, je suis venu jusqu'ici pour te faire l'amour. Pas pour parler de ma carrière. »

— Et si je conduisais ? proposa-t-il, sur un ton qu'il voulait anodin.

Elle acquiesça et ils changèrent de place.

Lennie démarra et elle se rapprocha de lui.

— Tu m'as manqué, tu sais, lui glissa-t-elle à l'oreille en posant la main sur sa cuisse.

Il eut aussitôt une violente érection, et accéléra. Dix minutes plus tard, ils arrivaient à la plage. La nuit était claire, la mer calme. Ils marchèrent main dans la main, comme de jeunes amoureux, au bord de l'eau. Puis ils s'allongèrent sur le sable et se caressèrent en experts, comme deux vieux amants.

Ils jouirent au même instant. Eden n'avait pas encore retrouvé son souffle, quand Lennie lui murmura, à l'oreille :

— Nous sommes faits l'un pour l'autre, tu sais ça ?

On entendait les vaguelettes clapoter sous le ciel étoilé. Elle ne répondit pas.

Jess fut chez elle en un temps record. A peine était-elle sortie de sa voiture que déjà elle entendait Simon crier. Elle traversa le jardin comme une flèche, entra en trombe dans la cuisine où elle buta sur un inconnu endormi à même le carrelage, et se précipita dans la chambre pour trouver un Wayland ronflant sur le lit et un bébé s'égosillant dans son berceau. Elle prit le petit dans ses bras, le changea, et lui prépara un biberon. Dès qu'il se mit à téter, elle se sentit apaisée. Sa décision était prise. Avant la fin de la semaine, elle aurait viré Wayland.

21

— Je me fiche pas mal de ce que tu veux faire ! hurla Gino.

— Et moi, je me fous complètement de ce que tu penses ! rétorqua Lucky.

Depuis plus d'une heure ils se disputaient comme deux chiffonniers. Leur belle entente s'était brusquement évaporée pour faire place aux violents rapports de force du passé.

— N'oublie pas que nous sommes associés, lui rappela-t-elle froidement. La moitié du *Magiriano* m'appartient. Alors, ou tu me rachètes mes parts immédiatement, ou on vend.

Il fut bien obligé d'admettre qu'elle en avait dans le ventre. C'était peut-être une emmerdeuse, mais au moins elle savait ce qu'elle voulait, et comment l'obtenir.

— Bien, puisque tu veux partir, je crois qu'il est inutile de te retenir, conclut Gino, fataliste. Je te rachète tes parts, mais n'oublie pas qu'un jour tout ce qui est à moi t'appartiendra.

« Non mais, de qui se moquait-il ? S'il épousait Susan Martino, ce serait elle qui hériterait. »

— Alors tout est réglé, dit-elle, un peu lasse.

— Je ferai très vite le nécessaire, puisque tu as l'air pressée.

— Il y a autre chose que je voudrais. C'est la maison d'East Hampton. C'était notre maison quand maman était encore en vie. Je ne veux pas qu'une autre femme l'habite.

— Très bien, très bien, éluda Gino, un peu agacé. Elle est à toi.

— Je la ferai estimer par un agent immobilier, et je te la rachèterai. Tu pourras déduire son prix du total de mes parts du *Magiriano*.

— Et bientôt on ne communiquera plus que par l'intermédiaire de nos avocats, c'est ça ? Lucky, bon Dieu, on dirait un couple qui divorce !

— A propos d'avocats, dit Lucky sans se démonter, as-tu pensé à faire signer un contrat de mariage à Susan Martino ?

— Non mais, qu'est-ce que tu insinues ? tempêta Gino. Tu connais à peine Susan Martino, et tu la vois déjà s'enfuir avec ma fortune ?

— Je suis méfiante, c'est tout. C'est toi qui m'as dit un jour que tous les maris se font gruger dans ce pays. Mais c'était avant que tu décides de te remarier.

— Là, tu charries, souffla-t-il, d'une voix altérée.

La jeune femme s'éloigna d'un pas tranquille, estimant qu'elle en avait fait assez pour aujourd'hui.

Susan Martino avait plusieurs milliers de dollars de dettes. Gino le découvrit peu après avoir envoyé un comptable à Los Angeles.

Il lui téléphona immédiatement.

— Mais comment as-tu fait pour en arriver là ? demanda-t-il.

— J'ai hérité des dettes de Tiny, répondit-elle en toute logique.

— Je m'occupe de tout ça, ne t'inquiète pas.

Il n'était pas particulièrement enthousiaste à cette idée, mais il fallait bien que ce soit fait.

— Écoute, Gino, je te l'ai déjà dit, ce n'est pas une obligation.

— Disons que ce sera mon cadeau de mariage, fit-il, magnanime.

— Merci beaucoup.

On sentait au ton de sa voix que, tout en appréciant son geste, elle n'en restait pas moins digne. Il reconnaissait bien là la grande dame qu'il aimait.

— Bon, je t'attends à Las Vegas ce week-end, tu n'as pas oublié ?

— Écoute, Gino, il va falloir tout préparer pour le mariage, et ce ne sera pas fini d'ici samedi. Je...

— Mais de quoi parles-tu ? On se marie à Las Vegas, pas à Los Angeles ! C'est ici qu'est ma vie, et c'est ici qu'on va s'installer.

— Mais Gino, tous mes amis sont à Beverly Hills et...

— Et tous les miens sont à Las Vegas, alors tu prends l'avion et tu me rejoins dans les plus brefs délais, O.K. ?

— Très bien, j'essaierai de m'arranger...

— J'espère bien !

— Je t'embrasse, Gino.

— Moi aussi.

Elle n'avait nullement l'intention d'obéir. Elle avait d'autres projets en tête. Cela faisait des semaines qu'elle n'avait pas vu Paige Wheeler, la femme du producteur Ryder Wheeler. Et un moment d'intimité amoureuse avec elle était ce dont elle avait le plus besoin au monde. Elle se dirigea vers le téléphone, le cœur battant...

Le lendemain de son orageux entretien avec Gino, Lucky se réveilla avec de terribles nausées. Ce n'était pourtant pas le moment d'être malade. Elle avait une nouvelle vie à mettre en route. Elle se leva, alla vomir, puis se recoucha. Elle se rendormit une petite heure et se sentit mieux. Elle décida alors d'appeler Costa.

Costa Zennocotti s'était retiré depuis un an à Miami. Il avait été l'avocat et le meilleur ami de son père, et elle l'adorait.

— Oncle Costa ! s'exclama-t-elle, toute joyeuse. Comment ça va ?

— Je suis en train de passer maître dans l'art de cuisiner ! Il a fallu que j'atteigne un âge avancé pour découvrir les secrets de la cuisine française.

Elle éclata de rire. Elle était si heureuse de l'entendre...

— Je te fais confiance pour exercer tes talents avec succès ! plaisanta-t-elle.

— Il y en a certaines qui apprécient, oui. Mais tu me connais, avant que je m'engage pour de bon, il peut encore couler de l'eau sous les ponts.

Si elle le connaissait ! Oncle Costa, ce petit homme si doux, si droit ! Il était resté marié trente ans avec tante Jenny. Et, pour Lucky, ils avaient toujours représenté le couple parfait. Cette longue union les avait épanouis l'un et l'autre. Ils étaient restés épris jusqu'à la mort de tante Jenny, il y avait maintenant deux ans de cela.

— Tu as eu des nouvelles de Gino ces derniers temps ? demanda la jeune femme.

— Non, pourquoi, il y a quelque chose qui ne va pas ?

— Rien de grave. Il me rachète mes parts du *Magiriano*, c'est tout.

— Quoi ? Mais qu'est-ce qui s'est passé ?

— Est-ce que je peux venir te voir ? J'ai besoin de te parler.

— Tu peux venir quand tu veux. Tu sais bien que je suis là si tu as besoin de moi.

Cher oncle Costa !

— Je te rappellerai bientôt, dit-elle.

— Promis, hein ? fit-il, mi-taquin, mi-inquiet.

— Promis ! répondit-elle.

Puis elle raccrocha. Oncle Costa aurait encore des tas de souvenirs à lui raconter, et elle adorait ça. Elle fonça dans la salle de bains, tout excitée.

22

Le lendemain de ses ébats en extérieur, Lennie se réveilla à midi de fort bonne humeur. Cette petite séquence sur la plage s'était déroulée au mieux. Apparemment, Eden avait toujours aussi faim de lui ; quant à lui, il la désirait toujours autant. « Oui, mais... et après ? lui souffla une toute petite voix. Elle t'a planté là ! Elle est rentrée de son côté, et tu ne sais même pas où elle habite, ni ce qu'elle fait de ses journées... » Et alors ? Il suffit de la rappeler, s'insurgea-t-il, bien décidé à faire taire au plus vite cette part raisonnable de lui-même.

Eden s'éveilla à l'heure du déjeuner, paressa longuement dans son bain, puis elle s'habilla en prenant tout son temps. Elle avait rendez-vous avec le décorateur de sa future demeure. Elle arriva avec une demi-heure de retard à Blue Jay Way. La ponctualité n'avait jamais été son fort.

Le décorateur était une femme de quarante ans avec des bas noirs et une jupe fendue. Eden se demanda quelle genre de faveur elle devait à Santino... Cette brune sexy s'appelait Paige Wheeler, et elle était accompagnée d'un assistant efféminé.

Elle fit plusieurs suggestions à Eden, qui se rangea docilement à son avis. La future star voulait un maximum de miroirs et une couverture en fourrure sur le lit. Hormis ces détails essentiels, elle n'avait aucun désir précis.

Quand la décoratrice fut partie, elle eut une brève pensée pour Lennie. Il n'avait pas changé. C'était décidément le meilleur au lit. Dommage qu'il ait toujours cette mentalité de perdant. Il jouait encore dans un club minable, quelque part sur Hollywood Boulevard. Il n'arriverait jamais à rien. « Pourvu qu'il ne rappelle pas », se dit-elle, avant de foncer chez l'esthéticienne.

Il n'y avait décidément aucun moyen de se débarrasser de Matt Traynor. Il venait encore de rappliquer. Il rôdait autour de sa table. Oui, il était assez pénible, mais au moins il était là, lui, et il semblait s'intéresser à elle, même s'il était maladroit.

— Excusez-moi pour hier soir, dit Jess... J'avais trop bu.

Elle ne savait pas ! Matt eut du mal à cacher sa joie. Ainsi il avait encore une chance !

— Tout est de ma faute. Vous m'avez parlé de votre mère, et c'est moi qui vous ai dit que ça vous ferait du bien de boire un peu.

— Oh ! Je crois que n'importe quoi m'aurait fait du bien ! répondit-elle, désabusée.

— Alors recommençons ce soir...

— A nous bourrer la gueule ?

— Mais non ! A parler, tout simplement.

Elle avait justement décidé d'annoncer ce soir à Wayland qu'elle le virait. Mais après tout, elle pouvait bien s'accorder un petit délai. Ce serait peut-être plus compliqué qu'elle ne le pensait, et Matt aurait peut-être quelques judicieux conseils à lui donner...

— O.K., s'entendit-elle répondre. Tant qu'on ne dîne pas en tête à tête chez vous, je suis d'accord.

Il était trois heures de l'après-midi. Lennie bronzait tranquille au bord de la piscine quand on le demanda au téléphone. Eden ? Déjà ?

Ce n'était pas Eden, mais l'un des recruteurs du Merv Griffin Show qui l'avait vu la veille chez Foxie et qui lui proposait un engagement. Lennie se fit violence pour ne pas hurler de joie, et donna posément à l'homme le numéro de son agent, en précisant qu'a priori il était libre.

« A priori ! » Il fonça dans sa chambre, et se mit au travail. Il n'avait plus que trois jours devant lui pour peaufiner ses sketches.

— Tu es sortie hier soir, dit Santino, d'une voix suave.

— Comment ? répondit Eden, indignée.

Elle n'avait nullement l'intention de subir le moindre interrogatoire.

— J'ai regardé la télé toute la nuit, précisa-t-elle, et c'était très ennuyeux.

— Où es-tu allée ? demanda Santino, dont la voix ressemblait tout à coup au sifflement d'un cobra.

— Mais nulle part ! Je t'ai dit que...

Une gifle violente faillit lui desceller la tête. Sa joue la brûla vivement. Elle se mit à tituber, surprise et sonnée.

— Comment oses-tu ? bafouilla-t-elle, un sanglot dans la gorge.

Une deuxième gifle lui coupa le sifflet et la fit éclater en sanglots.

— Ne me raconte plus jamais de salades, Eden, ordonna le gros homme, menaçant. Je passerai l'éponge pour cette fois, parce que c'est la première fois. Mais si jamais tu recommençais...

La peur l'envahit. Elle se mit à claquer des dents. Santino lui lança un regard méprisant et rejoignit son garde du corps qui l'attendait sur le palier. Il avait appris, depuis bien longtemps, à se faire respecter.

Cette fois-ci, Matt emmena Jess dans un restaurant italien. Elle était tellement énervée qu'elle dévora trois plats d'affilée.

— Je croyais que vous étiez végétarienne, commenta Matt avec un sourire.

— De temps en temps, répondit-elle évasive.

Il lui remplit son verre, qu'elle vida d'un trait. Elle le regarda droit dans les yeux.

— Vous m'aviez promis de me dire pourquoi Lennie s'est fait virer.

Il soupira.

— Je n'y suis pour rien. Je le trouvais très bien.

— Alors ?

— C'est Lucky Santangelo qui m'a brusquement ordonné de le mettre dehors. Ne me demandez pas pourquoi, je n'en sais pas plus que vous.

— Lucky Santangelo ? répéta Jess, médusée. Je ne comprends pas.

— Moi non plus. Elle m'a réveillé à trois heures du matin pour m'annoncer ça.

Mais pourquoi Lennie n'avait-il pas appelé ? Il lui manquait tellement. Elle avait besoin de lui... Son regard se voila. Non, elle ne devait pas pleurer.

— Matt, dit-elle d'une toute petite voix, vous avez un bon avocat ?

— Oui, pourquoi ? demanda-t-il, un peu surpris.

— Je crois que j'ai besoin d'un conseil.

— Oui, lequel ?

— J'ai décidé de divorcer.

Elle commença à parler de Wayland, et soudain elle ne pouvait plus s'arrêter. Bientôt, Matt était au courant de tout.

— Est-ce qu'il est violent ? demanda-t-il.

— Non, pas du tout. Il est même assez doux, surtout avec le bébé. C'est un grand enfant, il...

— Il vous faut un avocat très vite, trancha Matt. Je vais vous organiser un rendez-vous. Vous pouvez m'appeler demain matin à dix heures ?

— Oui, je vous appellerai, dit-elle en souriant. Merci, hein, vous êtes vraiment gentil, ajouta t elle en lui pressant la main.

Elle commençait à changer d'avis à son sujet. Finalement, il n'était pas si méchant que ça.

— Oui, Mr Golden, j'ai noté vos huit messages, dit la réceptionniste du *Château Marmont*. Mais ce n'est pas de ma faute si miss Antonio ne vous rappelle pas.

— J'ai un autre numéro à vous donner, reprit Lennie, d'une voix aigre. Je suis chez Foxie jusqu'à deux heures du matin.

— Très bien Mr Golden, je transmettrai, dit-elle, faussement servile.

Il raccrocha rageusement. Il détestait cette réceptionniste un peu plus chaque fois. Eden n'avait pas rappelé et il en voulait au monde entier. Impuissant et frustré, il avait envie de hurler.

Ce fut son tour d'aller sur scène, et pour la première fois il se planta. Jamais il n'avait été aussi mauvais.

Il eut droit à une bordée d'injures du patron et se promit de trouver coûte que coûte l'adresse d'Eden. Il fallait qu'il sache ce qui se passait.

A dix heures tapantes, Jess téléphonait à Matt. Comme promis, il avait pris rendez-vous pour elle avec son avocat. Celui-ci l'attendrait à midi. Elle donna un premier biberon à Simon puis elle le recoucha. Pour la première fois, elle quitta la maison sans réveiller Wayland.

Ce dernier émergea un quart d'heure plus tard. Il tituba jusqu'aux toilettes, encore à moitié défoncé. Puis il s'aperçut que Jess était sortie sans lui laisser d'argent. Il eut un moment de panique. Edge devait passer lui apporter de l'herbe dans la matinée et il lui devait déjà cent cinquante dollars. Dans son cerveau embrumé, une idée commença à se frayer un chemin difficile. Oui, il s'en souvenait à présent, parfois elle cachait l'argent. Un jour, il avait même découvert cinq cents dollars sous le matelas du bébé. Oui, c'était ça, le bébé.

Il revint en zigzaguant vers la chambre, prit Simon dans ses bras et le déposa sur le sol le plus délicatement qu'il put. Il commença à ôter les draps, ce qui lui demanda un effort, vu son état. Puis il souleva le matelas, le secoua, ce qui lui causa une violente douleur dans la tête. Il passa une main lourde et déçue sur le fond du berceau. Elle avait dû changer de cachette. « Ce n'est pas gentil, ça, se dit-il, elle ne se conduit pas bien avec moi. » Peut-être alors, trouverait-il son bonheur dans la boîte à café, ou dans la boîte à sucre... Cette dernière idée lui arracha un léger sourire, et il se dirigea péniblement vers la cuisine. Bien entendu, il oublia Simon sur la moquette, lequel, ravi de l'aubaine, commença à ramper vers la porte-fenêtre grande ouverte...

23

Matt apprit le drame tout à fait par hasard. Il regardait les nouvelles du soir quand il fut question d'un fait divers bizarre. Un bébé était sorti en rampant de sa chambre et s'était noyé dans la piscine de ses parents. La présentatrice, une blonde qui semblait échappée tout droit d'un concours Miss Monde, prit un air navré pour annoncer que le jeune couple, dont l'innocence n'était pas mise en doute, venait néanmoins d'être appréhendé par la police. Wayland et Jess Dolby étaient dans un tel état d'abattement qu'on n'avait pu les interviewer pour le moment.

Matt resta prostré. « C'était Jess. C'était son enfant. Mais comment était-ce arrivé ? »

Sans réfléchir, il quitta le divan sur lequel il était allongé, enfila sa veste et sortit en trombe de son bureau.

Susan et Paige se retrouvèrent dans une maison de Brentwood dont Paige refaisait la décoration. Le propriétaire des lieux, un macho superstar qui tenait la vedette dans un film produit par son mari, s'était envolé pour Hawaï en compagnie d'un autre macho superstar.

Susan arriva la première et attendit dans sa Rolls jaune l'arrivée de son amie, qui ne se fit pas désirer bien longtemps — sa Porsche gris métallisé apparut bientôt au coin de la rue. Paige se gara très vite et bondit sur la chaussée au moment où Susan sortait de la Rolls pour lui tomber dans les bras. Les deux femmes restèrent longuement enlacées. Elles formaient un drôle de couple. L'une grande, blonde, distinguée, l'autre petite, brune, excentrique.

Elles se décidèrent enfin à pénétrer dans la maison. L'intérieur était un bel exemple de fantasme masculin, tout de bois et de cuir.

— Qu'en penses-tu ? demanda Paige.

— Très impressionnant, répondit Susan, quoiqu'elle trouvât cela un peu chargé.

Elles se retrouvèrent bientôt dans la chambre, où elles se firent un long câlin raffiné. Puis Paige déclara qu'elle devait se sauver, car elle avait douze invités — des plus prestigieux — pour le dîner.

— Je ne te propose pas de venir, je sais combien tu as horreur d'arriver seule quelque part, lui dit Paige.

Susan encaissa le coup. Il fut un temps où Paige n'aurait pas osé organiser un dîner sans l'y convier.

— Mais puisque tu vas bientôt te marier, tu n'auras plus à souffrir de ce genre de situation. Je suis bien contente pour toi. Tu es le genre de femme à qui il faut un homme, même si c'est uniquement pour « payer l'addition », ajouta Paige, perfide.

Cette dernière remarque irrita Susan, mais elle n'en laissa rien paraître. Elles se quittèrent néanmoins assez fraîchement et Susan rentra chez elle un peu déprimée. Gino téléphona presque aussitôt. Elle se montra particulièrement douce et aimable avec lui et en fut la première étonnée. Finalement, c'était assez rassurant de se marier.

24

En guise de cheveux, le policier avait quelques mèches grasses qu'il arrangeait avec soin.

Jess ne pouvait s'empêcher de le fixer. Elle se demanda même si, en le regardant assez longtemps, ce cauchemar ne finirait pas par se dissiper.

— Pourquoi l'avez-vous laissé à votre mari alors que vous saviez qu'il était un junkie irresponsable ? Vous n'avez donc jamais réalisé que cet enfant était en danger permanent ? C'est criminel ! Je me demande même si vous ne l'avez pas jeté vous-même dans la piscine, ce pauvre enfant... De nos jours, tout est possible.

Jess restait imperméable à ces propos abjects. Elle n'était pas responsable. Ils n'avaient aucune charge contre elle. Mais si elle avait eu un flingue, elle aurait sûrement descendu Wayland. Ce salaud... C'est elle qui avait repêché Simon. Comprenant qu'il était mort, elle s'était mise à hurler. Ses cris avaient alerté les voisins, la police, et finalement Wayland s'était réveillé.

— Que se passe-t-il ? avait-il demandé dans sa torpeur.

Elle lui avait sauté dessus à coups de poing, à coups de griffe, mais elle s'était brusquement arrêtée pour gémir de douleur. La violence ne ferait pas revivre son bébé.

Au matin, Lennie essaya encore de joindre Eden. Il n'avait plus qu'une envie : la voir. Ses bonnes résolutions s'étaient enfuies, envolées avec la nuit ses idées de rupture. Mais qui pouvait donc l'aider dans cette foutue ville de zombies ? Tous planqués derrière leur répondeur, ouais ! Les jumelles consentirent finalement à lui donner le nom d'un agent qui était supposé s'occuper d'Eden. « Laissez un message », telle fut la réponse. Telle était la sempiternelle réponse. Lennie était fou furieux. Il savait parfaitement qu'il n'y avait qu'une chose à faire : la rayer de sa mémoire. Mais dès qu'il s'agissait d'elle, il devenait le mec le plus con de la planète...

L'empreinte de la main du vilain semblait s'être incrustée dans la joue d'Eden. L'ignoble. Il ressemblait à un singe sans poils. Il aurait dû ramper à ses pieds... Mais le scénario ne se déroulait pas comme prévu.

Elle décida de le plaquer. Cette sage résolution ne résista pas à certaines considérations. Il venait de l'installer dans une nouvelle maison. Et, qui sait, il investirait peut-être dans son film ? Ce n'était pas le moment de l'envoyer balader. Ces pensées profondes la conduisirent jusqu'au réfrigérateur, d'où elle extirpa une dizaine de glaçons qu'elle enveloppa dans un torchon. Elle commençait à s'en tamponner la joue quand le téléphone sonna. Elle laissa sonner. C'était sûrement Lennie, le responsable de tous ses problèmes. Qu'il aille se faire foutre ! Et Bonnatti avec lui ! Celui-là, il allait payer. Quand *elle* l'aurait décidé.

Matt insista pour que Lucky vienne à l'enterrement.

— Mais je la connais à peine, cette fille, protesta-t-elle.

— Peu importe, c'est votre présence qui compte.

— Bon, d'accord, je ferai un effort.

— Merci. Je vais m'arranger pour qu'on vous envoie une voiture à deux heures.

— Dites-moi si je peux faire autre chose, reprit Lucky, subitement prise de sympathie pour la jeune femme.

— Soyez simplement là. Ça suffira.

— On pourrait peut-être l'envoyer quelque part pour se changer les idées ? Trois mois de congés payés, qu'en pensez-vous ?

— Euh... eh bien, je n'osais pas vous le demander, mais j'aimerais l'accompagner quelques semaines en Europe. Vous pourriez vous passer de moi quelque temps ?

Lucky se dit que le moment était mal choisi pour lui annoncer qu'elle quittait Las Vegas.

— Mais... où en êtes-vous exactement avec elle ? demanda-t-elle.

— Euh... Je l'aime, mais je ne sais pas si elle m'aime. Je sais qu'elle a vingt ans de moins que moi, dit Matt très vite, je sais que nous n'avons rien en commun et qu'elle n'est même pas mon genre, mais... je suis sûr qu'elle me rendrait très heureux.

— C'est à elle qu'il faut le dire, pas à moi, remarqua Lucky.

— Oui mais, vous comprenez...

Lucky n'entendit pas la suite. Elle n'avait nullement l'intention de prêter une oreille, même distraite, aux confessions d'un dragueur repenti. Elle se leva, prit Matt par le bras, et le conduisit jusqu'à la porte. Il s'éloigna dans le couloir sans s'apercevoir qu'elle n'avait pas donné suite à sa requête. Il allait retrouver Jess dans quelques minutes, et c'était tout ce qui comptait pour le moment.

Matt courut jusqu'à son appartement pour annoncer une série de « bonnes » nouvelles à Jess. Il l'avait installée chez lui et elle n'avait pas protesté. Il s'était occupé de tout. Il était allé la chercher au commissariat, il avait tout organisé pour l'enterrement, il l'avait conduite chez son médecin. C'est lui qui lui donnait des sédatifs à intervalles réguliers, qui la nourrissait, qui la soutenait quand elle vomissait. Il avait même réussi à joindre Lennie et dépêché un ami pour l'accueillir à l'aéroport en début d'après-midi. L'enterrement avait lieu à trois heures et il voulait que tout soit parfait.

Jess esquissa un pâle sourire quand elle apprit l'arrivée de Lennie.

— C'est mon meilleur ami, vous savez.

— Oui, je sais, vous m'avez déjà tout raconté.

— On a grandi ensemble, on a vécu tellement de choses ensemble...

Matt se demanda si cette profonde amitié incluait l'intimité sexuelle, mais il ne posa pas de questions. Et si Lennie décidait de l'emmener avec lui ? Dire que c'était lui, Matt, qui avait tout fait pour le joindre, lui trouver un avion... Il chassa bien vite cette pensée pour s'occuper de Jess tant qu'elle était encore tout à lui.

Lucky soupira. Elle resta plantée cinq minutes face à sa baie vitrée. Un enterrement ! Non mais, quelle idée... Dormir, dormir des siècles, voilà ce dont elle avait besoin. Elle se sentait vidée, sans la moindre parcelle d'énergie. Si elle voulait conquérir New York, mieux valait se requinquer auparavant. Elle irait voir son médecin dès demain. Vite, se remettre sur pied. Elle avait un empire à construire, son empire à elle. Quand elle l'aurait conquis, alors seulement elle pourrait songer à son absence quasi totale de vie sexuelle. Il n'y avait eu personne depuis Dimitri. Et alors ? Elle avait toujours dominé ses pulsions, maîtrisé l'importance du sexe dans sa vie.

25

Ce vol était pénible. Le ciel était plombé et il commençait à pleuvoir. Lennie se sentait mal. Il ne savait dans quel sens diriger ses pensées. Le passé ? Il était chargé d'un lourd contentieux. Le présent ? Il allait à un enterrement... Il venait constater officiellement une mort qui aurait sûrement pu être évitée s'il s'était montré moins égoïste, s'il avait pris le temps de parler avec Jess au lieu de s'enfuir comme un voleur, s'il l'avait arrachée à la force d'inertie finalement meurtrière de Wayland.

L'avion se posa. Une vieille Oldsmobile l'attendait. Il se recroquevilla à l'arrière sans un mot. La scène avec Isaac Luther lui revint en mémoire. Son agent ne comprendrait jamais qu'il ait pu abandonner le Merv Griffin Show au dernier moment pour se rendre à un enterrement. Tant pis. Lennie ne regrettait rien.

La voiture le déposa au *Magiriano*. Des éclairs zébrèrent le ciel. Un vent violent se leva. Lennie enfonça ses mains dans ses poches et pensa à l'avenir. Aussi bouché que le ciel de Las Vegas.

Une vingtaine de personnes regardaient le petit cercueil descendre en terre. Lucky était là, debout sous un grand parapluie noir. Lennie ne la reconnut pas tout de suite. Avec son manteau de cuir noir cintré, ses cheveux tirés et ses lunettes noires, on aurait facilement pu la prendre pour une espionne sortie d'un roman de John Le Carré.

La sinistre cohorte se réfugia au bar du *Magiriano*. Il se décida à l'aborder.

— Hé ! Vous m'avez posé un lapin, vous vous souvenez ?

La jeune femme tourna vers lui un visage légèrement méprisant.

— Je suis censée vous connaître ? demanda-t-elle.

— Vous avez bien failli me forcer à découvrir votre intimité !

— J'ai dû vous surestimer, conclut Lucky avant de le planter là.

Décidément, le charme Golden s'émoussait. D'abord Eden, cette vraie conne, et maintenant celle-là. Lennie tourna un regard navré vers Jess, qui ressemblait de plus en plus à un enfant abandonné. Il s'approcha d'elle et tenta une plaisanterie. Elle le gratifia d'un regard morne. Mieux valait ne rien dire en un moment pareil et se contenter d'être là, tout simplement.

Santino introduisit sa clé dans la serrure. Depuis qu'il payait le loyer et les factures, il pouvait pénétrer chez Eden quand il le voulait.

Elle était endormie sur le dos et sa poitrine soulevait légèrement le drap de couleur chocolat. Une marque était toujours visible sur sa joue. Santino le remarqua et cela l'excita. Il sourit au souvenir d'Enzio, son père, qui lui avait toujours dit : « Pour tenir une femme, il faut la couvrir de cadeaux, la baiser le plus possible, et la frapper chaque fois qu'elle le mérite. »

Enzio. Assassiné par cette salope de Lucky Santangelo. Et dire qu'elle s'en était tirée sans une égratignure, sans la moindre tracasserie. Légitime défense ! Elle ne perdait rien pour attendre.

Eden sortit un bras de sous les draps et dévoila deux jolis petits seins. Cette fois, c'en était trop ! Santino se déshabilla avec brusquerie, sauta sur le lit et tenta d'introduire son sexe entre les lèvres de la belle endormie. Le soleil commençait à percer à travers les volets et la jeune femme ouvrit les yeux. Quand elle comprit ce qui se passait, elle réprima un bâillement.

26

La drogue avait toujours attiré Olympia, bien qu'elle ne s'y soit jamais adonnée de façon suivie. Elle fumait beaucoup d'herbe, prenait pas mal de cocaïne, mais avait toujours évité l'héroïne. Elle n'avait aucune envie de devenir accro comme certaines de ses amies qui ne pouvaient commencer la journée qu'après une petite piquouze. Olympia était une femme avisée, elle ne se défonçait qu'en société. Quand elle restait chez elle le soir, elle pouvait fort bien se passer de dope sans avoir l'impression de se priver. Pour elle, une petite ligne de coke n'était que l'équivalent moderne du whisky-soda. Rien de bien méchant en somme.

Dimitri lui avait demandé un jour si elle se droguait. « Certainement pas ! » avait-elle répondu, offusquée. « J'aime mieux ça, avait-il commenté. Les riches doivent être vigilants. Leurs vices leur coûtent toujours beaucoup plus cher qu'aux autres. »

Non mais, pour qui la prenait-il ? Il était gonflé ! Il aurait mieux fait de la mettre en garde contre les hommes. Ils étaient à eux seuls bien plus dangereux que toutes les drogues réunies...

Les effets prétendument néfastes de la drogue n'étaient que le cadet de ses soucis. Fumer des joints lui faisait du bien, sniffer de la coke à pleins naseaux l'excitait et lui coupait l'appétit. Que demander de plus ?

Mais sur ce terrain-là, son nouvel amant la battait. Et de loin. Flash, le grand guitariste, le chanteur de rock, la star mondiale qu'elle avait levée une semaine plus tôt dans une soirée privée. Flash, le gitan aux yeux cruels, était un ancien héroïnomane qui compensait en usant d'une bonne dose de poppers, d'excitants, de tranquillisants, d'herbes de provenances diverses, et, bien sûr, de cocaïne. Toujours entouré d'une foule de bons amis qui s'empressaient de pourvoir à tous ses désirs, Flash se défonçait gratuitement.

Quand Olympia surgit dans sa vie, Flash cherchait un endroit où se poser à New York. Il avait sa résidence principale aux Bahamas, pour des raisons fiscales. Quand il était de passage à Los Angeles, il vivait chez un ami, une star du cinéma aux mœurs dissolues qui ressemblait à un chat en mauvaise santé. Mais Flash avait besoin d'un point de chute à New York, et Olympia apparut comme la femme providentielle.

Bonjour Flash !

Adieu Vitos !

Flash gagnait des fortunes, mais c'était un pingre notoire. Pourquoi dépenser quand tout le monde se battait pour vous inviter ?

Le premier soir, Flash ne se doutait pas qu'il allait batifoler avec une milliardaire. Olympia n'était pas son type de femme, mais elle lui avait fait un tel plat qu'il avait fini par céder. Trop petite, trop grosse, mais tant pis. Il l'avait emmenée chez un copain qui lui prêtait de temps en temps son appartement. Il préférait les mannequins vedettes, les grandes perches nourries au pamplemousse, mais ce soir-là, il avait envie de baiser, et il s'était contenté de cette petite boulotte en chaleur.

Flash se montra à la hauteur de sa réputation de grand baiseur. Olympia apprécia. Elle apprécia même tellement qu'après s'être éclipsée en taxi pendant que la star dormait, elle lui fit savoir dès le lendemain qu'il n'avait pas eu affaire à une vulgaire petite groupie. Tel un enfant le matin de Noël, il s'éveilla au milieu d'un monceau de cadeaux. Olympia avait fait porter chez lui six caisses de dom pérignon, une livre de caviar iranien et une petite bricole de chez Tiffany, une broche en or massif incrustée de diamants. Le bijou avait la forme d'une petite guitare et Olympia avait fait graver derrière « OLYMPIA-FLASH NEW YORK 1978 ».

Même Flash savait qu'il fallait être sacrément riche pour faire graver un bijou chez Tiffany en quelques heures. Il relut la carte : Olympia Stanislopoulos. Un nom aussi évocateur que celui d'Onassis.

Flash n'avait jamais laissé passer une occasion de profiter de la vie. Il donna l'ordre à son manager de la contacter et de la faire venir chez lui à dix-sept heures.

— Je l'emmène au concert, décréta-t-il avec un drôle de sourire qui découvrait une rangée d'abominables chicots.

Olympia arriva à dix-sept heures et demie, froufroutante et parfumée. Flash ne vit pas d'un très bon œil cette apparition de dentelles et taffetas.

86

— Tu es mal fringuée, grinça-t-il, et en plus, tu es en retard. Et puis y a pas assez de champagne, démerde-toi pour en commander vite fait.

Aucun homme n'avait jamais parlé à Olympia sur ce ton. Elle adora.

Ils s'envoyèrent quelques lignes de cocaïne, deux bouteilles de dom pérignon, et continuèrent à biberonner dans la limousine qui les conduisait vers l'arène. C'était le premier concert de Flash à New York, la foule était au bord du délire et les paparazzi en transe.

Olympia venait de trouver l'appartement de ses rêves : un gigantesque triplex qui donnait sur Central Park. Elle y emmena la star après le concert.

— Pas mal, poupée, dit Flash en s'allumant un pétard.

Olympia roucoula en se demandant pourquoi elle avait tant tardé à venir s'installer dans cette ville démente.

Elle eut une pensée fugitive pour Brigette. Il faudrait bien qu'elle se résolve à mentionner son existence à son nouvel amant. Pas maintenant. Ni dans les jours à venir. Après tout, elle pouvait bien s'accorder une petite semaine de détente.

Flash aspira une première bouffée d'herbe en s'appliquant. Mais comment avait-il pu être aussi abruti pour n'avoir encore jamais songé à s'acoquiner avec une riche héritière ? C'était exactement ce qu'il lui fallait. Il se demanda néanmoins ce qu'il allait faire de sa jeune femme de seize ans, planquée quelque part en Angleterre. Personne ne savait qu'il était marié. Peut-être pouvait-il l'oublier quelques semaines. De toute façon, elle était habituée à ses absences prolongées. Après tout, il pouvait bien s'accorder un peu de vacances.

Flash et Olympia étaient parfaitement assortis.

27

L'enterrement avait déprimé Lucky. Une station prolongée sous la pluie n'avait rien arrangé. Un premier verre au *Magiriano* lui éclaircit un peu les idées. Amère, à la perspective d'une nouvelle soirée en solitaire, elle commanda un deuxième verre. C'est alors qu'*il* se matérialisa sous ses yeux. Il était grand, avec des yeux verts et un sourire à vous donner des insomnies. Elle le reconnut immédiatement. Lennie Golden, le fameux comédien inconnu...

Elle aurait voulu dire : « Qu'est-ce que vous foutez là ? Je vous ai viré, et vous osez encore m'aborder ? » Mais elle ne trouva pas les mots. Elle resta immobile et muette, alors qu'il la rejoignait, qu'il lui souriait, qu'il se présentait à elle, de nouveau. Elle prétendit ne pas le reconnaître, tourna les talons, et sortit très vite du bar, le plantant là.

Si elle agit ainsi, c'est qu'elle le trouvait diablement attirant. Il l'avait déjà mise une fois dans tous ses états, et elle n'avait nullement l'intention de succomber de nouveau à son charme.

De retour chez elle, elle décida qu'il lui fallait quitter la ville sans plus tarder. Elle téléphona à Costa pour lui annoncer son arrivée. Elle prendrait l'avion dès le lendemain. Elle commença à faire ses bagages sans se sentir soulagée pour autant.

A Bel Air, tout était paisible. Susan avait fixé la date du mariage et Gino jubilait. Elle avait mis son peignoir bleu pour lui faire plaisir et s'était même installée à ses côtés pour suivre un match de base-ball à la télé.

Il s'alluma un gros havane et plongea sa petite cuillère en argent dans une glace au Cointreau. Soudain, il se sentit bien loin des rues du Bronx, où il avait commencé si petit...

Sur le chemin de l'aéroport, Lucky s'arrêta chez son médecin pour se faire faire une injection de vitamine B 12. Liz Thierney — c'était une femme — insista pour lui faire une prise de sang et une analyse d'urine. Lucky accepta de mauvaise grâce.

Costa l'attendait à l'aéroport. Il avait l'air en pleine forme. Bronzé et tout de blanc vêtu, on aurait dit un homme d'affaires respectable à la retraite, ce qu'il était en fait.

— J'ai l'impression que tu as rajeuni ! lui dit Lucky en se jetant dans ses bras.

Il l'embrassa sur les joues puis s'écarta d'elle pour bien la regarder. Il fronça les sourcils.

— Tu as l'air fatiguée. Tu es sûre que tu n'es pas malade ?

— Sympathique comme accueil ! railla-t-elle, un rien froissée.

— Allons, ne le prends pas mal. Une bonne nuit de repos, et il n'y paraîtra plus !

— Mais je n'ai même pas eu le temps de réserver un hôtel...

— Tsst, tu habites chez moi. C'est un ordre !

— Ça marche ! Je crois que j'ai ma dose d'hôtels pour toute une vie !

Ils récupérèrent les trois valises de Lucky, sortirent de l'aéroport et se dirigèrent vers une grosse Chrysler en devisant gaiement. Costa n'en observait pas moins attentivement Lucky et sentit que quelque chose la tracassait. Mais il ne posa pas de questions. Ils avaient tout leur temps pour parler sérieusement. Si Lucky avait besoin de quoi que ce soit, il l'aiderait. Il la considérait comme sa propre fille et se sentait prêt à tout pour qu'elle soit heureuse.

— Tu viens avec moi à L.A., décréta Lennie.

Jess chercha une bonne raison de rester et n'en trouva pas.

— Je pars à L.A. avec Lennie, annonça-t-elle à Matt.

Ce dernier encaissa le coup. Il avait été tellement occupé ces derniers jours — l'enterrement, les formalités — qu'il n'avait même pas trouvé le temps d'évoquer l'avenir, « leur » avenir. Il voulait prendre soin d'elle, rester à ses côtés, il voulait l'épouser. Il l'aimait.

— Vous ne pouvez pas faire ça, protesta-t-il.

— Et pourquoi pas ? Qu'est-ce qui me retient ici ? Vous pouvez me le dire ?

Il baissa la tête, puis regarda par la fenêtre. Il aurait voulu lui dire ce qu'il ressentait, trouver les mots justes, la convaincre de rester. Mais comme c'était difficile ! Il ne savait même pas par où commencer.

— Et que comptez-vous faire là-bas ? demanda-t-il, lamentable.

— Je ne sais pas. Je me débrouillerai.

Il n'en doutait pas. Cette jeune femme était une rareté. Belle, intelligente, forte et vulnérable. Elle tomberait dans les bras d'un de ces séducteurs de la Côte Ouest, pendant que lui, Matt Traynor, le soi-disant tombeur de Las Vegas, ne trouvait même pas les mots pour la faire rester.

— Bon, on reste en contact, dit-il, bourru.

— Bien sûr, marmonna Jess.

Mais il savait bien qu'il n'en serait rien.

Lucky se sentait bien avec Costa. Presque aussi bien qu'avec Gino, enfin, le Gino du passé, celui d'avant Susan Martino...

Elle se confia à Costa et lui parla jusqu'à une heure avancée de la nuit. Ses peurs, ses frustrations, ses espoirs, ses ambitions, tout y passa.

— Tu comprends, lui dit-elle à l'aube, j'aime tellement Gino, et en même temps, qu'est-ce que je peux le détester ! Il va épouser une femme froide, intéressée, il va mener une vie absurde avec elle. C'est évident ! N'importe quel imbécile s'en rendrait compte, et lui, lui, il ne voit rien ! Qu'est-ce qu'il peut être bête, parfois !

— Lucky, dit Costa calmement, Gino est comme toi. Quand il a décidé quelque chose, rien ne peut l'arrêter. Et s'il veut cette Susan Martino, on pourra dire tout ce qu'on veut, on ne le fera pas revenir sur sa décision.

— Oui, je sais.

— Et puis, quand on vieillit, c'est difficile de rester seul, tu sais.

— Mais toi ! Toi, tu es seul, et tu es heureux !

— Si je trouvais la femme qu'il me faut, je l'épouserais sur l'heure...

— Merde ! marmonna Lucky.

— C'est comme ça, Lucky, et tu dois l'accepter. Tu as raison d'aller t'installer à New York. Tu pourras voir venir et faire tout ce qui te plaît. Le moment est venu de couper le cordon entre lui et toi. Jusqu'à présent, tu as toujours agi pour recueillir son approbation, forcer son admiration. Il est temps que tu vives ta vie en accord avec toi-même.

Lucky passa trois jours à Miami. Le temps était chaud, la vie douce, et oncle Costa un affectueux compagnon.

L'avion se posa à New York un samedi matin, sous la pluie. Elle retrouva la cité animée, la grande ville sans pitié qu'elle connaissait. Comme elle l'aimait ! Comme le grand battement de ce cœur lui avait manqué ! Il y avait de l'énergie jusque dans l'air qu'on y respirait. New York était un défi. Là commençait sa vraie vie.

Elle descendit à l'hôtel *Pierre*. Deux messages l'attendaient. L'un, gentil, de Costa, qui espérait qu'elle était bien arrivée. L'autre, elliptique, de Liz Thierney, qui lui demandait de la contacter au plus vite. Mais pourquoi, bon Dieu ?

Lucky sentit l'angoisse monter dans sa gorge. Elle se souvint de toutes ces analyses stupides que Liz lui avait pratiquement imposées. Et s'il y avait quelque chose qui clochait ?

Convaincue qu'elle était atteinte d'une terrible maladie, elle appela la doctoresse.

Celle-ci alla droit au cœur du sujet.

— Lucky, commença-t-elle. Cette fois, il va vraiment falloir lever le pied.

— Pourquoi ? demanda Lucky, la main crispée sur le combiné.

— Mais parce que, ma chère, vous êtes enceinte.

DEUXIÈME PARTIE

L'été 1980

29

Carrie Berkeley envisageait l'approche de son soixante-septième anniversaire avec des sentiments mitigés. Dans un sens, elle n'avait aucune raison de s'angoisser. Elle était en pleine forme et très bien conservée : grande, mince, ferme, à peine ridée. Ses rares cheveux blancs, discrets petits fils d'argent qui s'insinuaient dans sa chevelure noire et courte, ne pouvaient certes pas être considérés comme les stigmates d'un âge avancé. Et pourtant... Elle allait avoir soixante-sept ans, et en dépit des apparences, elle était bel et bien une vieille dame. Une très jolie dame noire sur le retour qui ne pouvait plus désormais éviter de penser à la suite, à l'avenir, à la mort...

Elle frissonna à cette idée et tapota quelques coussins sur son canapé. Elle déplaça quelques objets 1930 qui ornaient son salon. Un vrai bijou, cette maison, un rêve d'esthète ! Il s'écoulait rarement plus de trois mois sans qu'un magazine prestigieux lui proposât de la photographier chez elle. Et, chaque fois, elle refusait. Elle en avait fini avec la vie publique.

Elle avait divorcé trois ans plus tôt d'Elliot Berkeley, grand homme d'affaires et propriétaire d'un célèbre théâtre. Elle avait suffisamment joué le rôle de Mrs Berkeley, cette hôtesse inimitable, cette dame si élégante et si parfaite, pour mériter un peu de tranquillité.

Si seulement ils avaient su la vérité...

Carrie Jones, prostituée à treize ans par sa grand-mère et son oncle. Bientôt prise en mains par un mac du nom de Whitejack, et droguée par ses soins.

A quinze ans, elle s'était retrouvée à l'asile, complètement folle et tout à fait seule au monde. Elle y était restée pendant neuf longues années. Puis il avait fallu de nouveau affronter la dure réalité. Elle avait été successivement femme de chambre, serveuse, taxi-dancer, et avait survécu tant bien que mal, jusqu'au jour où elle s'était retrouvée enceinte. L'argent manquait pour faire face à cette situation nouvelle et elle était entrée dans un bordel, seule solution pour que son fils, Steven, ait un foyer et une nurse pour s'occuper de lui.

Elle y resta quatre ans. Elle travailla dur, jusqu'au jour où Bernard Dimes la sortit de cet enfer. Elle serait toujours reconnaissante à Bernard, ce riche producteur de théâtre qui leur avait fait, à elle et à Steven, une vie dorée.

Au départ, le mystère demeura total quant aux origines de cette belle Noire et de son enfant, surgis subitement dans la vie de cet homme célèbre et adulé. Il l'épousa. Mais son entourage voulait savoir qui elle était. Alors Bernard lui inventa un passé. Il l'avait rencontrée en Afrique, lors d'un safari. C'était une jeune princesse noire qu'il avait ramenée aux États-Unis avec son fils. Cette histoire romanesque enthousiasma tout le monde et fit les délices de la presse. Carrie devint, et demeura, une des figures favorites des magazines féminins.

Bernard mourut en 1955. Mais la légende était pour toujours ancrée dans les esprits. Même son fils, Steven, qui avait fait de brillantes études et était devenu l'assistant du Procureur général, ignorait la vérité, jusqu'à ce que Carrie soit forcée de la lui révéler, en 77. Cette révélation eut l'effet d'une bombe dans son univers bien organisé. A la fois furieux et déboussolé, il quitta les États-Unis et voyagea en Europe pendant deux ans. Depuis son retour fin 79, il se montrait froid et distant avec Carrie, et elle pensait qu'elle l'avait définitivement perdu.

Mais ce matin il l'avait appelée. « Il faut absolument qu'on parle, tous les deux », avait-il dit.

Il allait bientôt arriver.

Steven Berkeley fonçait au volant de sa Porsche. Il aimait la vitesse et se réjouit une fois encore d'avoir emprunté ce bolide à son ami Jerry.

Dans quelques minutes, il allait revoir Carrie. Sa mère. Vite, il fallait dissiper ce malentendu. Lui dire qu'il ne lui en voulait plus. Vite, rouler plus vite. Lui dire ce qui l'obsédait depuis trois ans. Savoir enfin de qui il était le fils. Tout savoir sur ses origines. Carrie avait avancé deux noms possibles. Deux hommes — deux Blancs — dont il pouvait être le fils. Freddy Lester ou Gino Santangelo. Et, qu'elle le veuille ou non, elle allait l'aider à découvrir lequel était son père.

30

Lucky était étendue au bord d'une piscine qui surplombait la mer. Elle ne portait que le bas d'un minuscule bikini et sa peau dorée luisait d'huile solaire. Le casque d'un walkman vissé sur les oreilles, elle se laissait inonder de soleil et de *soul*. Seul le déclic de fin de bande lui fit rouvrir les yeux. Elle s'étira sur son matelas, se leva, et plongea dans la piscine. L'eau était froide, claire, délicieusement revigorante. Elle se lança alors dans une série de longueurs, éprouvant une intense sensation de fraîcheur et de libération. Rien ne semblait pouvoir l'arrêter. Elle venait encore d'atteindre une extrémité du bassin et s'apprêtait à virer quand elle aperçut deux mocassins blancs sur le bord de la piscine, juste au-dessus de son nez.

— Je vous salue, Mr Stanislopoulos, dit-elle en s'ébrouant.

Les yeux d'oiseau de proie de Dimitri rencontrèrent ceux de Lucky. Elle adorait ses yeux, vifs, perçants, à la fois toujours en éveil et empreints d'un calme profond. Dimitri était de ces hommes qui sont allés partout, qui ont fait beaucoup de choses et qui le portent sur eux. De ces êtres qui n'ont pas besoin de parler pour qu'on les remarque.

— Alors Lucky, dit-il, comment ça va aujourd'hui ?

Comme s'il ne le savait pas ! Cela faisait deux ans qu'ils vivaient en parfaite harmonie.

Dimitri Stanislopoulos. Soixante-quatre ans. Brillant, puissant, rassurant. Un homme, le premier, avec lequel elle était pleinement heureuse depuis deux ans.

Lucky était venue à New York pour conquérir le monde. Elle avait prévu d'y réaliser toutes ses ambitions, pas d'y faire un bébé. Elle, enceinte, quelle ironie ! Les enfants, c'était bon pour les femmes qui restaient à la maison, qui faisaient la cuisine et qui végétaient.

Froidement, elle envisagea un avortement. Elle s'endormit un soir sur cette décision, pour se réveiller huit heures plus tard avec la certitude que ce n'était pas la bonne solution.

Le père, c'était Dimitri. Aucun doute là-dessus, elle n'avait couché avec personne d'autre ces derniers mois.

Dimitri, le père d'Olympia...

Pendant une semaine, elle avait vécu avec son secret. Elle se sentait tout à fait capable d'assumer seule cet enfant. Elle en avait la force et était on ne peut plus indépendante financièrement. Mais très vite, une évidence s'imposa à elle. Cet enfant grandirait et voudrait savoir qui était son père. Elle n'aurait pas le droit de le lui cacher.

L'enfant. Un garçon ou une fille ? Peu importait. Désormais, elle le désirait.

Sa vie prit brusquement une nouvelle direction. Elle décida de téléphoner à Dimitri et finit par le joindre à Paris, en pleine nuit.

— Allô ! grogna-t-il, peu aimable et enroué.

— C'est Lucky Santangelo. Tu vas avoir un enfant, annonça-t-elle tout de go.

— Quoi ?

— Je suis enceinte, et c'est toi l'heureux papa.

Dimitri se redressa sur un coude, tira tant bien que mal sur un oreiller qu'il écrasait de tout son poids et tenta de s'asseoir dans son lit.

— C'est très simple, enchaîna Lucky. On a joué le jeu. On a marqué. En plein dans le mille. Et je suis ravie depuis que je me suis faite à cette idée. Et toi, qu'est-ce que tu en penses ?

L'armateur toussota pour s'éclaircir la voix, alluma la lumière, et jeta un coup d'œil sur sa montre.

— Tu as une idée de l'heure qu'il est ? demanda-t-il.

— Mais qu'est-ce qui te prend ? Je t'annonce qu'on va avoir un bébé et tu t'inquiètes de l'heure ?

Il ne savait pas quoi répondre. Alors il prononça la phrase magique qui l'avait déjà tiré d'un certain nombre de situations épineuses.

— Tu veux de l'argent ?

Lucky eut un hoquet d'indignation.

— Téléphone demain à ma secrétaire à une heure décente, reprit Dimitri. Elle t'enverra un chèque, pour l'avortement.

— Salaud ! hurla Lucky. Tu crois vraiment que je t'appelle pour avoir de l'argent ? Ordure !

Et elle raccrocha, folle de rage.

Plusieurs mois s'écoulèrent. Lucky s'installa dans sa maison d'East Hampton. A présent qu'elle attendait un bébé, elle n'avait plus envie de courir le monde. Elle vit un gynécologue réputé, qui lui prescrivit du repos et une nourriture saine.

Elle se reposa. Puis elle en eut assez de se reposer. Elle avait de nouveau besoin d'action.

Un matin, au courrier, elle trouva une invitation pour le mariage de Gino. Elle téléphona tout de suite à Costa et ils décidèrent d'y aller ensemble. Non pas qu'elle mourût d'envie de s'y rendre, mais elle ne voulait pas donner à Susan Martino la satisfaction de son absence.

Ce mariage fut un véritable défilé de personnalités en tout genre : stars du show-biz, vedettes de cinéma, avocats en vue, producteurs à cigare. Les amis de Gino étaient un peu perdus au milieu de tout ça.

Lucky se sentait comme une étrangère. Elle n'échangea que quelques mots avec son père et passa toute la soirée assise à une petite table en retrait, en compagnie de Costa, observant le Tout-Beverly Hills en représentation. Elle portait une robe de soie blanche et la bague d'émeraude qu'elle venait de s'offrir. Son ventre n'avait encore pris aucune proportion remarquable, mais la fatigue du quatrième mois de sa grossesse imprimait des cernes profonds sous ses yeux.

Lucky rencontra les enfants de Susan et les détesta d'emblée. Elle les jugea pour ce qu'ils étaient en réalité : deux gosses de riches imbus d'eux-mêmes.

Soudain Dimitri apparut en compagnie de Francesca Fern. Lucky se blottit au fond de son fauteuil, espérant qu'il ne la remarquerait pas. L'armateur la remarqua. Il vint vers elle et, très mondain, lui baisa la main avant de la gratifier de quelques phrases creuses et lamentables. Après quoi il se réfugia dans la foule et disparut.

Qu'il aille se faire foutre !

Une semaine plus tard, il se présentait à la porte de sa maison d'East Hampton. C'était l'automne. Lucky portait un survêtement blanc et des chaussures de tennis. Ses cheveux flottaient librement sur ses épaules. Elle n'était pas maquillée.

— Comme tu as l'air jeune ! s'exclama Dimitri, debout sur le perron.

Ses yeux descendirent vers la taille de Lucky, qui commençait à s'arrondir.

— Je veux savoir la vérité. Tu vas vraiment avoir un bébé ?

— Non, répondit-elle, glaciale.

— Tu mens.

— Je me fous éperdument de ce que tu penses.

— Si tu es vraiment enceinte, pourquoi ne m'as-tu pas appelé ?

— Je l'ai fait. Il y a trois mois. C'était un test. Tu t'es planté.

Ses yeux de Grec la transpercèrent, brûlant d'un feu intérieur à peine maîtrisé.

— Je reviendrai, promit-il.

Il tint parole. Et soudain il ne fut soudain plus possible de lui échapper. Comme pour se faire pardonner sa première impulsion, il l'inonda de roses, de corbeilles de fruits, de bijoux. Elle accepta finalement de dîner avec lui.

Il lui envoya son hélicoptère personnel, et ils grignotèrent du foie gras et du homard à bord de son yacht, ancré au large de Manhattan.

Plus tard dans la soirée, ils firent l'amour.

— Je veux un garçon, dit-il, en caressant son ventre de ses longs doigts.

— Ne sois pas si macho ! répondit-elle en riant.

Le 2 juillet 1979, dans une clinique privée du Connecticut, Lucky accoucha d'un petit garçon. Dimitri avait assisté à l'accouchement.

Ils l'appelèrent Roberto Stavros Gino Santangelo Stanislopoulos. C'était leur secret. Personne n'était au courant.

Lucky s'allongea sur le dos et s'étira, tendant les bras vers Dimitri.

— Allez viens ! invita-t-elle.

L'intéressé ne se le fit pas dire deux fois. Il ôta sa chemise Lacoste, déboucla sa ceinture en croco, et fit prestement glisser son pantalon de lin blanc. Il était nu. Dimitri Stanislopoulos n'avait jamais aimé les sous-vêtements. Son corps était ferme et musclé, et il était toujours très fier de le montrer. Il jouissait d'une forme physique tout à fait exceptionnelle pour son âge, et il en profitait.

Il plongea, et Lucky partit d'un crawl vigoureux pour le distancer. Il la poursuivit. Il la rattrapa. Elle se débattit pour le provoquer, alors il l'agrippa plus fermement, la retenant prisonnière et consentante sous sa poigne d'acier. Il la pénétra sous la chute d'eau qui se déversait à une extrémité de la piscine. Un petit surplomb rocheux d'où jaillissait la cascade artificielle les préservait du regard d'éventuels curieux. Il y avait toujours quelques paparazzi déguisés en pêcheurs autour de l'île de Dimitri.

Ils s'essoufflèrent un bon quart d'heure avant d'enfiler un peignoir et d'aller déjeuner.

Lucky était heureuse d'avoir finalement capitulé et d'avoir accepté de partager sa vie. Dimitri montrait de bonnes dispositions pour sa carrière de père chaque fois que Lucky lui en laissait l'occasion. Mais leur secret s'effritait. Les domestiques grecs étaient au courant, le couple de gardiens de la maison d'East Hampton également, sans parler de Cee Cee, la jeune femme noire qui s'occupait de Roberto. Cela agaçait Lucky. Quant à Dimitri, il s'en moquait. Pis, il aurait voulu que tout le monde soit au courant. Il voulait épouser Lucky, et se faisait chaque jour un peu plus pressant à ce sujet. Mais la jeune femme s'obstinait à refuser.

— Et s'il m'arrive quelque chose ? objectait-il. Ce sera infernal pour toi. Je connais Olympia, elle ne partagera pas, à moins d'y être contrainte par la loi. Et le seul moyen de l'y forcer, c'est de m'épouser.

Olympia... Lucky ne l'avait pas revue. Dimitri pensait que c'était mieux ainsi. Olympia ne savait rien, pas plus que Gino. Gino... Lucky avait appris qu'il s'était installé — écroulé serait plus juste — à Beverly Hills, qu'il avait liquidé la majorité de ses affaires, confié la direction de ses hôtels à des gérants, et qu'il vivait comme un légume aux côtés de la douce Susan Martino. Lucky avait reçu une somme plus que généreuse pour ses parts du *Magiriano*. Elle l'avait placée dans une banque et n'y avait plus pensé. Sa carrière de femme d'affaires était au point mort.

Gino ne l'avait plus rappelée depuis son mariage. Elle n'avait donc pas eu l'occasion de lui annoncer qu'il était devenu grand-père. Mais elle ne pouvait s'en tirer à si bon compte avec sa conscience. Elle se réveillait parfois au milieu de la nuit et réalisait alors à quel point son père lui manquait. Elle n'avait pas le droit de le priver de son petit-fils. Gino était âgé. Il avait déjà eu une crise cardiaque. Alors, qu'attendait-elle pour faire la paix avec lui ? Elle n'y parvenait pas. C'était plus fort qu'elle. Il lui avait préféré Susan Martino, et elle ne pourrait jamais le lui pardonner.

Après le déjeuner, Cee Cee arriva avec Roberto dans ses bras. Le petit garçon ressemblait furieusement à Lucky. Mais aussi à Gino, avec ses yeux noirs et ses cheveux foncés. A la vue du bébé, le visage de Dimitri s'éclaira. Ils étaient ensemble sur l'île depuis une semaine. Tous les trois. Pour la première fois. D'habitude, l'armateur ne voyait Roberto que lors de ses visites à East Hampton. Certes, ils se voyaient souvent. Mais là, c'était différent. Et Dimitri consacrait presque tout son temps au petit.

Dès que Cee Cee eut repris Roberto pour la sieste de l'après-midi, Dimitri s'agita. Il fit craquer nerveusement les phalanges de ses doigts.

— Lucky, j'en ai assez, dit-il, impatient. Je veux que mon fils porte mon nom, officiellement j'entends. Ce petit jeu a assez duré. Je veux t'épouser.

— Comme c'est romantique..., murmura-t-elle.

— Mais tu sais bien que je t'adore !

Était-ce bien vrai ? Ils avaient plus ou moins vécu ensemble depuis un an et demi. Mais elle savait qu'il voyait toujours Francesca Fern. Elle n'avait posé aucune question. Ce n'était pas son genre.

— Je ne sais pas si..., commença-t-elle.

— Mais qu'est-ce que je pourrais bien faire pour te convaincre ?

Oui, que pouvait-il faire ? Elle pensait de nouveau à ce projet d'Atlantic City. Elle s'ennuyait du monde des affaires. Il lui fallait de nouveau satisfaire son goût du pouvoir, en sommeil depuis si longtemps.

Elle avait de l'argent, mais pas assez pour relancer le projet. En tant que Mrs Stanislopoulos, elle obtiendrait tout ce qu'elle voudrait. Par ailleurs, Dimitri avait raison, Roberto méritait un père officiel.

— Je veux faire construire un hôtel, commença-t-elle.

Dimitri opina du chef, encourageant.

— Tout ce que tu veux, Lucky, tu l'auras. Il suffit simplement de me le demander.

31

Les quatre premières semaines de Jess à Los Angeles furent un enfer. Elle restait prostrée des journées et des nuits entières devant la télé, incapable de penser, de s'intéresser à quoi que ce soit. Lennie ne broncha pas. Il n'y avait rien d'autre à faire que de la laisser cuver son chagrin. Puis un beau jour il rentra et lui annonça :

— On sort, habille-toi !

Elle obéit. Elle le suivit comme un zombie, se dérida un peu quand elle eut rencontré ses amis — les jumelles, Isaac, Joe, Foxie — et passa finalement une très bonne soirée. En trois jours, le pli fut prit : elle faisait désormais partie de la bande et on l'invita, qui pour un barbecue, qui pour faire du shopping, qui pour le plaisir. Foxie adorait sa compagnie, et ne pouvait s'empêcher de l'abreuver d'histoires piquantes sur son passé mouvementé. C'est lui qui lui donna l'idée de travailler. Un jour où elle se plaignait de vivre aux crochets de Lennie et de ne rien savoir faire à part distribuer des cartes, il lui suggéra tout de go de s'occuper de la carrière de son ami. Il lui donna quelques conseils de base et elle s'en tira très vite avec succès. En moins d'une semaine, elle avait réussi à faire réengager Lennie pour le Merv Griffin Show. Isaac, qui avait quelque peu grincé des dents quand elle lui avait fait part de son intention de s'occuper de Lennie, admit très vite qu'en tant que manager elle se montrait tout à fait à la hauteur.

Lennie fit une première apparition dans le Merv Griffin Show. Mervin l'adora. Il y eut donc une deuxième séance très remarquée, toujours chez Griffin. Après quoi Lennie ne chôma plus. Il commença à se produire dans divers shows, notamment dans une revue hebdomadaire dont les indices d'écoute pulvérisèrent bientôt tous les records. En moins de six semaines, Lennie Golden était devenu une star de la télé.

Jess récupéra sa vieille Datsun au parking — l'argent rentrait mais elle n'avait pas une minute à elle pour acheter une nouvelle voiture. Elle allait déjeuner avec Lennie, qu'elle ne voyait plus trop ces temps-ci. Ils avaient beau œuvrer pour la même cause, les lieux et les horaires de travail n'étaient pas les mêmes. Elle fronça les sourcils en se demandant si cette rumeur absurde qui courait sur le compte de son ami était fondée ou non. On prétendait qu'il flirtait sérieusement avec la boisson et humait de la blonde platinée en quantité, comme on respire des sels, pour se ranimer. « Les blondes, passe encore, se dit Jess, mais ce n'est vraiment pas le moment qu'il sombre dans l'alcool. »

La fille se rhabillait au pied du lit. Soutien-gorge et petite culotte de soie blanche, longs cheveux blonds soyeux, long corps souple et bronzé. Dix-huit ans, « une affaire au lit », pensa Lennie. « Pas bête, mais ça m'agace de la voir ici ce matin. » Il aurait préféré que les nanas n'insistent pas toujours pour passer « toute » la nuit avec lui.

— Tu peux me déposer à Westwood ? demanda-t-elle.

— Non, c'est pas du tout mon chemin, mais je peux t'appeler un taxi.

— Euh... je n'ai plus d'argent sur moi.

— Pas grave, je te donnerai vingt dollars.

La fille eut un sourire de contentement.

Dès qu'il eut refermé la porte sur elle, Lennie poussa un soupir de soulagement. Il se dirigea vers la cuisine où il rencontra sa vieille femme de ménage en train de siroter un café devant la télé. Il avait hérité d'elle en louant l'appartement. Elle était gentille et parfaitement inefficace. Il n'osait pas la virer.

— Vous voulez que je vous prépare un petit déjeuner, Mr Golden ? demanda-t-elle tout en mâchonnant un chocolat.

— Pas la peine, merci, je n'ai pas faim.

Il se prépara une vodka-orange qu'il retourna siffler dans sa chambre. Il était onze heures du matin. Il avait besoin d'un premier remontant. Il eut bientôt une vision plus nette de la journée qui l'attendait. Déjeuner avec Jess à treize heures. Parfait. Interview avec un journaliste de *People* à quinze heures. L'horreur. Il détestait ces entrevues « en toute intimité », où on lui demandait des détails sur sa vie privée. Quelle vie privée ? Généralement, il inventait. Et dès qu'il se retrouvait seul, il était bien obligé de constater qu'il avait une vie amoureuse lamentable, aussi inconsistante que sa vie sexuelle était jubilante.

Eden avait fini de le tourmenter. Enfin, presque. Disons que le succès et diverses sollicitations l'avaient trop accaparé pour qu'il ait le temps de penser à elle. Il avait par ailleurs récupéré un brin d'amour-propre, un rien de dignité qui l'empêchaient de s'arrêter chez elle quand il passait devant sa maison — il avait fini par savoir où elle créchait et aux frais de qui — et qui le faisaient raccrocher à temps chaque fois qu'il composait son numéro. Il n'avait jamais laissé sonner plus d'une fois. Aucun doute, dans son obsession, il y avait un mieux.

Il consulta sa montre, se mit à la recherche d'une chemise propre, buta sur un monstrueux tas de linge sale que la femme de ménage oublierait encore de déposer au pressing, lui demanda néanmoins de changer les draps, ce qu'elle ne ferait pas.

Vêtu d'un pantalon qui commençait à dater un peu, il s'installa au volant de sa grosse BMW noire. Un bijou. Précise, puissante, rapide, racée. Il l'avait achetée un mois plus tôt. Il eut un large sourire comme chaque fois qu'il la retrouvait, qu'il glissait sa clé dans la serrure, qu'il ouvrait la portière... C'est en s'arrêtant quelques minutes plus tard à un feu rouge, qu'il se demanda pourquoi il n'y avait jamais personne sur le siège passager à cette heure de la journée.

32

Sa mère avait eu l'air émue de le voir, mais ne lui avait rien appris de plus. Gino Santangelo ou Fred Lester ? Elle prétendait ne pas savoir.

Mais Steven Berkeley saurait bientôt qui était son père. Il savait que Gino Santangelo était toujours vivant, qu'il habitait Beverly Hills, et qu'il était marié avec la veuve de Tiny Martino. Quant à Fred Lester... Il avait découvert trois Fred Lester qui avaient tous sensiblement le même âge, vivaient à New York même ou aux alentours. Il y avait le juge Frederick Lester, Fred E. Lester et Fredd Lesster. Son objectif : aller les voir tous les quatre et leur demander de procéder à un examen sanguin. « Ils vont te rire au nez, avait dit Jerry Myerson. Écoute, Steven, ça fait quarante-deux ans, réfléchis... »

C'était tout réfléchi. Rien n'avait jamais arrêté Steven Berkeley. C'était un garçon tenace.

Moins elle voyait son père et mieux elle se portait. Pourtant, depuis qu'il passait la majeure partie de l'année sur son île, il lui manquait. Avait-il une nouvelle petite amie ? Et en ce cas, pourquoi la cachait-il là-bas ? Elle décida de creuser du côté de Francesca. Elle fit même l'effort de l'inviter à déjeuner. Mais elle n'en tira rien. Francesca se préparait à rejoindre Dimitri sur son yacht au mois d'août, comme chaque année.

— Mais ne pensez-vous pas que Dimitri aura pris d'autres engagements cet été ? demanda Olympia.

— Cela me surprendrait, répondit l'actrice avec un sourire entendu.

Elle avala prestement sa dernière feuille de salade — sans sauce —, prétexta un rendez-vous et prit congé d'Olympia, la laissant sur sa faim. Celle-ci se jeta aussitôt sur une pile de blinis, qu'elle inonda de crème fraîche. Elle engloutit le tout avec une rage non dissimulée : non seulement elle n'avait rien appris, mais en plus, elle avait pris du poids !

Olympia n'avait rien à faire de l'après-midi, excepté rentrer chez elle et s'occuper de Brigette. La fillette avait désormais onze ans et devenait de plus en plus insupportable. Il semblait que rien ne puisse jamais la contenter. Flash l'avait détestée d'emblée, et son manager avait suggéré que la charmante enfant aille poursuivre ses études en Angleterre. Ce qui fut fait. On expédia Brigette et Nanny Mabel dans les environs d'Oxford, où l'on trouva une maison à louer. Brigette était pensionnaire pendant la semaine, et retrouvait Mabel pour le week-end. Olympia était ravie de l'arrangement ; mais restait un point noir : les vacances. Olympia soupira, commanda un gâteau au fromage blanc, et tua quelques heures et quelques milliers de dollars dans des magasins de luxe avant de regagner son appartement de la Cinquième Avenue où l'attendait l'odieuse enfant. C'est dans les embouteillages où s'enlisait sa limousine qu'elle remarqua la photo de Flash en couverture d'un magazine. Elle courut jusqu'au kiosque, se précipita sur le mensuel, le cœur battant. En première page, Flash enlaçait une très jeune fille. Il était torse nu. Elle portait une légère robe blanche qui flottait au vent. La légende fit frémir Olympia, qui manqua s'évanouir.

Révélation extraordinaire : Flash, la star mondiale du rock, était marié depuis trois ans avec Kipp Hartley, une jeune Anglaise de dix-huit ans. Celle-ci attend un heureux événement pour le début de l'année.

33

La décision était prise. Lucky allait se marier. Pour la deuxième fois.

Ce serait une cérémonie discrète, qui aurait lieu sur l'île la veille de leur départ, avec le personnel de la maison pour seuls témoins. L'avocat de Dimitri arriva quarante-huit heures avant le mariage avec une mallette bourrée de papiers. Lucky en signa toute une série. Dimitri aussi. Le futur marié s'engageait à acheter le terrain où devait s'ériger le futur hôtel de Lucky, à Atlantic City. Il financerait tous les travaux. Il fut stipulé par ailleurs que Roberto en hériterait à la mort de Lucky. « Considère ça comme un cadeau de mariage », déclara Dimitri.

Cette cérémonie dans la plus stricte intimité enchanta Lucky. Le soir, ils dînèrent en tête à tête sur la terrasse, puis nagèrent nus dans la piscine à la nuit tombée, après quoi ils firent l'amour jusqu'à l'aube dans un grand lit à baldaquin. Lucky constata une fois encore que son mari était le seul homme qu'elle ait jamais connu qui soit à la fois tendre et expert au lit.

« Demain, on va quitter cette île », pensa-t-elle.

« Demain, il faudra que j'appelle Gino et Costa... »

« Demain... Demain... Demain... »

Elle sombra dans un profond sommeil, pelotonnée contre le grand corps de son nouveau mari.

Une fois de plus, Gino déjeunait avec les amis de Susan. Elle invitait, et il casquait. Elle faisait des dons généreux à divers fonds de charité — avec « son » argent à lui. Elle tentait même depuis un an de le convaincre d'adopter légalement ses enfants. Ses enfants ! Deux adultes snobs et insupportables qui lui coûtaient déjà assez cher comme ça. Il n'avait aucune envie qu'ils puissent profiter de sa fortune après sa mort. D'ailleurs, il avait déjà une descendante. Lucky... Au milieu de ce brouhaha mondain, il se sentit soudain très las. Lucky... Il avait agi en égoïste à son égard. Il l'avait laissé tomber depuis qu'il s'était marié. Deux ans s'étaient écoulés, et à présent, il se rendait compte qu'elle lui manquait cruellement. Normal qu'elle ait été jalouse. Ils avaient été si proches. Pendant un temps, ils avaient même tout partagé. Gino réalisa brusquement que Susan n'avait jamais rien fait pour qu'il se rapprochât de sa fille. Au lieu d'arranger les choses, elle tentait de lui jeter deux faux héritiers dans les bras...

— On dirait que vous êtes ailleurs, lui glissa Paige Wheeler d'un air malicieux.

Il lui sourit. C'était la seule amie de sa femme qu'il appréciât. Elle était active, créative, drôle, et, s'il l'avait connue avant son mariage, il n'aurait pas hésité à la draguer...

— On devrait se voir, murmura Paige. Bientôt...

Il sentit une main sur sa cuisse. Instantanément, il eut une érection. La décoratrice glissa sa carte dans la poche de son pantalon et retira discrètement sa main. Ils échangèrent un regard lourd de fantasmes inavoués. Comment avait-elle pu deviner ses pensées ? Gino se sentit soudain tout ravigoté. Depuis six semaines, Susan se refusait à lui sous divers prétextes. Depuis deux ans, il lui était fidèle. Bêtement. Elle était de plus en plus terne au lit. Il avait beau faire des prouesses, elle n'en restait pas moins ce bloc de marbre vaguement gémissant. L'occasion de faire jouir de nouveau une femme se présentait. Il aurait été idiot de la laisser passer.

34

La couverture ! La couverture de *People* ! Lennie Golden en couverture de *People* ! S'il s'était attendu à cela !

Les jumelles insistèrent pour organiser une fête. Elles sélectionnèrent une centaine d'invités possibles. Il en vint deux cents. A une heure du matin ça riait, ça buvait, ça tonitruait dans tous les coins. Puis la coke commença à circuler, entre deux cortèges de joints. Les neurones crépitèrent, les désirs fusèrent, les corps s'échauffèrent. On se débarrassa progressivement des vêtements. Les buissons du jardin se firent propices à divers câlins, la piscine calma quelques ardeurs et en attisa d'autres. A quatre heures, Lennie se retrouva barbotant dans le jacuzzi en compagnie de trois nymphes très excitées. L'une d'elles avait des seins gros comme des melons, qu'elle lui fit goûter sans plus de façons. Une autre plongea sous les bulles tièdes et picotantes et le gratifia d'une sublime fellation, pendant que la troisième se masturbait sauvagement, émoustillée par les talents de ses congénères en pleine action.

C'était donc ça le succès ? Se faire sucer à volonté et consommer de la dope gratis ? Lennie était à la fois partie prenante et extérieure à la scène. Heureusement que Jess était partie avant que ça ne dégénère en orgie. Elle avait horreur de ces moments où l'on ne se contrôle plus.

Lennie profita de l'occasion pour se décharger de toutes ses tensions, puis il abandonna les naïades à leurs contorsions. Il émergea du bain pétillant un peu abruti puis parcourut les pelouses et le salon, enjambant des corps emmêlés dans d'invraisemblables positions, avant de retrouver ses vêtements. Il quitta les lieux sans regrets.

Jess l'attendait chez elle. Elle lui prépara du café très fort, lui fit couler un bain tiède, l'enveloppa dans un peignoir, puis l'escorta jusqu'à la cuisine et l'installa devant une assiette d'œufs au bacon fumants. Jess, une amie, un incroyable manager. Ce soir, presque une maman.

Après avoir couché et bordé sa star bien aimée, elle téléphona à Matt. Depuis qu'elle s'était installée à Los Angeles, ils se téléphonaient régulièrement. Elle s'était habituée à ces coups de fil fréquents, et, bizarrement, Matt lui manquait. Ces entretiens du petit matin, professionnels dans un premier temps, s'étaient vite transformés en conversations complices et amicales. Elle avait même invité Matt à L.A. Mais il avait refusé de venir. Il était trop occupé. Depuis que Gino s'était retiré, Matt le remplaçait au *Magiriano*, et ce surcroît de responsabilités — il dirigeait toujours le casino — lui mangeait tout son temps, une bonne partie de son sommeil, et la quasi-totalité de ses loisirs.

De son côté, Jess n'avait plus une minute à elle. Depuis qu'elle s'occupait de la carrière de Lennie, elle n'avait plus de vie privée, et ne trouvait même plus le temps de caser un amant dans ces journées ultra-programmées. En deux ans d'Hollywood, elle n'avait eu qu'un seul petit ami, une espèce d'acteur épisodique qui arborait des pectoraux impressionnants, sans toutefois réussir à masquer bien longtemps un âge mental de dix ans. L'histoire avait duré six semaines, laps de temps amplement suffisant pour goûter de l'unique attribut naturel que le pauvre bougre pût mettre en avant.

Jess raccrocha et bondit sur ses pieds. Matt venait de lui confirmer un engagement pris pour Lennie six mois plus tôt. Le comique aux sketches d'un cynisme si rafraîchissant allait se produire en première partie du spectacle de Vitos Felicidade, pendant une semaine. Jess avait décidé de l'accompagner, et le fait d'en reparler avec Matt lui fit très plaisir. Elle était ravie, mais certainement pas autant que lui...

Elle enfila un jean et un tee-shirt et partit faire les courses.

Eden contemplait la couverture de *People*, complètement éberluée. Qui aurait jamais imaginé qu'il finirait par décrocher la timbale, ce merdeux ? Elle qui avait toujours pensé qu'il était un perdant au talent limité...

Il souriait sur la photo. Il provoquait le monde entier, et elle en particulier. Elle... Eden Antonio, prisonnière d'une luxueuse volière. Santino la voyait peu mais ne tolérait pas qu'elle voie quiconque pour se distraire. Il lui avait même imposé un chauffeur-espion, Zeko, qui faisait le planton au bord de la piscine à longueur de la journée. Eden décida de s'habiller. Il était midi et Santino n'allait plus tarder à arriver. Elle soupira devant un alignement de robes de soirée qu'elle n'avait jamais l'occasion de porter. Santino était le genre d'homme qui ne s'affiche qu'en privé. Mais les choses allaient bientôt changer.

Elle venait d'obtenir le rôle principal de *Comment je suis devenue une prostituée*, un film produit par Ryder Wheeler et financé à cent pour cent par Santino Bonnatti. Elle eut un mauvais sourire. Oui, elle finirait bien par posséder ce Rital gominé.

35

Ils venaient de passer deux jours dans la salle d'audience du juge Frederick Lester. A la fin du deuxième jour, Carrie se tourna vers son fils et lui dit :

— Ce n'est pas lui. Maintenant, j'en suis sûre.

Steven se sentit vaguement déçu, car finalement, parmi tous les candidats à la paternité qu'il avait dénichés, c'était encore le juge qui lui plaisait le plus.

Il poussa un soupir et sa mère eut l'air désolée. Elle regarda droit devant elle, bien au-delà des murs du palais de justice. Non, elle ne voulait surtout pas raviver tout cela. Mais elle ne put s'en empêcher...

Tout était arrivé le soir de l'anniversaire de Goldie. Goldie avait vingt et un ans ce jour-là, Carrie en avait vingt-quatre depuis trois mois, et elles partageaient un appartement à Greenwich Village. Normal que Carrie soit invitée. Goldie sortait avec un certain Mel à l'époque. Carrie, elle, ne sortait avec personne. Elle venait de passer neuf ans dans un asile d'aliénés et commençait à peine à reprendre vie. Goldie la précipita dans les bras de Freddy Lester, le copain de Mel, qui, comme par hasard, était seul ce soir-là.

Ils se retrouvèrent donc tous les quatre et écumèrent plusieurs cabarets. Carrie s'en tint au jus d'orange, jusqu'au moment où son amie lui fit comprendre qu'il était malvenu de jouer les rabat-joie. Elle se mit donc au champagne et se sentit de mieux en mieux. Vers quatre heures du matin, ils échouèrent chez Clemmie's, la boîte en vogue à cette époque. Freddy Lester, qui la dévorait des yeux depuis le début de la soirée tout en sentant que, même saoule, il ne l'aurait pas, l'invita néanmoins à danser.

— Tu sais que cette boîte appartient au grand Gino Santangelo ? C'est un vrai gangster.

— Un gangster, vraiment ? répondit Carrie. Il fut un temps où je ne fréquentais que ça !

— Ah oui ? rétorqua Freddy sans se démonter. Eh bien, je te parie cinquante dollars que tu n'es pas capable d'allumer Santangelo.

— Tu viens de perdre tes cinquante dollars, lui lança-t-elle en se dirigeant vers la table de Gino d'un pas chaloupé.

Le propriétaire des lieux était assis entre deux hommes qui ressemblaient vraiment à des méchants. Lui n'avait pas l'air tendre non plus, mais il était très élégant, très animal, très séduisant. Carrie l'aborda très naturellement. Il l'invita à s'asseoir et lui offrit un verre, fort civilement. Elle était de plus en plus éméchée et se sentait capable de toutes les audaces. Et Gino aimait bien les femmes hardies. Enfin, de temps à autre... Moins d'une heure plus tard, elle s'ébattait dans son lit. Cette séance de baise fut parfaite, un échange de plaisir intense entre experts. Gino lui offrit une dernière coupe avant de lui signaler que son chauffeur attendait en bas dans sa limousine pour la raccompagner. Elle se rhabilla en prenant son temps, détendue et légère comme si quelqu'un avait gommé d'un coup toutes les tensions qui l'habitaient. Elle allait prendre congé quand Gino lui glissa un billet de cent dollars dans la main.

— Tu t'achèteras ce qui te fera plaisir, lâcha-t-il, désinvolte et magnanime.

Il avait l'habitude de donner cent dollars aux femmes qu'il baisait occasionnellement. Histoire de ne pas se sentir obligé de les revoir. Et, à vrai dire, aucune d'entre elles n'avait jamais protesté...

— Salaud ! Vous me prenez pour une pute ou quoi ! hurla Carrie, subitement enragée.

Elle lui jeta les cent dollars à la figure et Gino en resta coi. Elle s'enfuit sans rien ajouter, courut sur l'avenue à la recherche d'un taxi, et gravit en trombe les trois étages qui la séparaient de son lit. Elle glissa en hâte sa clé dans la serrure, se rua dans sa chambre et tomba sur Freddy Lester. Il avait investi son lit, il était fin saoul, et il la tira violemment à lui. Elle résista. Il lui plaqua immédiatement sur la bouche une large paume qui sentait le tabac. Cette agression subite la laissa inerte. Il lui arracha sa jupe et sa petite culotte et la pénétra brutalement. Il jouit très rapidement, puis il lui libéra la bouche de sa grande main. Elle ne cria pas. Elle sortit du lit et le toisa de sa beauté noire et hautaine où s'étaient accumulés trois siècles de haine.

— C'est trente dollars, annonça-t-elle.

— Quoi ? bafouilla-t-il.

— Quand on baise avec une pute, faut payer.

— Mais...

— Dépêche-toi de payer ou je porte plainte pour viol.

Il paya, et elle se sentit soulagée. Elle avait vexé Santangelo, humilié celui-là. C'était sordide, mais au moins elle en était quitte avec cette nuit d'horreur. C'est du moins ce qu'elle crut, jusqu'au moment où elle s'aperçut qu'elle attendait un enfant... Ce même enfant qui aujourd'hui, quarante-deux ans plus tard, voulait retrouver son père à tout prix. Son père... Gino Santangelo ou Freddy Lester ?

— Demain, on va voir l'éditeur, déclara Steven.

— Bon, répondit Carrie, abattue.

Soudain elle eut une bouffée de haine envers ce fils trop beau et trop bien élevé qui avait eu une jeunesse dorée. Que savait-il de la vie, de ses injustices et de ses horreurs, cet abruti ?

36

Lucky lui annonça la nouvelle au téléphone.

— Oncle Costa ?

— Oui ?

— C'est Lucky. Je suis mariée !

— Quoi ?

— Je viens de me remarier, avec un homme très gentil, tu l'aimeras beaucoup, tu verras.

— Je crois que je n'ai pas le choix !

— Je t'adore !

— Est-ce que Gino est au courant ?

— Euh... non, pas encore.

— Est-ce que je peux me permettre une suggestion ?

— Vas-y.

— Tu ferais bien d'aller le voir pour lui annoncer la nouvelle.

— Mais... euh, il y a autre chose.

— Comment ça ?

— Eh bien... Gino est grand-père.

— Quoi ?

— J'ai un petit garçon de seize mois, et c'est son père que j'ai épousé hier.

— Ce sera tout pour aujourd'hui ? dit Costa qui jouait les désinvoltes, mais qui accusait le coup.

— Oui ! Alors, tu es content d'être grand-oncle ?

— Oui, marmonna-t-il, bourru. Mais pour en revenir à Gino, sois gentille, va le voir. Il n'est plus si jeune, et son cœur n'est pas en si bon état...

— Il est arrivé quelque chose ? l'interrompit Lucky, soudain alarmée.

— Non, non, rien du tout. Mais je l'ai eu au téléphone récemment et j'ai eu l'impression qu'il ne se sentait pas très bien. Il m'a dit que tu lui manquais.

— C'est vrai ?

— Non, j'invente pour te faire plaisir...

Lucky se mit à gamberger. Et si elle allait voir Gino ? Et si elle lui amenait son petit-fils ? Et si elle lui parlait de son futur hôtel à Atlantic City ?

— Je vais aller le voir, décida-t-elle brusquement. Tu veux nous accompagner ?

— Je ne suis pas très sûr que ce soit une très bonne idée... Tu seras avec ton fils, ton mari.

— Oh mais non ! Mon mari est parti ce matin en voyage d'affaires !

— Mais tu m'as dit que vous vous étiez mariés hier !

— Ça n'empêche pas qu'on continue à avoir chacun sa vie !

— Ah vous, les jeunes !

— Il n'est pas si jeune que ça.

— Comment ça, pas si jeune ?

— Je te raconterai tout ça quand je te verrai.

Paige Wheeler jouit très fort. A plusieurs reprises. Gino Santangelo n'était peut-être plus dans la fleur de l'âge, mais au lit, il les surpassait tous !

— Hmmm..., dit-elle quand ce fut fini, je savais que ce serait bien, mais je ne pensais pas que ce serait aussi génial que ça !

— Et moi, je crois que tu n'as pas suffisamment d'éléments pour juger, répliqua Gino.

Une lacune qu'il répara sur-le-champ.

37

Lennie arriva à Las Vegas en avion privé, une délicate attention de Matt Traynor. Jess, Isaac et sa femme, Irena, l'accompagnaient. Un reporter de *Rolling Stone* était aussi du voyage. Seul le journaliste ne fut pas impressionné par le petit jet de luxe. Pour les autres, à commencer par Lennie, c'était une grande première. La femme d'Isaac prit même des photos pour immortaliser l'événement.

— Ce soir, je claque mille dollars au jeu ! déclara Lennie en débarquant à l'aéroport. Depuis le temps que je rêvais de le faire...

Matt Traynor les attendait dans le hall du *Magiriano*.

— C'est fou ce que vous avez changé ! s'exclama Jess en dévisageant Matt de la tête aux pieds.

— J'ai perdu sept kilos, répondit-il, flatté. Je me suis fait couper les cheveux et... euh... je fais du jogging tous les matins. A vrai dire, je me sens en pleine forme !

Jess n'en revenait pas. Envolé le vieux dragueur excentrique, boursouflé et parfumé ! L'homme qu'elle avait sous les yeux lui parut presque beau. Il était mince, vêtu d'un costume noir, d'une chemise blanche à col ouvert. Il ne portait plus le moindre bijou.

— Je vous offre un verre ? proposa Matt alors que les autres partaient s'installer dans leurs suites respectives.

— Chez vous ? plaisanta Jess.

— J'ai laissé tomber mon appartement, dit Matt. J'habite ici maintenant.

— Je vous suis, conclut-elle.

La suite de Lennie était située au dernier étage du *Magiriano* et depuis sa terrasse privée — grande comme une patinoire — il dominait tout Las Vegas. C'était royal ! Des miroirs au plafond, des télévisions dans toutes les pièces, y compris les toilettes !

Que demander de plus ?

Eden. En arrivant, il avait eu cet espoir fou qu'elle serait là, qu'elle l'attendrait. Connerie. C'était fini et sans intérêt.

Il s'habilla et descendit au bar. Là, il pourrait s'offrir qui il voudrait. Il était devenu une star, et c'était tout ce qui importait. Il lui fallut néanmoins quelques verres pour s'en persuader...

Pas le moindre verre gravé à ses initiales en vue. Plus de néons roses, plus de fausses cheminées en faux marbre. Un style moderne et dépouillé, une sobriété de bon ton, rehaussée d'une petite touche *high tech*, avaient sonné la fin du kitch dans le décor de Matt Traynor.

— Vous buvez quelque chose ? demanda-t-il.

— Ce que vous voudrez, pourvu que ce soit sans alcool et glacé, répondit Jess.

Matt lui prépara un jus de pamplemousse frais, le lui apporta, puis s'installa dans un fauteuil à quelques mètres d'elle. Un silence pesant s'installa entre eux. Ils ne s'étaient pas revus depuis deux ans, et ne savaient plus quoi se dire, ou plus exactement, par où commencer. Ils se mirent brusquement à parler en même temps. La sonnerie du téléphone retentit à ce moment précis, et les tira d'embarras.

Matt raccrocha avec une grimace.

— Qu'est-ce qui se passe ? s'enquit Jess.

— On vient de m'annoncer que Vitos Felicidade n'arrive plus seul, comme prévu, mais accompagné. Il n'a rien trouvé de mieux que d'amener Olympia Stanislopoulos avec la môme et la gouvernante en prime ! Toutes mes suites sont occupées, et je ne sais vraiment pas où je vais les caser !

— Je vois.

— Bon, il faut que j'appelle le responsable des réservations et que je voie ce qu'on peut faire.

— Je comprends, dit Jess en se levant. De toute façon, j'avais fini mon verre et j'allais partir, ajouta-t-elle en se dirigeant vers la porte.

Matt se précipita derrière elle.

— Attendez ! J'avais l'intention d'organiser un petit dîner ce soir, en l'honneur de Lennie.

— Je vais lui en parler.

— Rappelez-moi vite alors, pour me dire combien il y aura d'invités.

— Promis.

Elle lui lança un petit sourire complice puis elle sortit. Arrivée dans l'ascenseur, elle détailla son image dans la grande glace. Elle portait un petit tailleur gris sexy, des chaussures à talons aiguilles. Elle était habilement maquillée et ses cheveux roux étaient coupés court. Matt n'avait fait aucune remarque sur son nouveau style. Était-ce parce qu'elle ne ressemblait plus du tout à une petite fille ? Comme tout cela était étrange. Ils venaient de se conduire comme de vagues connaissances, polis, réservés et un peu gênés. Matt était pourtant le seul être qui ait réellement partagé la tragédie de sa vie. Elle évitait toujours de penser à Simon, mais le drame lui revint en mémoire, avec Matt dans le rôle de l'homme qui l'avait tirée du naufrage.

Puis d'autres souvenirs surgirent en rangs serrés. Les soirées grotesques avec Matt, le siège hystérique de sa personne, ses mains qui tremblaient dès qu'il se retrouvait seul avec elle. Aujourd'hui, pour la première fois, les mains de Matt n'avaient pas tremblé. L'homme qui autrefois bouillait de désir en sa présence s'était métamorphosé en homme d'affaires parfaitement maître de lui-même, réservé, presque froid. Il l'avait à peine regardée. Était-ce possible que son regard d'antan lui manquât ? Elle haussa les épaules devant l'absurdité de cette pensée.

Quand la porte se fut refermée, Matt poussa un soupir de soulagement. Il s'était promis de ne pas se conduire comme un con, et il fut ravi de constater que, pour une fois, il s'était montré à la hauteur de ses ambitions. Bien qu'il fût toujours aussi épris de Jess, il avait dû se rendre à l'évidence : elle ne l'avait jamais traité que comme un ami, et rien de plus. Aussi avait-il décidé de se calmer. Il avait passé l'âge de courir après une fille qui ne voulait pas de lui. Il était trop vieux pour jouer les amoureux transis.

Ce retour triomphal au pays n'était pas sans flatter l'orgueil de Lennie. Deux ans plus tôt, il s'était fait jeter comme un malpropre. A cette époque, il aurait volontiers giflé Matt Traynor, ce même Matt Traynor qui le payait royalement, qui le traitait comme un prince — avion privé, limousine avec chauffeur, garde du corps (!) — et qui brûlait d'accéder à tous ses désirs. Quelle ironie ! Mais il n'avait aucune rancune à l'égard de Matt. Jess lui avait expliqué qu'il n'était pas responsable de son renvoi. Il n'avait fait qu'obéir aux ordres de cette folle, cette Lucky Santangelo. Apparemment, elle n'avait plus rien à voir avec cet hôtel. Lennie s'en était judicieusement assuré avant d'accepter de revenir.

38

Olympia avait bien monté son coup. Pour se venger de l'attitude indélicate et pour le moins offensante de son amant, elle avait rappelé Vitos, lequel avait accouru sottement. Olympia décida alors de jouer le jeu jusqu'au bout et de frapper un grand coup : elle demanda à Vitos de l'épouser. Pour une fois, le chanteur de charme se conduisit en homme avisé. Il proposa à Olympia de l'accompagner à Las Vegas une semaine et de lui donner sa réponse au retour. Mais il n'avait certes pas convié Brigette ni Mabel, et leur présence le contraria. Il ignorait que la petite fille et sa gouvernante faisaient partie du plan d'attaque d'Olympia. En effet, si Flash téléphonait en leur absence, il tomberait sur le répondeur. Olympia se rendait ainsi impossible à joindre, ce qu'elle considérait comme une excellente stratégie. Encore fallait-il que Flash cherchât à la reconquérir, ce qui n'avait rien d'évident, mais ne faisait pourtant pas l'ombre d'un doute dans son esprit.

Olympia n'avait jamais mis les pieds à Las Vegas, et elle avait à l'égard de cette ville des sentiments mitigés, mélange d'attraction et de répulsion. Arrivée à l'hôtel, elle ne put réprimer une moue de dégoût.

— Tous ces gens sont laids et vulgaires, lâcha-t-elle, méprisante.

— Ces gens, comme tu dis, achètent mes disques, ma chérie, objecta Vitos, réaliste.

— Ça ne m'étonne pas, marmonna-t-elle, tout bas.

On les installa dans des suites attenantes. Vitos se vit gratifier de la plus spacieuse et la mieux décorée, ce qui irrita Olympia au plus haut point. Elle trépigna d'impuissance jusqu'au moment où elle se souvint que Lucky Santangelo était propriétaire du *Magiriano*. C'était Dimitri qui le lui avait dit. Ce serait drôle de revoir Lucky. Elle était curieuse de voir à quoi elle ressemblait. Était-elle mariée ? Avait-elle des enfants ? Sans plus attendre, Olympia se saisit du téléphone.

— C'est Olympia Stanislopoulos à l'appareil, annonça-t-elle. Veuillez prévenir Lucky Santangelo que je viens d'arriver et que je désire la voir immédiatement, ordonna-t-elle.

— Miss Santangelo ne travaille plus avec nous, répondit la standardiste.

— Où est-elle ?

— Je crains de ne pouvoir vous renseigner, madame.

— Alors envoyez-moi tout de suite le directeur de cet hôtel.

Elle était étrangement déçue. Elle avait cru qu'elle reverrait Lucky et elle se sentait frustrée. Lucky, sa meilleure amie d'antan... Mais pourquoi s'inquiéter de ses amis, puisqu'ils finissent toujours par vous laisser tomber ?

La frénésie du jeu était à la fois concentrée en chacun à son plus haut point et démultipliée à la puissance mille par le cliquetis suraigu des centaines de machines à sous. Les mains crispées sur les leviers, les néons aiguisant sans pitié des visages aux traits tirés, rien n'échappa à Brigette qui, contre son gré, se retrouvait catapultée sur la planète des flambeurs.

— Ça craint ici, déclara-t-elle, suffisamment fort pour que trois touristes se retournent et la toisent d'un air offusqué.

— Brigette ! supplia Nanny Mabel.

— Je dis que ça schlingue ici !

— Voulez-vous vous taire ? Ou je serai obligée de tout raconter à votre mère, menaça Mabel.

— Je m'en fous ! hurla Brigette. Je déteste Las Vegas. Las Vegas, c'est dégueulasse !

Un des cerbères de la sécurité se rapprocha d'elle à grands pas. C'était une femme, avec un holster en bandoulière.

— Veuillez faire taire cette enfant, dit-elle à Nanny Mabel avec un air peu engageant.

— Je ne me tairai pas ! reprit Brigette, de plus en plus hystérique. Je ferai ce qui me plaira, espèce de gros tas !

— Ça, sûrement pas, dit la dame au revolver d'une voix blanche.

— Je vais me gêner ! s'enferra la gamine.

— Oh, mon Dieu ! s'exclama Nanny Mabel.

Matt Traynor se présenta en personne chez Olympia.

— Qui êtes-vous ? demanda l'héritière, en tirant sur le haut de son peignoir sans réussir à masquer totalement son opulente poitrine.

— Je suis le directeur de cet hôtel, miss Stanislopoulos.

— Où est Lucky Santangelo ?

— Elle ne travaille plus ici.

— Dommage, soupira Olympia.

Matt dansait d'un pied sur l'autre. Il commençait à en avoir assez de piétiner à la porte de la chambre, comme un vulgaire garçon d'étage.

— Puis-je entrer ? demanda-t-il.

— Pour quoi faire ? rétorqua Olympia, désagréable.

Matt eut une soudaine bouffée de haine pour cette milliardaire grossière qui ressemblait à une poupée gonflable.

— Nous avons un problème avec votre fille.

— Oh, non ! Qu'est-ce qu'elle a encore fait ?

— Elle a donné un sérieux coup de pied à un garde, renversé une table de black jack et...

— Où est-elle ? l'interrompit Olympia.

— Elle est en bas, dans un bureau. Et elle refuse de se tenir tranquille. Elle veut que vous veniez la chercher.

— Tsst ! siffla Olympia, visiblement irritée. Et sa gouvernante, alors, elle s'est envolée ?

— Elle semble avoir perdu le contrôle de la situation.

— Cela est vraiment déplaisant, dit Olympia, comme si Matt était responsable. Attendez-moi, il faut que je m'habille.

Elle lui claqua la porte au nez, et il dut faire les cent pas pendant un quart d'heure dans le couloir avant qu'elle daigne réapparaître.

Ils descendirent en silence au rez-de-chaussée, puis se dirigèrent vers un bureau où Brigette continuait à hurler : « Las Vegas, c'est dégueulasse ! Las Vegas, c'est dégueulasse ! »

Olympia entra dans la pièce d'un pas décidé et jeta un regard froid et dominateur sur sa fille, qui éclata aussitôt en sanglots.

— Maman, maman ! Ces gens ont été ignobles avec moi ! Tu peux pas imaginer !

Nanny Mabel se tenait à l'écart, rouge comme une pivoine.

— Pardonnez-moi, madame, mais cette petite fille mérite une bonne fessée. Elle est effrontée et...

— Je ne vous ai pas demandé votre opinion, l'interrompit Olympia, hautaine. Viens, Brigette, c'est l'heure d'aller au lit, ajouta-t-elle en la prenant par la main.

Elles sortirent dignement de la pièce, Nanny Mabel honteuse et confuse sur leurs talons.

39

Pendant des années, Carrie Berkeley avait été une célébrité. Elle n'avait pourtant jamais rien fait d'extraordinaire, mais elle avait été l'épouse de deux hommes célèbres, et cela avait suffi à en faire une habituée des rubriques mondaines des magazines futiles et prestigieux.

Depuis son divorce, elle s'était retirée de la vie publique, mais son personnage faisait toujours rêver et son nom restait gravé dans les mémoires. Elle n'eut donc aucun mal à obtenir un rendez-vous avec Fred E. Lester, le grand éditeur. Steven avait insisté pour l'accompagner, mais elle s'y était catégoriquement refusée.

Fred E. Lester était assis derrière un immense bureau en chêne. Il se leva pour la saluer quand elle entra, et lui proposa un siège, où elle prit place.

— Je ne sais pas si vous vous souvenez de moi, commença-t-elle, c'était il y a si longtemps...

Tout en parlant, elle l'observa rapidement. C'était un sexagénaire affable au teint hâlé, aux cheveux blancs. Doux, souriant, rassurant. « Ce n'était pas lui ! » Carrie se sentit soulagée et paniquée à la fois. Qu'allait-elle pouvoir dire maintenant ? Où était-elle censée l'avoir rencontré ? Ce fut lui qui parla.

— Je me souviens très bien de vous. Je vous ai reconnue immédiatement. Nous nous sommes rencontrés il y a vingt ans, lors d'un bal de charité. Comment aurais-je pu vous oublier ?

Carrie eut un sourire modeste et poli. Ne trouvant rien à répondre, elle promena son regard autour de la pièce. De nombreuses couvertures de livres, luxueusement encadrées, étaient accrochées aux murs.

— Vous voyez, dit Fred, ce sont tous mes succès. Dans ce métier, on a tendance à les afficher pour se rassurer sur l'avenir.

Carrie eut un nouveau sourire, compréhensif cette fois.

— Espérons que vous ferez bientôt partie de ces succès, poursuivit l'éditeur.

— Euh... que voulez-vous dire ? dit Carrie, un peu interloquée.

— Mais vous avez bien l'intention d'écrire un livre pour nous, n'est-ce pas ?

Elle se souvint tout à coup que c'était effectivement le motif officiel de ce rendez-vous. Steven avait téléphoné et prétendu qu'elle avait une idée de bouquin en tête...

— J'ai quelques idées, répondit-elle.

— Tout le monde commence ainsi, dit Fred, encourageant.

Il était vraiment charmant. Il lui rappelait son premier mari.

— J'avais pensé à un livre sur la mode..., commença-t-elle, exprimant à haute voix la première idée qui lui traversait l'esprit.

— Parfait, c'est tout à fait le moment ! répondit Fred, visiblement ravi.

Elle le gratifia d'un troisième sourire. Il lui fallait à tout prix gagner du temps.

— Et maintenant, si vous me parliez un peu plus précisément de tout cela, hein, qu'en dites-vous ?

Elle acquiesça en se demandant ce qu'allait bien pouvoir lui souffler son imagination...

40

Lucky était descendue au *Beverly Hills Hotel* où elle occupait un grand bungalow avec Cee Cee et Roberto. Costa arriva vingt-quatre heures plus tard et elle alla l'accueillir à l'aéroport avec son fils. S'il ne tarit pas d'éloges à l'égard du bébé, il se montra nettement plus réservé quand il apprit qui était l'heureux papa. Lucky s'y attendait, et elle ne broncha pas.

« Paige Wheeler est vraiment une affaire », se dit Gino après son troisième rendez-vous avec elle. Susan ne tenait pas la distance. Oh ! c'était une parfaite épouse, attentionnée, agréable en société, toujours impeccablement soignée, Susan avait tant de qualités qu'elle en devenait ennuyeuse. Et elle était si froide au lit que Gino en était venu à ne plus pouvoir la supporter. Gino prit Beverly Hills en horreur. Toujours les mêmes soirées avec les mêmes imbéciles bronzés, toujours les mêmes conversations creuses et frimeuses. Gino cherchait un moyen d'en sortir, et il ne trouvait pas.

— Bonjour Susan ! dit Lucky, très aimable.
« Toujours cette voix mielleuse de Grace Kelly », pensa-t-elle.
— Lucky ? Mais d'où m'appelez-vous ? De Californie ?
« Mais non, vieille conne, je t'appelle du pôle Nord, t'as pas deviné ? »
— Vous avez gagné. Je suis à Los Angeles.
— Quelle bonne surprise ! s'exclama la précieuse.
— Pourrais-je parler à Gino ?
— Désolée, mon petit, mais il est sorti.
— Et quand doit-il rentrer ?
— Avec Gino, on ne sait jamais.
— Très juste. — Au moins, elle avait compris ça. — Je rappellerai plus tard.
— Parfait.

Quelques heures plus tard, Lucky prenait le thé avec Costa au bord de la piscine de l'hôtel. Elle commença à parler de ses projets à Atlantic City. L'ancien associé de son père l'écoutait, fasciné. Le même enthousiasme, la même volonté inébranlable que Gino. Aussi coriace, aussi douée en affaires que son père. Il se dit que son mariage avec un milliardaire ne pourrait que faciliter ses entreprises ambitieuses et se fit une raison quant à cette union qui l'avait tout d'abord laissé sceptique.
Soudain, Lucky jeta un coup d'œil à sa montre.
— Il est temps de rappeler Gino, déclara-t-elle.
Elle fit signe à un serveur, qui réapparut bientôt avec un téléphone.
— Je voudrais parler à Mr Santangelo.
— Un moment, s'il vous plaît, répondit une domestique.
Son cœur battait. Elle n'avait plus parlé à son père depuis des

mois. Elle l'adorait. Elle le détestait. Bon Dieu, qu'est-ce qu'il avait pu lui manquer !

— Salut, Lucky, dit-il, comme s'ils s'étaient quittés la veille.

— Salut, Gino, répondit-elle, infiniment émue.

— Où es-tu ?

— A L.A.

— Où ça ?

— Au *Beverly Hills Hotel*.

— Tu aurais quand même pu prévenir...

— Pourquoi ? Tu serais venu m'accueillir à l'aéroport en fanfare ?

— C'est malin !

Elle sentit cette excitation de tous ses neurones, de son cœur, une grande sensation de chaleur crépitante dans tout son être, cet état que lui seul avait jamais suscité.

— J'ai une surprise pour toi, dit-elle très vite.

— Tu sais bien que j'ai horreur des surprises.

— Oui, mais celle-là, tu vas l'aimer, tu vas l'adorer...

— Tu crois ?

— J'en suis certaine.

— Et à part ça, comment ça va, toi ?

— Pas mal, et toi ?

— On fait aller.

— Au fait, je suis avec Costa.

— Costa ? Mais alors, qu'est-ce que vous attendez pour rappliquer ?

— On arrive. Dans dix minutes on est là !

Susan était assise devant sa coiffeuse, tout absorbée par une séance de maquillage ultra-compliquée. Gino fit irruption dans la pièce sans frapper.

— Lucky et Costa viennent dîner. Préviens vite le cuisinier.

— Nous dînons en ville ce soir, répondit-elle, imperturbable.

— Alors, téléphone pour décommander.

— Impossible. C'est un dîner intime chez April Crawford.

— Alors appelle cette vieille peau pour lui dire qu'on ne pourra pas venir.

— April Crawford n'est pas une vieille peau. C'est une grande actrice, une des anciennes gloires d'Hollywood. En plus, c'est son anniversaire. Et je te ferai remarquer, pour finir, que j'ai noté cette invitation sur ton agenda depuis trois semaines. L'agenda est sur ton bureau, ouvert à la page d'aujourd'hui.

— Hé ! Tu plaisantes ou quoi ? Ma fille est en ville, elle arrive. J'ai envie de la voir, et c'est ce que nous allons faire ce soir.

— S'agit-il de cette charmante jeune fille qui n'a pas donné signe de vie depuis des mois ?

— Tu sais ce que tu vas faire ? Tu vas aller dîner chez April

Crawford et moi, je vais rester là. Dépêche-toi d'aller dire au cuisinier de préparer quelque chose.

Il y eut un moment de silence. Susan savait exactement jusqu'où elle pouvait aller avec Gino. Elle se leva, et vint gentiment l'embrasser.

— Pardonne-moi, mon chéri. Il n'est pas question que je sorte sans toi. Je vais demander à Jimmy de nous improviser un délicieux dîner. Tu as raison, c'est normal que nous restions, oublie ce que j'ai dit.

— Ben voyons...

41

Le dîner organisé par Matt fut très gai. Lennie but coup sur coup plusieurs vodkas, ce qui le mit dans un état de complète euphorie. Le reporter de *Rolling Stone*, Isaac et Irena, Matt et sa nouvelle « fiancée » s'amusèrent comme des petits fous. Mais qui était donc cette jolie fille de trente ans qui accompagnait Matt ? « Ce n'est pas la même qu'hier soir », se dit Jess, pour se calmer. Mais elle n'y parvint pas. Elle ne but pas une goutte d'alcool de la soirée et arbora un visage fermé.

— Et si tu arrêtais de faire la tronche ? lui suggéra Lennie, très éméché.

— Et si tu m'oubliais un peu, hein ? répliqua Jess.

Après dîner, tout le monde se retrouva dans la suite de Lennie. Isaac roula quelques joints, ce qui fit fuir Matt assez vite. On écouta de la musique, on but, on fuma, et tout le monde plana assez rapidement. Seule Jess fut un modèle de sagesse. Elle sentait que ce soir rien ne pourrait dissiper sa tristesse.

Le reporter partit le dernier, à cinq heures du matin. Lennie se retrouva seul. Il n'avait aucune envie de dormir, et descendit faire quelques brasses dans la piscine.

Le lendemain vers midi, Jess buta sur Matt en traversant le hall de l'hôtel.

— Comment ça va ? demanda-t-il.

— Très bien, dit-elle avec un grand sourire.

— Et Lennie, il est content ?

— Je crois, oui.

— A quelle heure ça s'est terminé, hier soir ?

— Très tôt pour vous, en tout cas, répondit Jess, qui le regretta aussitôt.

Matt sourit, très à l'aise.

— Tina est une vieille copine, dit-il.

— « Vieille » est tout à fait le mot..., ironisa Jess.

— Et si on allait déjeuner ? suggéra Matt en glissant son bras sous celui de Jess, persuadé qu'elle allait accepter.

— Désolée, je ne peux pas. J'ai trop de boulot. J'attends des coups de fil de L.A.

— Lennie vous vole tout votre temps, à ce que je vois ! s'exclama Matt, sur un ton qu'il voulait enjoué, mais le cœur n'y était pas.

— C'est un grand artiste, protesta Jess, et il mérite qu'on fasse le maximum pour lui.

« Je suis sûr qu'elle couche avec lui, se dit Matt. Je m'en suis toujours douté, depuis le jour où elle est partie avec lui à L.A. »

— Bon, eh bien, on se verra plus tard, dit Matt, faussement désinvolte.

— O.K., répondit Jess.

Elle le regarda s'éloigner.

« Je crois que je n'ai plus aucune chance avec lui », se dit Jess, étrangement triste...

Lennie portait une veste en cuir noir, un pantalon blanc moulant, une chemise blanche, une fine cravate noire et des baskets. Ses cheveux blonds et broussailleux étaient habilement laqués.

Jess se dressa sur la pointe des pieds pour l'embrasser dans le cou.

— Tu es superbe ! lui souffla-t-elle, les yeux brillants.

Puis il y alla. Une grande inspiration, le passage irréel des coulisses à la scène. Le cœur un instant emballé, aussitôt maîtrisé. Les lumières. Un premier pas vers eux, un deuxième, un dixième, les applaudissements... « J'y suis », pensa-t-il en un éclair. Il se lança...

Assise bien en vue dans la salle, Eden se demanda s'il la verrait. Elle était installée à la meilleure table, celle du milieu, au premier rang. Avec Santino, on était toujours à la meilleure table. Ce soir-là, ils étaient huit. Il y avait Paige et Ryder Wheeler, le producteur, Quinn Leech, le futur réalisateur du film d'Eden et sa voluptueuse fiancée, Santino et deux « amis », éventuels financiers du film en question, et, bien sûr, Eden, la future star.

Les deux amis de Santino étaient vulgaires et répugnants. Depuis le début de la soirée, ils n'avaient pas cessé de jeter à Eden des regards concupiscents. Elle leur avait répondu avec froideur et mépris. Avoir Santino pour amant était déjà une épreuve qui prenait toutes ses forces. Et puis, il n'y avait rien de sûr quant à leur participation dans le film...

Quand Santino lui avait annoncé qu'ils allaient passer quelques jours à Las Vegas, elle avait sauté de joie. Elle n'en pouvait plus d'être enfermée dans la maison de Blue Jay Way. Santino n'avait donné aucune explication, et ils avaient quitté Los Angeles en moins d'une heure. Elle n'avait même pas eu le temps d'aller chez le coiffeur. C'est en arrivant à l'hôtel qu'il lui avait dit :

— On va à une première, fais-toi belle.

Il avait accompagné sa requête de quelques centaines de dollars, qu'elle s'était aussitôt empressée de dépenser.

— Alors, qui on va voir ce soir ? avait-elle demandé un peu plus tard.

— Cette espèce de maquereau espagnol, Vitos Machin Chose.

Eden ignorait complètement que Lennie passait en première partie. C'est en jetant un coup d'œil sur le programme qu'elle l'avait découvert.

Il était vraiment très séduisant. Il était vraiment très bon. Il bougeait vraiment bien sur scène. Il avait un texte vraiment génial. « Mais ce connard va devenir une star ! » se dit-elle.

Et elle eut un petit pincement au cœur. L'espace d'un court instant.

Le public marchait à fond. Dès les premières minutes, il avait su que c'était gagné. Il sentait les vibrations.

Lennie leur balança de cruelles vérités. Ils en redemandèrent. Il démolit la télévision. Ils hurlèrent de rire. Puis il fit sa petite sortie sur l'amour, celle qui marchait toujours. Et là, ce fut le délire. Il eut l'impression d'être un dieu, il embraya direct sur un nouveau sketch. Et c'est alors qu'il la vit.

42

— Mais qu'est-ce que tu cherches, à la fin, Steven ? demanda Jerry Myerson.

Ils étaient l'un en face de l'autre dans le grand salon de Jerry, à New York, au bord de l'empoignade. Steven était furieux parce que Jerry lui faisait des reproches. Jerry lui en voulait à mort parce que, connaissant Carrie depuis des années et sachant tout sur son affreux passé, il ne supportait pas que Steven la torture avec ça.

— Je te le dirai quand j'aurai trouvé, répondit Steven, hargneux.

Jerry tenta encore de raisonner son ami, mais il savait déjà que rien ne l'arrêterait dans son désir obsessionnel de retrouver son père.

Le lendemain, Jerry invita Carrie à déjeuner. Elle avait l'air fatiguée, mais elle lui sourit et le serra dans ses bras. C'était le seul de ses amis qui connaisse son passé.

— Demain, il m'emmène voir un nouveau Fred Lester, un médecin retraité, dit-elle d'une voix terne. Ce sera peut-être le bon cette fois, ajouta-t-elle d'un air las.

— Je le souhaite de tout cœur pour vous deux, répondit Jerry.

Elle se mit à tripoter son verre de Martini, songeuse.

— Jerry, commença-t-elle en levant les yeux vers lui, je ne sais plus où j'en suis. J'ai l'impression d'avoir perdu Steven. Il semblerait que je ne puisse plus rien faire pour trouver grâce à ses yeux. J'ai pourtant le sentiment d'avoir agi pour son bien en lui cachant la vérité si longtemps.

— Je sais, répondit Jerry, compréhensif. Tu n'as aucune raison de te culpabiliser. Il est en pleine crise d'identité, et il faudra qu'il la liquide tout seul. On n'y peut rien, ni toi ni moi.

— Ça me fait plaisir que tu comprennes, commenta Carrie.

— Bah, c'est fait pour ça, les amis.

Elle lui sourit, reconnaissante, et se sentit bien pour la première fois depuis des mois.

Le docteur Fredd Lesster habitait à mi-distance entre New York et Philadelphie. Il avait quatre-vingt-cinq ans et il était à moitié libanais. Un bref regard sur ce vieillard suffit à l'éliminer de la course.

— Et maintenant, qu'est-ce que tu comptes faire ? demanda Carrie.

— Je te le dirai dans un jour ou deux, répondit Steven, étrangement absent.

Devrait-elle encore longtemps rester à sa disposition ?

Il raccompagna sa mère à New York et la déposa devant son immeuble sans dire un mot. Elle habitait chez une amie qui était partie en Europe pour six semaines. Il était plus simple de résider en ville pour répondre aux nombreuses sollicitations de son fils... Cette nuit-là, elle ne dormit pas.

43

Quand Lucky arriva, Gino ne put cacher son émotion.

— Lucky ! s'écria-t-il en lui ouvrant ses bras.

— Papa ! s'exclama-t-elle en s'y jetant.

Susan gratifia Costa d'un de ses plus beaux sourires, et tout le monde entra dans la maison.

— Voyons un peu, dit Gino en lorgnant sa fille. Toujours aussi belle, à ce que je vois !

Il se tourna vers Costa et lui tapota l'estomac.

— Hé ! Hé ! On dirait qu'on prend du poids !

— Tu as remarqué ? renchérit Lucky. Si ça continue, il ne pourra plus draguer !

Tout le monde partit d'un grand rire. Sauf Susan, évidemment. Que l'on puisse se laisser grossir et en rire dépassait son entendement. Elle passait une bonne partie de sa vie à compter ses calories et rien ne pénétrait dans son gosier qui ne fût au préalable longuement analysé. Était-ce pour cette raison qu'elle avait renoncé à toute idée de fellation ?

On but quelques Martini. Susan sirota du Perrier du bout des lèvres. On échangea quelques souvenirs. Susan fut rapidement exclue de la conversation. Lucky annonça à Gino que l'affaire d'Atlantic City était conclue. Là, Susan fut tout à fait larguée. Elle jugea donc qu'il était temps de passer à table.

— Le dîner est prêt, annonça-t-elle sur un ton qui se voulait affable.

Gino insista pour dîner dans la cuisine. Lucky et Costa approuvèrent immédiatement et Susan se rendit à l'avis de la majorité. On grignota du *chile* en évoquant joyeusement un passé auquel Susan n'avait pas accès, qui de toute façon ne l'intéressait pas et à propos duquel elle posa des questions sottes et affectées que l'on n'entendit pas. Au moment du dessert, Lucky n'eut plus qu'une idée, se débarrasser au plus vite de cette présence malveillante et glacée.

Gino lui tendit une perche, sans le savoir.

— Et ma surprise, au fait ? lança-t-il en riant.

— Pour la voir, il faut que tu viennes à l'hôtel, répondit-elle, mystérieuse.

— O.K., allons-y, décida-t-il.

On se leva de table et Susan proposa de les accompagner.

— Pas la peine, l'arrêta Gino, je reviens tout de suite.

Sur le chemin du *Beverly Hills Hotel*, Lucky eut soudain conscience de l'énormité de ce qu'elle était en train de faire. Elle n'avait même pas dit à Gino qu'elle était mariée.

Ils se garèrent au parking de l'hôtel puis se dirigèrent vers son bungalow.

On alluma toutes les lumières, on s'installa.

— Et alors, où est ma surprise ? demanda Gino en cherchant un indice des yeux.

— Je vais la chercher, dit Lucky.

Sur quoi elle disparut dans la chambre attenante, que Roberto partageait avec Cee Cee.

Il était là, endormi sur le ventre dans son petit lit. Elle se pencha vers lui, attendrie. Elle l'aimait tellement ! Comme il était beau !

Elle le sortit délicatement de son lit, le tint contre elle en lui murmurant des petits mots doux. Elle enfouit son nez dans son cou. Il sentait bon le bébé.

Roberto cligna des yeux sans se réveiller tout à fait. Elle lui caressa le front et lui dit :

— Allez, on y va maintenant. Et j'espère qu'on va faire bonne impression.

44

L'espace d'un dixième de seconde, le temps d'un éclair, leurs yeux se croisèrent. Eden tourna la tête vers son voisin pour lui demander du feu. Délicatement, elle saisit son verre, se comportant comme si elle ne l'avait pas vu, comme s'il n'existait pas. Lennie sentit une vague de haine l'envahir comme une montée d'adrénaline. L'attitude d'Eden l'excita. Il fit des merveilles, comme porté par une force nouvelle. Le public le rappela trois fois. Ce fut un triomphe. Lennie était désormais une vraie star.

Dans sa loge, on se bousculait. Il demanda à Jess de virer tout le monde.

— J'ai vu Eden dans la salle, dit-il. Débrouille-toi pour savoir avec qui elle est.

Vitos Felicidade abreuvait les midinettes de sa voix plaintive et sirupeuse. Il avait l'air de souffrir en ressassant des thèmes éternels qui marchaient toujours : l'amour malheureux, la passion sous toutes ses coutures, et les nuits d'été pleines d'étoiles. Olympia regardait tout cela d'un œil froid. Vitos était aussi mou sur scène qu'au lit. En revanche, Lennie Machin, l'artiste précédent, devait être un sacré coup. Il lui rappelait Flash. Il avait ce magnétisme particulier, ce regard aiguisé des hommes nés dans la zone. Le pauvre Vitos ne faisait pas le poids et elle se demanda si elle pourrait supporter une demi-heure supplémentaire de ses mélodies sans nerf.

Dans sa loge, Lennie n'eut droit qu'à un bref répit. Il lui fallut de nouveau affronter les journalistes et leurs sempiternelles questions sans imagination. Puis Jess revint, ce qui lui fit congédier les derniers scribouillards.

— Alors ? demanda-t-il, fébrile.

— Ça schlingue.

— C'est-à-dire ?

— Eden est ici avec trois truands.

— Comment tu le sais ?

— C'est Matt qui me l'a dit. Il connaît tout le monde, et ceux-là, crois-moi, ce sont des vrais, des puissants. Alors, Lennie, promets-moi de ne pas t'en mêler.

Il promit, mais elle ne se sentit pas rassurée pour autant.

— Alors, qu'est-ce que tu en penses du maquereau espagnol ? demanda Santino. Ryder voudrait l'engager pour le film.

— Bof... Je ne le trouve pas terrible, commenta Eden.

Santino sourit. « L'affaire est dans le sac », se dit l'actrice en herbe. Si elle avait fait l'erreur de montrer un quelconque intérêt pour le chanteur, Santino l'aurait rayé d'emblée. A présent, c'était certain, elle aurait Vitos pour partenaire. Le beau Vitos... Elle tenait enfin l'occasion de s'envoyer en l'air.

La grande soirée en l'honneur de Lennie et de Vitos venait de commencer. Matt arriva une fois encore avec une nouvelle fiancée. C'était une ex-danseuse d'une quarantaine d'années encore très belle. Elle mesurait au moins un mètre quatre-vingts.

Jess les vit s'approcher et tourna les talons. La fille était souriante, élégante, rayonnante, et grande.

« Il n'a pas perdu ses bonnes habitudes, à ce que je vois ! se dit Jess. Mais pourquoi n'aime-t-il que les grandes, cet imbécile ! »

45

L'espace de quelques secondes, Gino resta muet. Il regardait Lucky et le bébé, complètement médusé. Puis il se tourna vers Costa, dans l'attente d'une explication. Ce dernier se racla la gorge mais ne souffla mot.

— Je te présente Roberto, dit Lucky, très fière. C'est ton petit-fils.

Encore un moment de silence.

— Eh ben, lâcha Gino, pour une surprise, c'est une surprise ! Qu'est-ce qui s'est passé, tu as adopté un enfant ?

— Mais non ! protesta-t-elle, indignée. C'est Roberto, « mon » bébé, ma chair et mon sang !

Gino se tourna de nouveau vers Costa, de plus en plus interloqué. Costa se leva, un rien gêné.

— Il est tard, dit-il, je vais vous laisser. Je te téléphone demain, Gino.

Puis il sortit.

— Euh..., commença Gino d'une voix mal assurée, je pourrais peut-être le prendre...

Il tendit deux bras un peu raides, sur lesquels Lucky posa Roberto.

— Ça fait un bon bout de temps que je n'ai pas pris un enfant dans mes bras, avoua Gino, un peu sonné.

Il regarda Roberto comme s'il s'agissait d'un extra-terrestre.

— Tu veux que je te dise ? fit Lucky, en se penchant vers son père pour l'embrasser. Je t'aime vraiment beaucoup, Gino.

— Moi aussi, Lucky, je t'aime profondément. Je ne te l'ai peut-être pas souvent montré, mais tu sais, quand ta mère a été tuée, je...

Le téléphone sonna, l'interrompant brusquement.

Lucky en aurait pleuré. C'était la première fois qu'il lui parlait du meurtre de sa mère. Elle décrocha, la mort dans l'âme.

— Oui, dit-elle d'une voix lasse.

C'était Susan.

— Je suis désolée de vous déranger, dit-elle, mais est-ce que Gino est toujours là ?

Lucky colla sa paume sur l'appareil.

— C'est ton ange gardien, annonça-t-elle méprisante.

Gino poussa un soupir, se leva et lui rendit Roberto. Elle prit le bébé sans dire un mot et disparut dans la chambre voisine. Quand elle revint après avoir recouché son fils, Gino avait déjà raccroché.

— Je dois rentrer, soupira-t-il.

— Comme tu veux, capitula Lucky.

— Qu'est-ce que tu dirais d'un petit déjeuner en tête à tête, demain ? On pourrait parler...

Elle acquiesça, mais elle savait déjà que ce ne serait plus pareil.

— Bonne nuit, Lucky, dit Gino, assez ému.

— Bonne nuit, Gino.

Elle se laissa tomber dans un fauteuil, et gambergea un bon quart d'heure dans le noir. Puis elle saisit le téléphone et composa le numéro de son père.

Ce fut lui qui répondit. Il avait l'air exténué.

— Qu'est-ce qu'il y a ?

— Juste un post-scriptum. Je suis mariée, tu sais...

— Ah ?

— C'est tout ce que tu as à me dire ?

— Et ton mari, où il est ?

— En voyage. C'est un homme d'affaires.

Elle fit une pause avant de poursuivre.

— Je pense que tu devrais te souvenir de lui.

— Je le connais ?

— Oui : c'est Dimitri. Dimitri Stanislopoulos. Le père d'Olympia.

46

La fête battait son plein. Ça fourmillait de mondains habillés en pingouins, de jolies filles sexy, de photographes, de journalistes, de cameramen des différentes chaînes de télé. Il y avait aussi un somptueux buffet où se côtoyaient un grand nombre de célébrités de tous horizons.

Vitos et Lennie avaient chacun leur cour, leurs amis, leur clan.

Lennie se retrouva très vite entouré d'un maximum d'admiratrices plus ou moins passionnantes. Mais depuis qu'il avait localisé Eden assise en compagnie de trois affreux qui avaient l'air tout droit sortis du *Parrain*, il trouvait ça très bien.

Vitos se déplaçait d'un coin à l'autre avec un wagon de beautés frémissantes à ses basques, dont la copine de Matt, qui semblait carrément hypnotisée.

Jess scrutait l'assemblée, à la recherche de quelqu'un avec qui s'amuser. La solitude de la femme d'action commençait sérieusement à lui peser.

En tant que grand organisateur des festivités, Matt était également très sollicité. Il fut donc plutôt soulagé de voir sa copine déserter. En revanche, il s'assombrit quand il vit Jess en grande conversation avec le pianiste de Vitos. Il se demanda ce qu'elle pouvait bien lui raconter. Il rongea son frein dix minutes, puis, n'y tenant plus, il fondit sur elle, tel l'aigle sur sa proie.

— Il faut qu'on parle affaires, déclara-t-il, autoritaire.

— Qu'on parle quoi ? dit-elle, alors qu'il l'entraînait déjà vers le bar.

— Lennie a fait un tabac ce soir, et je veux le réengager l'année prochaine.

— Ça pouvait attendre demain, non ?

— Non.

— Mais enfin Matt, je...

— Est-ce que vous couchez avec Lennie ? lâcha-t-il, tout à coup.

Jess sursauta.

— Ça ne vous regarde pas, répondit-elle.

Puis elle fit volte-face et le planta là.

Olympia arriva à point nommé pour le sortir de ses sombres pensées. Elle voulait rencontrer Lennie. Matt lui arrangea le coup avec une grande diplomatie.

— Vous êtes vraiment génial ! lança l'héritière à Lennie dès qu'elle se retrouva face à lui. Il faut absolument que je regarde votre show à la télé. Il paraît que c'est le meilleur de l'année.

Lennie gratifia Olympia d'un sourire poli. Il se préparait déjà à lui fausser compagnie lorsqu'il remarqua qu'Eden le fixait, l'air mauvais. Il la connaissait suffisamment pour savoir qu'à cet instant, elle était folle de jalousie. Aussi modifia-t-il aussitôt ses plans.

— Vous dansez ? demanda-t-il à Olympia, soudain charmeur.

Celle-ci acquiesça. « Elle a de beaux seins et une belle bouche, se dit Lennie. Dommage qu'elle pèse quinze kilos de trop. »

Un quart d'heure plus tard, Olympia et Lennie étaient assis en tête à tête, plongés dans une discussion apparemment passionnante. Jess avait retrouvé son pianiste et, le champagne aidant, elle se dit qu'il avait décidément de très belles mains...

Matt regardait se nouer ces complicités et enrageait. Sûr que Jess se jetait dans les bras du musicien parce que Lennie draguait l'héritière hystérique, pensait-il.

Lennie ne faisait plus aucun effort de séduction. Il écoutait Olympia raconter sa vie. « Pauvre petite fille riche », pensa-t-il. Elle avait entrepris de lui raconter sa vie, et il commençait à la prendre en pitié. Personne ne l'avait jamais aimée pour elle-même, c'était certain. Cette prétendue collectionneuse de maris et d'amants n'était qu'une jeune femme malheureuse et insécurisée, qui aurait été ravissante avec quelques kilos de moins.

Eden les regardait toujours.

— Et si on partait d'ici ? suggéra Olympia. J'ai envie d'être seule avec vous. Vous me plaisez beaucoup, ajouta-t-elle.

Lennie eut un instant d'hésitation avant de réagir.

— Je croyais que vous étiez avec Vitos, dit-il.

L'héritière haussa les épaules.

— Vitos n'est pas un homme, mais une marionnette, lâcha-t-elle.

Eden n'en perdait pas une miette.

Quelle délicieuse revanche que de sortir au bras d'Olympia Stanislopoulos alors qu'Eden était prisonnière de son gangster de fiancé...

Il se leva.

— Allons-y, dit-il, sur un ton décidé. Je vous offre un dernier verre chez moi.

47

Au petit jour, Lucky décida brusquement de quitter L.A. sur-le-champ et réserva aussitôt trois places dans le premier avion en partance pour New York. Elle envoya un télégramme à Gino pour l'avertir de son départ, qu'elle justifia en prétendant que Dimitri venait de rentrer à l'improviste et qu'il l'attendait à New York.

Confortablement installée en première classe d'un 747, elle prenait son petit déjeuner en se demandant ce que Gino pouvait bien faire à cet instant précis...

— Tu veux encore un toast ? demanda Susan avec son amabilité mécanique.

— Fous-moi la paix ! cria Gino.

Le télégramme de Lucky venait d'arriver et il ne s'en remettait pas. Pourquoi le fuyait-elle ainsi ? Et pourquoi avait-elle épousé Dimitri ? Dimitri avait l'âge d'être son grand-père ! Si Gino avait eu son mot à dire...

Il se sentit coupable, tout à coup. Coupable d'être parti chez Susan, coupable de s'être englué dans cette vie sédentaire qui lui répugnait désormais, coupable de ne pas avoir écouté Lucky quand elle lui avait dit que ce mariage était une folie... Sa place était à Las Vegas, et pas ici, dans cet immobilisme, ce cocon doré et sénilisant.

Lucky venait d'arriver à New York avec son fils. Elle détesta tout de suite l'appartement de Dimitri. Elle se sentait oppressée au milieu de toutes ces antiquités, ces meubles de style redondants, ces tableaux aux cadres dorés.

Dimitri, qui devait arriver le lendemain, lui téléphona de Paris.

— Comment va Roberto ? furent ses premiers mots.

— Tout à fait bien. Mais il veut une nouvelle chambre.

— Comment ?

— Ton appartement est déprimant. Plus je le regarde, et plus j'ai envie de tout changer...

Dimitri se raidit. C'était Francesca Fern qui avait imaginé ce décor, à l'époque où elle avait décidé de quitter son mari pour venir s'installer chez lui. Finalement, elle avait changé d'avis au moment d'emménager. Le décor n'avait pas bougé depuis.

— C'est tellement vieillot et chargé ! plaida Lucky.

— On verra ça plus tard.

— Tu plaisantes ! C'est complètement étouffant, et je vais tout transformer.

Elle raccrocha sur ces mots. Il y avait des moments où Dimitri se demandait s'il avait bien fait de l'épouser. Elle était volontaire et bohème, tout à fait le genre qu'il ne savait pas manier.

Presque aussitôt, le téléphone sonna. C'était Francesca.

— J'ai eu comme une intuition. Je me suis dit que tu devais être à Paris..., dit-elle d'une voix chaude.

Depuis combien de temps ne l'avait-il pas revue ? Un an, un peu moins, un peu plus ? Il avait toujours adoré faire l'amour avec elle, alors pourquoi s'en priver, puisqu'elle le relançait ?

— J'avais pensé qu'on pourrait se voir ce soir, ajouta-t-elle.

— D'accord. J'en serais ravi...

— Tu m'as manqué, souffla-t-elle avant de raccrocher.

48

Fred Lester, l'éditeur, téléphona plusieurs fois à Carrie. Il voulait l'emmener déjeuner pour discuter du livre qu'elle était censée écrire. De guerre lasse, elle accepta. Le destin l'avait entraînée jusqu'à lui. Alors pourquoi ne pas en tirer parti ?

Très vite, il en vint au fait.

— J'ai pour vous le nègre idéal ! annonça-t-il. C'est une femme. Elle s'appelle Ann Robbs et elle a déjà écrit deux best-sellers.

Il cita les noms de deux stars du petit écran qui avaient déjà bénéficié de son talent.

— Ils ont pourtant signé leur livre ! s'exclama Carrie, naïve.

— Évidemment ! Ça se vend mieux ainsi ! Mais ils n'avaient pas le temps d'écrire. De toute façon, ce ne sont pas des écrivains. Ne vous méprenez pas, Carrie, je ne veux surtout pas vous influencer. Si vous vous sentez capable d'écrire vous-même, aucun problème. Mais j'avais pensé que, pour une première fois, ce serait plus simple de tout raconter à Ann, dans le désordre, comme ça vous vient. Elle enregistre pendant une semaine, elle arrange tout ça, et le tour est joué. Qu'en pensez-vous ?

Carrie fut bien obligée d'admettre que ce n'était pas une mauvaise idée.

De retour chez elle, elle fut incapable de tenir en place. Elle avait hâte de commencer ce travail, de se sentir active. Les événements de ces derniers mois l'avaient profondément ébranlée, et elle avait besoin d'une occupation positive. Elle se disait que Fred Lester était vraiment l'homme providentiel, quand le téléphone sonna.

— Allô ! C'est Steven.

— Ça va ?

— Non. J'ai écumé tous les Lester. Je n'ai rien trouvé.

— Alors ?

— Alors on part pour Los Angeles demain !

— Pour quoi faire ?

— Pour rendre une petite visite à Gino Santangelo...

49

Lennie Golden et Olympia Stanislopoulos tombèrent dans les bras l'un de l'autre pour de mauvaises raisons.

Après avoir vidé deux bouteilles de champagne et fumé une demi-douzaine de pétards, ils passèrent aux choses sérieuses. Olympia ferma les yeux et pensa à Flash. Lennie pensa à Eden. Il en résulta une fantastique séance de baise et une rencontre au sommet.

Le hasch et l'alcool aidant, cette expérience les laissa curieusement béats.

— Et si on faisait un truc vraiment fou ? proposa Olympia.

— Tu n'as pas l'impression que c'est ce qu'on vient de faire ? répondit Lennie.

— Mais non ! Je veux dire quelque chose de vraiment insensé.

— Comme quoi, par exemple ? demanda Lennie, à la fois intrigué et excité.

— On pourrait se marier !

— Mais je...

— Et pourquoi pas ?

— Mais c'est que j'ai jamais pensé à me marier...

— Réfléchis, Lennie. Si on se marie, on fait la une des journaux. Je ne suis pas exactement n'importe qui.

Lennie se mit à considérer cette offre absurde. S'il épousait l'une des femmes les plus riches du monde, Eden ne s'en remettrait jamais ! Pouvait-il imaginer une plus belle revanche ?

Et puis, qu'avait-il à perdre ? Un appartement tristounet, des nuits de biture interminables, des histoires sans lendemain...

Ils se marièrent à cinq heures du matin dans l'une de ces chapelles colorées qu'on trouve à Las Vegas à tous les coins de rue.

50

— Je ne peux pas croire que tu as fait ça ! hurla Jess. Tu es devenu fou, ou quoi ?

— Je crois que tu oublies les félicitations ! rétorqua Lennie, sans se démonter.

— Les félicitations ? Tu es en passe de devenir le comique numéro un aux États-Unis, tu viens de faire un triomphe ici, et tu ne trouves rien de mieux que d'épouser une nympho milliardaire à qui je ne donne pas trois mois pour tomber amoureuse de Mick Jagger ! Mais pourquoi tu ne t'es pas contenté de la baiser ?

— Jess, l'interrompit-il calmement, tu voudrais bien me fiche la paix ?

Son amie eut un sourire pincé et commença à déambuler en silence dans la pièce, tout agressivité rentrée. C'est alors qu'elle écrasa un bout de papier. Elle se baissa pour le ramasser. C'était un certificat de mariage dûment estampillé. Elle soupira. Ce Lennie ! Si génial, si malin, si doué ! Pourquoi tombait-il toujours dans le panneau dès qu'il s'agissait des nanas ?

Olympia ne dormit pas. Elle avala deux comprimés, ce qui était encore le meilleur moyen d'affronter une journée à peu près lucidement après une nuit de défonce.

Elle prit un bain, s'habilla, puis se sentit prête à l'action. Elle téléphona tout d'abord à son avocat avant d'annoncer son mariage à l'attaché de presse du *Magiriano*. Enfin, avec ce sens des convenances qui la caractérisait, elle appela Vitos. On lui répondit que Mr Felicidade ne prendrait aucune communication avant midi. Qu'il dorme, pensa-t-elle, il ne sera pas déçu à son réveil...

Vitos se réveilla au son de sa propre voix. Il adorait ça. Une bande enregistrée de ses — propres — tubes favoris le tirait tous les matins en douceur des bras de Morphée. Il flotta cinq minutes dans un demi-sommeil, puis il s'étira, se leva, fit quelques mouvements de gymnastique, se rasa, enduit ses cheveux de brillantine et commanda son petit déjeuner. Ces lourdes tâches accomplies, il sonna son manager.

Cinq minutes plus tard, il buvait son thé à petites gorgées pendant que son manager arpentait la pièce nerveusement.

— Ah ! Ces Américaines, ce qu'elles m'aiment ! lâcha le chanteur, content de lui.

L'autre n'eut pas le courage d'acquiescer. Il se demandait comment lui annoncer la nouvelle, qui s'était déjà répandue dans tout l'hôtel.

— C'est tellement difficile de chanter l'amour et de plaire à tout le monde..., dit Vitos, songeur.

— A propos, où est donc Olympia ? demanda le manager.

— Elle ne va pas tarder, répondit Vitos. Tu sais, j'ai finalement décidé de l'épouser.

— Ah ? murmura le manager.

— Alors, qu'en dis-tu ? demanda Vitos, tout en se mirant dans la glace d'un air satisfait.

— Je ne suis pas certain que ce soit une très bonne idée.

— Mais enfin, qu'est-ce qui te prend ? dit Vitos, éberlué.

— Écoute, Vitos, je vais t'expliquer...

— Bonjour ! dit Olympia en pénétrant dans la salle de bains. Comment ça va, ce matin ?

Lennie jeta un coup d'œil à sa femme, qu'il trouva étrangement fraîche et resplendissante après cette nuit d'excès.

— J'ai l'impression d'avoir cent ans, soupira Lennie. Alors, on s'est vraiment mariés ? Je n'ai pas rêvé ? dit-il d'un air las.

Elle attrapa une large serviette blanche, dont elle lui ceignit la taille.

— Ouais, on l'a fait ! Tu ne regrettes pas, au moins ? demanda-t-elle en ouvrant de grands yeux faussement implorants.

— Pfu... Je n'en sais rien..., marmonna Lennie.

Il ajusta la serviette sur ses hanches et tenta d'envisager la situation avec lucidité. Il était dans un grand hôtel de Las Vegas avec l'une des femmes les plus riches du monde. Une femme qu'il connaissait à peine, qu'il n'aimait pas, et qu'il avait épousée la nuit dernière. É-pou-sée.

— Écoute, commença-t-il, il faut qu'on parle sérieusement. J'étais complètement raide la nuit dernière. Je veux dire, vraiment plus là du tout. Tu comprends ? On a fait une connerie, je suppose que tu es d'accord. Alors maintenant, il faut voir comment on va arranger tout ça.

La bonne humeur d'Olympia le rassurait. Elle serait forcément d'accord avec lui.

— La réception est prévue pour trois heures, cet après-midi, annonça gaiement Olympia, comme si elle n'avait rien entendu. Il y aura des tas de photographes et un énorme gâteau ! ajouta-t-elle. C'est surtout pour Brigette que je fais tout ça ! Ma fille est adorable ! Je suis sûre que tu...

— Je ne savais pas que tu avais un enfant, l'interrompit Lennie.

— Oh ! Mais il y a tellement de choses que tu ne sais pas ! Si tu savais à quel point j'étais malheureuse avant de te rencontrer. Tu ne peux pas imaginer.

Lennie se demanda si elle jouait la comédie. Un peu, sans doute, mais pas tant que ça. Comment lui dire à présent que ce mariage n'était qu'une regrettable erreur ? Il avait épousé cette femme qui lui était totalement étrangère, et il n'y avait plus rien à y faire.

51

Le vrai bonheur, c'était l'action. Lucky laissa Roberto à New York avec Cee Cee et s'envola pour Atlantic City, légère et ravie.

Malheureusement, les terrains qu'elle avait failli acheter deux ans plus tôt avec Gino étaient vendus depuis longtemps. Elle en trouva d'autres, mais ils étaient hors de prix. Elle décida néanmoins d'investir. Si seulement Gino avait marché avec elle, à l'époque... Mais au diable le passé, elle allait construire le plus bel hôtel de cette planète ! Et elle l'appellerait le *Santangelo*.

Dimitri avait invité Susan et Gino à participer à sa croisière d'été.

Susan avait sauté de joie. Gino avait râlé et décrété qu'ils n'iraient pas tant que Lucky n'aurait pas elle-même confirmé cette invitation. Ils se disputèrent pendant deux jours à ce sujet. Finalement, Gino capitula.

— Tu as gagné, dit-il, nous irons. J'ai envie de voir mon petit-fils, et comme il doit passer l'été là-bas...

— Bien, mon chéri, répondit Susan avec un sourire ravi.

Puis elle sortit aussitôt dépenser quelques milliers de dollars pour l'occasion.

Gino soupira. Il constatait, une fois encore, que la douce colombe qu'il avait épousée s'était transformée en un affreux oiseau de proie. Elle l'avait pris pour un pigeon. Lucky avait raison. Mais que faire à présent ?

— Allô ! Papa ? C'est Olympia !

— Où étais-tu encore passée ? demanda Dimitri sur un ton réprobateur.

— Écoute ! Je ne suis plus une petite fille, et...

— Tu es une Stanislopoulos ! Et tu risques à tout instant de te faire kidnapper. Surtout surveille ta fille et ne me laisse plus jamais sans nouvelles de vous !

— Papa, j'ai quelque chose à t'annoncer.

— Je t'écoute.

— Je me suis remariée.

— Tu... tu... quoi ?

— Hier soir.

— Mais tu es complètement folle ! Que tu vives avec ce rocker, passe encore, mais tu n'avais pas besoin de l'épouser !

— Ce n'est pas lui que j'ai épousé.

— Ah ? Alors qui ?

— Achète *People*, regarde bien la couverture, et tu verras !

Puis elle raccrocha, espiègle comme un enfant qui vient de faire une petite farce sans conséquences.

Lucky rentra d'Atlantic City complètement euphorique. Dimitri venait juste de terminer un dîner en solitaire et n'était pas particulièrement de bonne humeur.

— C'est génial ! annonça-t-elle. J'ai trouvé l'endroit i-dé-al ! Il faut que tu préviennes immédiatement tes avocats !

— Hé ! Doucement, s'il te plaît ! J'ai passé une journée épouvantable. On verra ça plus tard.

— Comment ça, plus tard ? Allez, viens vite, on va fêter ça. Ça m'excite toujours de conclure une affaire ! dit-elle en se pressant contre lui.

L'armateur la repoussa, agacé.

— Cesse de te conduire comme une traînée !

Lucky sursauta. Dimitri ne lui avait jamais parlé sur ce ton.

— Dis donc, mec, où tu te crois ? lâcha-t-elle, provocante.

Il la gifla. Lucky resta un instant pétrifiée, puis elle lui sauta dessus et le griffa. Jusqu'au sang. Après quoi elle courut s'enfermer dans sa chambre et se jeta sur son lit, en proie à une grande agitation. C'était la première fois, depuis deux ans, que Dimitri se montrait violent. C'était la première fois qu'un homme osait la frapper sans raison, et cet homme, c'était son mari...

52

Tout bien considéré, Vitos Felicidade aurait pu prendre la chose plus mal. On le vit sourire pendant la réception organisée en l'honneur du mariage de son ex-future femme. Si Vitos n'avait pas perdu la face, il se sentit néanmoins très déprimé dès qu'il se retrouva seul. Olympia avait-elle deviné, sous la superstar, le petit homme ordinaire et mal dans sa peau ? Il s'efforça de penser à autre chose, sans succès.

Jess fut incapable de faire bonne figure et Matt s'efforça de la raisonner.

— Il n'y a plus rien à faire, dit-il. Alors, autant en prendre son parti plutôt que de bouder.

Elle approuva, mais le cœur n'y était pas.

Quant à Eden, elle reçut la nouvelle comme une grande claque. Elle qui avait toujours voulu un battant, un vainqueur ! Elle eut une vision soudaine de ce petit gorille de Santino en caleçon à fleurs et, cette fois, elle fut certaine d'avoir fait un mauvais choix.

— Tu pues ! clama Brigette.

— Tu plaisantes, répondit Lennie. Je viens de prendre une douche !

— J'ai dit tu pues ! répéta l'odieuse gamine.

— C'est ton refrain favori, hein ? lança Lennie.

— Je te déteste ! cria la petite fille.

— Eh bien, tant pis. Je ne peux pas plaire à tout le monde ! lâcha Lennie.

Brigette le regarda, bouche bée. Mais qu'est-ce qui lui prenait, à celui-là ? Généralement, quand elle leur disait qu'ils puaient, ils la dévisageaient d'un air mauvais, tournaient les talons, et lui fichaient définitivement la paix. C'était bien la première fois que sa mère ne ramenait pas un con à la maison.

53

Lucky détestait les compromis. Elle n'avait nullement l'intention d'attendre que Dimitri vienne s'excuser. Aussi fit-elle ses bagages dès le lendemain de la dispute et partit aussitôt pour East Hampton avec Cee Cee et Roberto. De là-bas elle téléphona aux avocats de Dimitri pour leur donner ses instructions à propos de l'achat des terrains à Atlantic City, puis elle appela ses propres avocats pour qu'ils s'assurent que ses ordres étaient bien exécutés. Dimitri avait signé un document tout à fait légal en sa faveur. Quoi qu'il arrive, la construction de l'hôtel suivrait son cours.

Pendant trois jours, Dimitri ne donna aucune nouvelle. Lucky était devenue très pessimiste quant à l'avenir de leur mariage. Il y avait une telle différence d'âge entre eux que rien ne pourrait jamais la gommer. Son attitude machiste de l'autre jour était inadmissible. Il n'y avait plus de dialogue possible.

Lucky agitait ces sombres pensées, quand l'armateur apparut sur le perron de la maison. Il disparaissait presque entièrement sous une brassée de roses rouges, et un petit sac de chez Tiffany se balançait au bout de son bras droit. Lucky ouvrit le cadeau sans dire un mot. C'était un tour de cou en diamants, avec un gros cœur en diamant au centre. Dimitri le lui passa en lui effleurant la nuque de ses doigts délicats. Puis il s'excusa. Lucky savait que cela représentait pour lui un effort surhumain. Il l'embrassa chastement sur la joue et l'entraîna vers le jardin. Il lui promit solennellement de ne plus jamais porter la main sur elle. Il ne parvint pas à la convaincre de sa bonne foi, mais elle décida de lui laisser encore une chance.

Il lui apprit ensuite que Susan et Gino avaient finalement accepté de les rejoindre pour la croisière d'été.

— C'est formidable, non ? exulta Dimitri.

— Euh... Oui, oui, c'est super...

Cette nouvelle la laissa curieusement atterrée. Elle adorait son père mais la perspective de se retrouver en bateau, lieu clos sans échappatoire possible, ne lui agréait pas vraiment. Et puis il y aurait Susan, et Francesca Fern. Et Olympia. Et le mari d'Olympia... Mais au fait, qui avait-elle épousé cette fois ?

Gino s'étira, ravi. Il venait de quitter Paige Wheeler, qui était comme toujours partie sur les chapeaux de roues. Il constata, ce matin encore, que les meilleurs moments de cette vie de légume, c'était avec elle qu'il les passait. Elle le faisait bander comme un fou. Elle était vraiment hypersensuelle et pas inhibée pour un sou, mais elle était surtout très gaie et pleine d'esprit. Il lui avait tout raconté à propos de Lucky et de son mariage avec Dimitri, il lui avait même avoué qu'il était grand-père, et elle avait ri ! Elle allait lui manquer, pendant cette croisière...

Paige arriva à son rendez-vous avec près d'une heure de retard. Susan en était à son quatrième Martini et montrait de nombreux signes d'agacement.

— Je pensais que tu ne viendrais plus, avoua-t-elle à son amie.

— Tu sais bien que je suis toujours en retard ! répliqua Paige, très à l'aise.

Elle sentait le musc et l'amour, et Susan le remarqua. Dire qu'il y avait deux mois qu'elles n'avaient plus fait l'amour ensemble. Paige jouait les insaisissables, et Susan commençait à se demander si elle n'avait pas quelqu'un d'autre dans sa vie.

— Écoute, commença Susan à voix basse, ça va faire deux mois qu'on ne s'est pas... revues et je... je n'en peux plus.

— Il faut que je te dise, Susan. Ryder n'a jamais été un homme facile à vivre, et...

— Parce que tu crois que Gino est facile ! s'exclama Susan. Il est vulgaire, exigeant au lit, il est...

— Susan, l'interrompit Paige qui n'avait aucune envie de l'entendre se plaindre de Gino (elle avait décidé de laisser tomber tous ses amants pour lui, tellement il lui plaisait), Ryder est en train de changer ces temps-ci. Je veux dire, en bien. Et j'ai décidé de donner une nouvelle chance à mon mariage.

— Quoi ? fit Susan d'une petite voix qui se cassa dans un sanglot. Et nous, alors ?

— Restons-en là pour le moment, et nous verrons bien comment ça se passera, répondit Paige, gentille mais ferme.

54

Lucky avait l'intention de ne porter que des tenues décontractées sur le bateau, mais Dimitri lui apprit que, sur son yacht, on s'habillait pour dîner.

— Non ! Je ne te crois pas !

— C'est la tradition, répliqua l'armateur, un peu sèchement.

— Quelle tradition ? demanda Lucky.

— La mienne.

La jeune femme observa son visage, espérant y voir quelque trace d'humour. Il n'y en avait pas. Elle se rendit compte qu'elle ne le connaissait pas vraiment. Ils avaient jusqu'alors vécu ensemble par intermittence, et toujours dans des conditions idéales. Mais la lune de miel était bel et bien terminée. Un nouveau Dimitri, le vrai Dimitri, se révélait enfin, et elle n'était pas du tout certaine qu'elle le supporterait longtemps. La gifle n'avait été qu'un signe avant-coureur, révélateur d'une espèce de morale machiste rétrograde, d'un code de valeurs périmées, d'une attitude foncièrement réactionnaire. Lucky comprit brusquement qu'elle n'aurait jamais dû l'épouser.

L'affaire d'Atlantic City était en bonne voie, ce qui était après tout une bonne raison de prendre son mal en patience. Lucky se laissa donc conduire sans broncher dans le sud de la France. Cette année, on sillonnerait la Côte d'Azur, ainsi en avait décidé Dimitri.

Ils voyagèrent en Concorde de New York à Paris. Puis un avion privé les conduisit à l'aéroport de Nice, où une Rolls les attendait pour les mener à bord du bateau *Le Grec*, le yacht de Dimitri.

Roberto supporta très bien le voyage. C'était un enfant facile, heureux de vivre et que rien ne semblait jamais contrarier. Il adorait Cee Cee, et Lucky était ravie d'avoir insisté pour l'engager.

Elle l'avait rencontrée dans un *fast food* où elle était caissière. Quand Cee Cee avait vu ce ventre si rond et cette future maman si radieuse, elle n'avait pu s'empêcher de s'écrier :

— Comme vous avez de la chance ! J'ai six petits frères et sœurs en Jamaïque, et ils me manquent tellement. Vous allez voir, c'est formidable, un bébé !

Dix minutes plus tard, elles sortaient ensemble du restaurant. Cee Cee venait de trouver un nouvel emploi.

Dimitri n'avait pas supporté qu'on lui imposât cette jeune Noire, et il avait tout fait pour dissuader Lucky de la garder. Il avait sans doute rêvé d'une nounou anglaise austère et réservée pour veiller sur son fils. Mais Lucky avait tenu bon. Elle se fiait toujours à son instinct, et, une fois de plus, il ne l'avait pas trompée. Cee Cee était une perle, et elle défendrait Roberto contre le monde entier.

Le luxe déployé à bord du *Grec* dépassait tout ce que Lucky avait pu imaginer. On ne comptait plus les ponts en chêne poli, les salons aux fauteuils profonds. Il y avait même une salle de projection tendue de soie noire et une piscine en mosaïque blanche et dorée.

Le capitaine — un Anglais à la jovialité forcée — les escorta jusqu'à leurs quartiers. Lucky s'y sentit tout de suite mal à l'aise. C'était froid, sombre et sévère. Du marbre noir dans la salle de bains, des fauteuils de cuir noir, des tables basses aux pieds d'acier chromé.

— Alors, qu'en penses-tu ? demanda Dimitri, sûr de son effet.

— C'est un peu froid, commenta-t-elle.

— Ah ?...

— Et puis où sont les livres, où sont les disques ? Tu n'écoutes donc jamais de musique à bord de ton yacht ?

— Euh... Quelle musique ?

Lucky se demanda comment on pouvait « oublier » d'installer une chaîne stéréo dans une chambre qui se voulait parfaite. Elle qui ne pouvait vivre sans musique...

La chambre de Roberto, prévue à l'origine pour Brigette, était heureusement beaucoup plus gaie. On avait peint un ciel au plafond, la baignoire était jaune soleil, il y avait des animaux en peluche partout. La chambre de Cee Cee était blanc et bleu. Lucky promit de passer la majeure partie de son temps ici, plutôt que dans l'austère sanctuaire de Dimitri.

Lennie découvrit que le fait d'être marié présentait certains avantages. La fin des histoires sans lendemain en était un.

Certes, il ne se leurrait pas. Il savait fort bien qu'il n'était pas fou amoureux d'Olympia — et réciproquement. Mais puisqu'il s'était marié, autant que les choses se passent le mieux possible. Lennie était décidé à donner le meilleur de lui-même pour que ça marche.

Il relégua Eden au fin fond de son esprit.

Quant à Olympia, elle était plutôt satisfaite de son nouveau mari. Il n'avait rien de comparable avec les trois autres. Il était plus fin, plus sexy, et beaucoup plus désintéressé qu'eux. Il était évident qu'il n'attachait aucune importance à l'argent. Il réglait volontiers les factures de sa femme, ce qui ne laissait pas d'étonner celle-ci.

Il avait des yeux électriques, une bouche fantastique.

Lennie était quelqu'un de rare.

Olympia décida d'oublier Flash pour quelque temps.

55

Lucky se sentait à l'aise dans cette situation d'observateur forcé qu'elle avait adoptée dès le premier jour. Elle n'avait nullement l'intention de se mêler aux agapes de ces mondains alcooliques et hystériques.

En réalité, cette attitude n'était pas nouvelle pour elle. Elle avait pris l'habitude d'observer les gens pendant les quatre longues années de son mariage avec l'ennuyeux Craven Richmond.

A présent, elle était Mrs Stanislopoulos, et elle se demandait parfois si ce second mariage valait vraiment mieux que le premier. Peut-être, tout simplement, le mariage n'était-il pas fait pour elle. Elle rêvait chaque jour un peu plus de liberté, de solitude, d'indépendance... et chaque jour Dimitri se montrait un peu plus insupportable que la veille, et un peu moins que le lendemain. Il était arrogant et se conduisait avec ses domestiques comme un tyran. Et lui qui avait été le meilleur des amants, il semblait avoir perdu tout intérêt pour le sexe depuis qu'il était marié.

Francesca Fern arriva à bord en houspillant Horace, son mari, en déclarant qu'elle était épuisée et qu'elle détestait les Français. Dimitri la consola avec du champagne et des roses. Il avait pour elle une foule de petites attentions délicates. Lucky le remarqua et eut peine à croire que tout était fini entre eux, comme le lui avait assuré Dimitri.

Après l'arrivée théâtrale des Fern, Saoud Omar, un riche émir arabe, passa presque inaperçu. Il était accompagné de la comtesse Tania Zebrowski, dont la beauté avait dû connaître des jours meilleurs.

Puis ce fut au tour de Jenkins Wilder, un roi du pétrole texan à la cinquantaine bien tassée, de poser son auguste pied sur le yacht de Dimitri. Il fit son apparition en compagnie de Fluff, sa jeune épouse de dix-huit ans, qui l'appelait Papa Gâteau.

Ce fut tout pour le premier jour.

Le lendemain, on embarqua Brigette et Nanny Mabel, Susan et Gino.

On appareilla bientôt. La croisière venait de commencer.

Des clans se formèrent immédiatement.

Susan et la comtesse s'étaient plu tout de suite.

Fluff et l'Arabe découvrirent qu'ils aimaient tous les deux la plongée sous-marine.

Francesca et Dimitri évitèrent soigneusement toute attitude équivoque ou propos déplacé.

Jenkins passait son temps au téléphone.

Quant à Horace, Horace passait le sien à rêvasser.

Lucky se retrouva donc tout naturellement avec son père.

— Comment tu vas ? demanda-t-elle.

— Et toi, pourquoi tu es partie sans dire au revoir, la dernière fois ? grogna-t-il, ignorant sa question.

— Susan a l'air en pleine forme, éluda Lucky.

— Ce type, Dimitri, il est vraiment trop vieux pour toi, marmonna Gino.

« Mais qu'est-ce qu'on fout là ? se demandait Lucky. On n'a vraiment rien en commun avec tous ces pingouins. »

— Dis, Lucky, on n'a rien à faire ici, tu ne crois pas ? lança Gino.

La jeune femme acquiesça et tourna son regard vers la mer bleue, étale. Le yacht glissait doucement vers Saint-Tropez, où il devait prendre Olympia et son nouveau mari au passage. Elle bronzait sur le pont supérieur avec Gino pendant que Dimitri jouait au gin rummy avec Francesca Fern, un peu plus loin.

— J'en sais fichtre rien, finit-elle par répondre.

— Tu veux que je te dise, reprit Gino, je crois qu'on a fait pas mal de conneries ces dernières années.

Elle tourna brusquement son visage vers lui et le fixa intensément. Qu'essayait-il de lui dire, au juste ? Que son mariage à lui aussi battait de l'aile ?

Elle allait le lui demander quand un serveur apparut pour lui annoncer le déjeuner. Chaque fois qu'une conversation sincère et sérieuse s'amorçait avec Gino, elle pouvait être sûre qu'un événement fortuit l'interromprait. Elle souhaita de toutes ses forces qu'il renonçât au repas et continuât à lui parler. Mais il se leva et déclara :

— Allons manger. A chaque repas, on se rapproche un peu plus de la fin de cette croisière, et à vrai dire, je n'en peux déjà plus.

Le bateau arriva à Saint-Tropez vers sept heures, et il fut décidé que, ce soir encore, on dînerait à bord.

Lucky enfila une petite robe de soie blanche, se brossa vigoureusement les cheveux et mit son tour de cou « cœur de diamant » pour la première fois. Puis elle se maquilla légèrement.

Dimitri paradait devant sa glace en smoking blanc et s'aspergeait d'eau de toilette, quand Lucky apparut devant lui.

— C'est ridicule ! railla-t-elle. On est en vacances, sur un bateau, à Saint-Tropez, et on s'habille comme si on allait à l'Opéra !

— Tu trouves peut-être ça ridicule, répondit l'armateur, mais cela fait partie de mon art de vivre.

— Et moi, dans tout ça ? Je n'ai pas mon mot à dire, peut-être ? protesta-t-elle.

— Cette robe est trop courte et tu as les yeux trop maquillés, dit-il sur un ton cassant.

C'était bien la première fois qu'il faisait une remarque sur sa façon de s'habiller.

— Va te faire foutre ! répliqua Lucky.

Dimitri la regarda d'un air désolé. Jamais il n'aurait dû épouser cette fille. Elle avait pris des habitudes d'indépendance avant de le rencontrer et elle était trop difficile à manier. De plus, elle avait trop de personnalité pour un homme comme lui, et il ne supportait pas, à son âge, d'être sans cesse contrecarré dans ses projets et dans ses idées. Il avait cru naïvement qu'une fois mariée elle s'en remettrait à son jugement, et en quelque sorte à son autorité de seigneur et maître. Apparemment, il s'était surestimé...

Le dîner fut d'un conventionnel inouï et d'un ennui mortel. Lucky eut donc tout loisir d'observer « ses » invités, et de remarquer avec quel appétit Dimitri dévorait Francesca des yeux.

« Je suis sûre que ce salaud couche encore avec elle ! » se dit-elle.

Pas qu'elle fût jalouse, non, mais tout ce cinéma commençait à l'écœurer. A sa gauche, Horace répéta l'une de ses nombreuses questions sans intérêt. Elle ne répondit pas et se mit brusquement à penser à Marco. Mais pourquoi n'était-il plus là ? Pourquoi ? Elle sentit des larmes lui brûler les yeux, mais les ravala bien vite. A l'autre bout de la table, Dimitri picorait des cerises dans l'assiette de Francesca avec un air parfaitement niais. Lucky sentit sa gorge se serrer, mais elle se domina. Attendaient-ils inconsciemment qu'elle se mette en colère ? Elle ne leur donnerait pas cette joie.

56

Carrie et Steven arrivèrent à Los Angeles tard dans l'après-midi. Steven était toujours aussi peu loquace. Ils prirent des chambres dans un grand hôtel et dès que chacun fut en possession de sa clé, Steven se tourna vers sa mère et lui lança :

— On se retrouve demain matin à dix heures.

— Très bien, Steven, répondit-elle d'une voix pleine de ressentiment.

Depuis combien de temps n'avait-elle plus passé une soirée avec son fils ? Elle préféra ne pas y penser et se dirigea, résignée, vers l'ascenseur.

Dès qu'il se retrouva seul dans sa chambre, Steven commanda une bouteille de scotch au bar, puis il se doucha, se rasa et s'habilla. Ce cérémonial accompli, il se servit un verre de whisky, qu'il but d'un trait. Il résista à l'envie de s'en verser un deuxième et se dirigea vers le téléphone. Ce fut une femme qui répondit.

— Veuillez me passer Mr Santangelo immédiatement. C'est très urgent.

— Je suis désolée, monsieur, dit la femme, mais Mr et Mrs Santangelo sont en voyage et...

— En voyage ? l'interrompit Steven d'une voix blanche.

— Oui, poursuivit-elle. Ils sont en France pour quinze jours, mais je peux essayer de les joindre si...

Il avait déjà raccroché.

Le lendemain matin, il appela Jerry à New York.

— J'ai besoin de toi, dit-il.

— Qu'est-ce qui se passe encore ? demanda son ami.

— Voilà. Je suis arrivé hier à Los Angeles avec ma mère. Mais Gino Santangelo n'est pas là. J'ai d'abord téléphoné chez lui et on m'a dit qu'il serait absent pendant quinze jours. Alors ce matin, très tôt, je suis passé devant sa maison en voiture. Il y a deux gardes armés, un circuit de télésurveillance, des grilles immenses. Tu avais raison, si je vais le voir, je vais me faire jeter.

— Et tu avais besoin d'aller jusqu'en Californie pour réaliser ça ?

— Bah...

— Je croyais que tu avais besoin d'aide ?

— Oui. Tu m'avais proposé de travailler avec toi il y a quelques mois. J'aimerais bien commencer le plus vite possible. Si ça tient toujours...

— Attends. Tu es en train de me dire que tu tires un trait sur toute cette histoire ?

— Pas tout à fait. Je tiens toujours à savoir qui est mon père, et je le saurai. Mais j'ai décidé de ne plus mêler Carrie à tout ça. C'était ridicule, et je regrette de l'avoir trimballée ainsi à travers tous les États-Unis. J'ai dû la faire souffrir sans m'en rendre compte. Mais c'est fini.

— Je n'en crois pas mes oreilles ! Un jour sur la Côte Ouest et t'as tout compris !

— Oh ! arrête tes conneries !

— Ta mère est au courant ?

— Pas encore.

— Alors dépêche-toi de lui faire part de tes bonnes résolutions, et ramène-toi vite fait !

Ils étaient descendus à l'hôtel *Hyatt*, sur Sunset Boulevard. Le soleil brillait en ce matin californien, et le hall était plein de touristes. Steven vit arriver sa mère de loin. Elle était toujours aussi alerte, aussi jeune, aussi distinguée.

Il se cacha derrière un pilier et bondit sur elle quand elle passa à sa portée.

Elle sursauta.

— On rentre à la maison ! annonça-t-il. New York, direct !

Carrie regarda son fils avec émotion, comprit que quelque chose avait changé, mais ne posa aucune question.

— Tu m'as manqué, Steven, dit-elle simplement.

— Je le sais, maman, répondit-il.

57

Le yacht des Stanislopoulos fit grande impression sur Lennie. C'était un véritable palace flottant, comme on n'en voit généralement qu'au cinéma.

Il jetait des regards médusés alentour quand une kyrielle de larbins surgit comme par enchantement pour porter leurs bagages. Olympia fronçait déjà les sourcils d'un air inquisiteur, quand le capitaine Pratt fit son apparition.

— Où est mon père ? lui demanda-t-elle, pendant qu'un valet de pied se penchait pour saisir deux grands sacs Vuitton.

— Il est à terre, mademoiselle, pour déjeuner. Mais il ne devrait plus tarder. Il a emmené mademoiselle Brigette avec lui, et il vous attendra au bar du pont supérieur à trois heures.

— Et où sont donc passés les autres invités ? demanda l'héritière Stanislopoulos, visiblement vexée que personne ne soit là pour l'accueillir.

— Ils sont presque tous à terre, mademoiselle. Mais vous désirez peut-être déjeuner ?

— Non, répondit-elle, sans même demander à Lennie s'il avait faim. J'ai besoin de me reposer.

Le capitaine Pratt eut un regard furtif en direction de Lennie, mais ne prit pas la peine de le saluer.

Dans la célèbre station balnéaire, c'était la haute saison. Des hordes de touristes se mêlaient aux autochtones dans les petites rues étroites du port. Une foule bruyante et bigarrée, légèrement vêtue, s'étalait bien en vue aux terrasses des restaurants. Des yachts tout blancs et rutilants, amarrés le long des pontons du port de Saint-Tropez, exhibaient leurs passagers sirotant des cocktails colorés, confortablement installés sur le pont.

Dimitri fendait la foule en compagnie de sa petite-fille et de Saoud Omar. Trois gardes du corps déguisés en touristes se tenaient quelques pas derrière eux, des revolvers planqués dans leurs holsters.

Les deux hommes — plusieurs fois milliardaires — regardaient passer toutes ces beautés dénudées avec un mélange d'ennui et d'envie. Le fait d'être riche leur avait appris qu'on peut avoir toutes les femmes qu'on veut à condition d'y mettre le prix. Qu'il s'agisse en fin de compte d'offrir trois Mercedes ou une petite robe importait peu. Si leur fortune présentait certains avantages, elle leur avait sapé le plaisir de la chasse. Au chapitre du sexe et de l'amour, elle avait faussé le jeu.

— Arrêtons-nous ici pour déjeuner, décida Dimitri, en pénétrant sur la terrasse d'un restaurant à la mode.

Trois serveurs accoururent pour leur installer une table aux premières loges. Les trois gardes du corps s'assirent quelques tables plus loin.

— Je veux aller faire des courses ! dit Brigette, qui venait de repérer un magasin qui ressemblait à une caverne d'Ali Baba, de l'autre côté de la rue.

— Tu iras demain avec ta mère, répondit Dimitri.

— Oh ! Grand-père ! S'il te plaît ! Je voudrais y aller maintenant !

— D'accord, mais fais vite.

— Je n'ai pas d'argent, grand-père.

Dimitri plongea une grande main bronzée dans la poche de son short blanc, mais il n'en extirpa que quelques pièces de monnaie. Comme la plupart des gens très riches, il n'avait jamais d'argent liquide sur lui.

— Tiens, mon cœur, intervint Saoud, en tendant une poignée de billets de cent dollars à Brigette.

La fillette saisit la petite fortune sans se faire prier et partit en sautillant vers le magasin. Dimitri fit signe à l'un des gardes de la suivre.

— Il y a des filles incroyables à Saint-Tropez ! commenta Saoud, les yeux rivés sur la rue, comme suivant un défilé de seins gonflés et de cuisses fuselées.

— C'est vrai, reconnut Dimitri. Mais les Françaises sont trop compliquées et trop exigeantes. En fin de compte, elles ne valent pas le détour.

— Vous avez raison, approuva Saoud, il n'y a rien de plus excitant qu'une Anglaise... une fois qu'on a « pénétré » sa réserve, bien sûr.

— Je suis d'accord avec vous, dit Dimitri.

— Mais vous venez pourtant d'épouser une Américaine !

Dimitri sourit. C'était vrai. Et elle était d'une beauté et d'une sensualité rares. Mais cela ne l'empêchait pas de continuer à désirer Francesca, d'autant plus peut-être que, cette fois, il lui était tout à fait impossible de faire l'amour avec elle. La présence de Lucky le lui interdisait, et il commençait à se demander si cela avait été une si bonne idée d'emmener sa femme en croisière. En fait, ils étaient beaucoup plus heureux avant de se marier. Des relations épisodiques leur convenaient mieux, à l'un comme à l'autre. Mais il y avait Roberto, et jamais Dimitri n'aurait toléré que l'un de ses fils ne portât pas son nom, et par là même, ne fût pas protégé par l'aura des Stanislopoulos.

Lennie prit une douche, puis enfila un bermuda blanc et une chemisette rose. Il s'aspergea d'Eau Sauvage en sifflotant.

Olympia restait allongée sur son lit, geignante, suante... chiante en un mot.

— Allez, ça suffit maintenant ! Va te changer. J'ai envie d'aller explorer les environs.

— Explorer les environs ! Mais je *déteste* Saint-Tropez. Enfin, si tu veux y aller, je ne te retiens pas. Mais il faudra d'abord que je te présente mon père.

Elle s'enferma dans la salle de bains et se fit deux lignes de coke. Alors seulement, elle eut envie de se doucher et de se changer.

Quand ils arrivèrent sur le pont supérieur, Dimitri était en train d'apprendre un pas de danse compliqué à sa petite-fille au son d'une musique grecque diffusée par un haut-parleur.

Olympia se dirigea droit sur eux, et embrassa Brigette avec effusion — les effets de la cocaïne, très certainement. Lennie resta un peu en retrait, appuyé au bastingage.

144

— Papa, dit Olympia, je te présente Lennie Golden, mon nouveau mari.

Lennie s'approcha et tendit vers Dimitri une main que l'armateur ignora.

— Ainsi, c'est vous, le dernier en date, déclara-t-il en le scrutant de son regard d'aigle royal.

Lennie n'apprécia guère la remarque et se préparait déjà à lui lancer une réplique bien sentie quand Dimitri changea brusquement d'attitude et le prit dans ses bras.

— Soyez le bienvenu dans la famille ! Si vous êtes assez bien pour Olympia, vous serez assez bien pour moi !

Il fit un signe rapide au barman.

— Champagne pour tout le monde ! annonça-t-il.

Olympia était aux anges. Elle glissa son bras sous celui de Lennie.

— C'est merveilleux, n'est-ce pas ? dit-elle.

— Oui, formidable ! enchaîna Dimitri. Et en plus, j'ai une surprise pour vous.

— Quoi ? demanda Olympia, pensant déjà à un somptueux cadeau.

— Grand-père s'est marié ! Grand-père s'est marié ! chantonna Brigette. Et tu as un frère, maman. Et c'est mon oncle. Tu te rends compte ? Moi, j'ai un bébé-oncle.

Le sourire d'Olympia disparut instantanément. Elle se tourna vers son père en espérant qu'il allait démentir cette affirmation.

— Elle dit vrai. Je me suis remarié, moi aussi. Et Dieu m'a donné un fils.

Pendant un instant, Olympia faillit s'évanouir. Elle n'avait pas pris assez de coke pour encaisser une telle révélation sans sourciller.

— Ce n'est pas possible…, dit-elle d'une voix faible.

— Mais si ! Mais si ! clama Brigette.

Olympia prit une profonde inspiration. Elle n'avait rien contre le fait que son père se soit remarié. Mais qu'il ait eu un fils, à son âge ! Elle qui avait toujours été la seule et unique héritière des Stanislopoulos ! Pour une surprise, c'était une surprise.

— Et qui as-tu épousé, papa ? demanda Olympia d'une voix suave.

— Euh… Je crois que tu vas être vraiment étonnée.

Lennie sentit qu'il pouvait profiter de l'occasion pour s'éclipser. Il sortit sans se faire remarquer.

— Alors, qui ? insista Olympia.

— Eh bien, tu te souviens que j'avais retrouvé une de tes amies d'école tout à fait par hasard, à Las Vegas ?

— Oui.

— Alors nous nous sommes revus à New York, et voilà, les choses se sont enclenchées !

— Les choses se sont enclenchées ! hurla Olympia. Tu veux dire que tu as épousé Lucky ?

— C'est exactement ce que j'ai fait.

58

Lucky était sûre désormais que Dimitri la trompait. Elle se demanda s'il avait d'ailleurs jamais interrompu ses relations avec Francesca Fern. Aussi décida-t-elle de passer un minimum de temps à bord. Dès le petit matin, elle se glissait hors du lit et partait vagabonder dans les ruelles désertes de Saint-Tropez. Elle passait généralement la journée à terre, prétextant qu'elle voulait profiter de l'escale pour faire des excursions.

Elle voulait divorcer, mais il était exclu d'agir sur un coup de tête. Elle avait la ferme intention de construire son hôtel et se promit de consulter son avocat avant d'entreprendre la procédure de divorce.

Après avoir flâné dans diverses boutiques, elle prit un taxi pour Tahiti Beach, la plage dans le vent, lui avait-on dit. Elle portait un long tee-shirt, des sandales dorées et un bikini rouge vif. Ses longs cheveux noirs flottaient librement sur ses épaules.

Coiffée d'un walkman Sony, munie d'une bouteille d'huile solaire et d'un bon livre, elle décida de louer un parasol et une chaise longue pour la journée. Le garçon de plage l'installa dans la première rangée, la plus proche de la mer, et elle put observer toute à son aise les ondulations des corps qui allaient et venaient. Ils y avaient des seins de toutes les formes et de toutes les tailles, plus ou moins bronzés, plus ou moins haut perchés, mais toujours nus et exposés. Il eût semblé inconvenant de porter un soutien-gorge ! Cette mode française amusa Lucky, mais elle cessa bientôt de regarder les femmes pour scruter les hommes sous ses lunettes noires. Les slips de bain étaient minuscules et très moulants. Le spectacle était, là aussi, varié et tout à fait intéressant.

Lennie ne parlait pas un mot de français. Mais à Saint-Tropez, tout le monde parlait plus ou moins anglais, le plus souvent assez moyennement, mais cela suffisait pour se faire comprendre.

Il aima immédiatement cet endroit. Il y avait là une ambiance de baise qui le mit tout de suite en alerte et en joie. Tout le monde avait l'air de se balader avec des arrière-pensées de plaisir dans la tête, et Lennie se sentait bien. Il n'était pas encore suffisamment riche ou blasé pour considérer l'endroit comme un piège à touristes sans intérêt.

Il s'installa à la terrasse d'un café et commanda un Cinzano. Bientôt, il eut trop chaud, et se dit qu'un petit bain serait le bienvenu. Il échangea quelques mots avec le serveur, qui lui conseilla une plage à la mode. Lennie paya, prit un taxi, et se retrouva bientôt à l'orée d'une marée de corps alanguis sous des parasols multicolores. Il s'arrêta un instant pour apprécier la vision à la fois dans son ensemble et en une multitude de points particuliers. Il passait d'une paire de seins à l'autre, médusé. Puis ce paradis des seins le lassa et c'est alors qu'il tomba sur le soutien-gorge rouge. « Elle » ne l'avait pas enlevé. Et « elle » avait bien raison. En effet, pourquoi s'exposer ainsi à des milliers de regards concupiscents ?

La fille aux cheveux noirs, la fille aux yeux noirs, la fille de Las Vegas ! Mais bien sûr ! Il lui avait fallu au moins cinq secondes pour la reconnaître !

Elle était là, deux ans plus tard, sur cette plage de Saint-Tropez, plus sensuelle et sauvage que jamais. Il parcourut une dizaine de mètres sans réfléchir, puis il s'arrêta.

« Procède avec tact, n'oublie pas, tu marches sur des œufs », se dit-il.

Il n'arrivait plus à détacher ses yeux de ce long corps souple. Ah ! Ces jambes ! Ces seins !

Il se souvint d'elle fendant la foule, gracieuse, conquérante, silencieuse. Une vraie panthère noire.

Il se souvint de leur premier, de leur seul et unique baiser, ce fameux soir où il s'était plaint d'être traité en objet sexuel. Quel idiot !

Comment allait-il l'aborder à présent ?

Et pourquoi l'aborder ?

« Tu es marié », lui rappela sa conscience.

« Et alors ? » lui souffla sa libido.

Il approchait d'elle tout doucement, encore hésitant. Elle avait un walkman vissé sur les oreilles et des lunettes noires. Un vague sourire effleurait parfois ses lèvres à peine entrouvertes.

« La déesse assoupie », se dit-il, attendri.

« N'y va pas », reprit sa conscience.

« Vas-y ! Fonce ! » souffla son sexe. Et ce fut lui qui l'emporta.

Lucky avait dû sentir quelqu'un près d'elle, car elle ôta délicatement son casque et ses lunettes, se redressa et lui rendit son regard de prédateur.

Il était suffisamment loin, Dieu soit loué, pour ne pas lui parler. Il continua à avancer jusqu'au rivage.

L'avait-elle reconnu ?

Allait-elle venir ?

Il resta au bord de l'eau et attendit.

Lentement, elle se leva. Elle s'étira langoureusement, puis se dirigea droit sur lui.

Le cœur de Lennie se mit à battre follement. Elle n'était plus qu'à un mètre de lui, progressant tranquillement vers la mer. Il balbutia quelque chose d'idiot, du genre « Bonjour ! Encore vous ! », mais elle ne répondit pas et plongea immédiatement. Elle réapparut quelques mètres plus loin, et se mit à nager vers le large.

Pendant un instant, il resta planté, bouche bée. Puis il se ressaisit et crut comprendre qu'elle nageait en direction d'une barque qui flottait au loin. Alors il enleva fébrilement sa chemise, la jeta sur le sable et plongea à son tour. Elle avait quelques longueurs d'avance sur lui, mais il avait une manière très personnelle de nager le crawl qui le propulsa en moins d'une minute à côté d'elle. Elle ne dit pas un mot. Lui non plus.

Il était déjà tard dans l'après-midi, et le bateau qui tanguait devant eux semblait vide.

Il regardait sa tête apparaître et disparaître de la surface de l'eau sur un tempo régulier, et il remarqua qu'elle avait deux diamants piqués dans les petits lobes roses de ses oreilles scintillants d'eau salée.

Il regarda ses bras, longs et puissants, qui fendaient l'eau sur un rythme parfait.

Il sentit l'aventure possible, et décida de ne pas renoncer.

Ce petit jeu commençait à exciter Lucky. Elle l'avait reconnu tout de suite, le récalcitrant de Las Vegas. Et elle l'avait provoqué. Elle avait foncé droit sur lui, exprès. Elle n'avait rien répondu quand il lui avait parlé, de peur de tout gâcher. A présent, elle se dirigeait droit sur ce vieux rafiot, avec le désir à la fois précis et inexprimé d'une brève étreinte sans paroles et sans lendemain.

Ils atteignirent le bateau au même moment, se hissèrent à bord en même temps. Il avait compris le message et ne prononça pas un mot. Le soleil était bas sur l'horizon, et les vacanciers commençaient à remballer leurs affaires et à quitter la plage, qui se vidait peu à peu.

Leurs yeux se rencontrèrent. Elle le fixait, d'un regard embrasé, noir, sensuel. Ses intentions étaient claires.

Il aurait aimé savoir qui elle était. Ce qu'elle faisait ici. Elle l'intriguait au plus haut point. Mais le moment était mal choisi pour procéder à un interrogatoire. Un autre genre de communication allait s'instaurer, il le savait, et ça l'excitait.

Ils étaient allongés l'un face à l'autre dans l'étroite embarcation. Il tendit la main vers elle, lui prit délicatement la nuque et l'attira vers lui. Elle se laissa onduler contre son corps mouillé, salé, et s'y pressa tout entière. Leurs deux visages se rapprochèrent, tout doucement, puis tout à coup, ils se mirent à s'embrasser comme des fous.

Fébrilement, ils se palpaient, plus qu'ils ne se caressaient. Ils tremblaient, ils n'en pouvaient plus de se désirer. Ils ôtèrent leurs maillots avec une hâte désordonnée, et une émotion grandissante qu'ils ne voulaient pas s'avouer. Il l'effleura d'une caresse légère, et elle retint un cri. Il lui passa une main sur les seins, en pressa un légèrement, et là, elle n'y tint plus. Elle s'accrocha à ses épaules, écarta les jambes, et tendit son ventre vers lui. Il comprit ce qu'elle voulait et se planta en elle.

Leur étreinte fut brève et intense. Il y avait des années que Lucky n'avait plus joui ainsi. Lennie fut secoué par un orgasme qui le laissa pantois et béat. Il resta étendu près d'elle, pendant quelques minutes, et plongea dans ses grands yeux profonds.

Qui était-elle ?

Il fallait qu'il le découvre.

Il lui sourit. Elle lui rendit son sourire, toujours sans dire un seul mot.

Peut-être était-ce mieux, en fait, qu'il ne sache pas. D'ailleurs, qu'avait-il à proposer ?

Il roula sur le côté, saisit son maillot mouillé, et commença à l'enfiler.

De son côté, elle s'assit dans le fond du bateau et remit son bikini.

La nuit commençait à tomber. Et, sur la plage, on ne distinguait plus que les ombres portées de deux coureurs solitaires.

— *Sayonara*, ami ! dit Lucky avant de piquer une tête dans la mer.

Lennie la regarda s'éloigner d'une brasse vigoureuse et attendit un quart d'heure avant de plonger à son tour.

Quand il atteignit le rivage, elle avait disparu. Il ne la reverrait probablement plus...

Dire qu'il ne connaissait même pas son nom.

59

— On dîne avec le mac espagnol, poupée ! Je crois que ça va rouler !

— Quand ça ? demanda Eden, très vite.

— Ce soir, répondit Santino, tout en se grattant l'estomac, qu'il avait atrocement poilu.

Eden tempêta intérieurement. Mais pourquoi cet enfoiré la prévenait-il toujours au dernier moment ? Il était déjà six heures, et il lui restait à peine une heure pour se préparer. Comment allait-elle pouvoir faire des merveilles en un temps si court ?

— A quelle heure et à quel endroit ? demanda-t-elle en se glissant déjà sous la douche.

— J'ai réservé chez *Chasen*. Tu dois être prête à sept heures et quart. Zeko t'emmènera, parce que moi, faut que je repasse à la maison avant.

Elle entendit à peine ce qu'il lui disait, déjà toute à sa toilette. Elle fit preuve d'une telle diligence qu'elle fut prête à sept heures pile.

— Mr Santino a dit sept heures et quart, remarqua Zeko.

— Et moi je dis qu'on part immédiatement, lâcha Eden sur un ton qu'elle voulut sans réplique.

Zeko ne broncha pas, et ils partirent sur-le-champ.

Santino habitait à Bel Air, dans une imposante propriété dissimulée derrière de hauts murs. Cette maison, qui avait jadis appartenu à une star du muet, était devenue le bastion de la famille Bonnatti, c'est-à-dire la résidence de Santino, de sa femme et de ses quatre enfants, Lucky Santangelo ayant liquidé Enzio Bonnatti.

La mamma avait été importée directement de Sicile vingt ans plus tôt, et ne s'était jamais vraiment habituée au langage et au style de vie des Américains. Elle était énorme, et ses trois filles avaient malheureusement hérité de ces chairs généreuses. Quant à son fils, Santino Jr, c'était le portrait de son père tout craché, mais avec des cheveux.

C'était leur préféré à tous les deux. Et ce soir, il était malade. Très malade. C'est du moins ce que prétendit Donatella quand son mari rentra.

Santino manqua de s'étaler par le parquet trop lustré de l'immense salle à manger en se précipitant vers le grand escalier qui menait à l'étage, qui menait à son fils, son fils adoré.

Donatella le suivit dans cette pénible ascension, et arriva au premier sur ses talons. Il ouvrit la porte de la chambre de l'enfant, qui était affalé en pyjama au milieu de son lit, les yeux brillants et rouge de fièvre.

— Tu vois ! Je te l'avais dit ! geignit Donatella. J'ai essayé de te joindre au bureau, mais tu n'y étais pas. Où tu étais ? demanda-t-elle, pour le principe.

— Euh, j'étais en rendez-vous à l'extérieur.

— Ah ! bon.

Donatella ne posa plus de questions. Santino faisait ce qu'il voulait, c'était entre eux un accord tacite. Tant qu'il continuait à pourvoir à leur train de vie et qu'il la baisait tous les deux mois, elle ne se plaignait pas. Six fois par an, ce n'était déjà pas si mal que ça.

Santino tâta le front de son fils et ordonna à sa femme d'appeler immédiatement le médecin.

Eden fit son entrée chez *Chasen* comme une star et s'adressa au maître d'hôtel d'un air condescendant. Elle demanda la table de Vitos Felicidade et l'homme la conduisit au bar où Vitos buvait déjà un cocktail, en compagnie de son manager.

— Bonsoir ! Suis-je en avance ? minauda-t-elle.

— Il me semble que vous arrivez à point nommé, ma chère, répondit Vitos, avec un sourire enjôleur. Et vous êtes... ?

Était-ce possible qu'il ne se souvienne pas d'elle ?

Elle, pourtant, ne l'avait pas oublié.

— Eden Antonio, nous nous sommes rencontrés à Las Vegas.

— Mais bien sûr ! dit-il, se demandant qui elle pouvait bien être.

— J'y suis ! s'exclama l'imprésario de Vitos. Vous êtes la petite amie de Quinn !

— Absolument pas, répondit-elle assez sèchement. Je suis allée à Las Vegas avec Mr Bonnatti pour discuter avec vous du film *Comment je suis devenue une prostituée*. Et au cas où vous ne le sauriez pas, j'en suis la vedette.

Elle se jucha sur un grand tabouret à la droite de Vitos et commanda un Martini. Elle ne remarqua pas que les deux hommes échangeaient des regards surpris.

— Si je comprends bien, poursuivit-elle en s'adressant à Vitos, vous êtes en négociations avec Mr Bonnatti pour jouer dans mon film ?

— Il est en effet question de commencer bientôt un tournage, mais je crois que vous faites une erreur quant au sujet de ce film. De plus, la star, ça va être un homme, et, à ma connaissance, il n'y a pas de rôle féminin important.

— Ce que Vitos essaie de vous expliquer, précisa le manager, c'est que nous préparons actuellement un film qui va s'appeler *Le Chanteur* et dont il sera la vedette.

— *Le Chanteur* ? fit Eden, d'une voix blanche.

Quinn arriva sur ces entrefaites et s'étonna que Santino ne soit pas encore là.

— Il doit être en retard, dit Eden. Mais dites-moi, Quinn, qu'est-ce que c'est que ce film *Le Chanteur* ? Je croyais que vous deviez tourner *Comment je suis devenue une prostituée*, que j'avais le premier rôle, et que Vitos était mon partenaire.

— Écoutez, lui murmura Quinn à l'oreille, Vitos ne pouvait pas jouer dans un film avec un titre pareil, c'est une question d'image. Alors, j'ai légèrement remanié l'histoire et nous avons changé le titre.

— Ah... Mais est-ce que je figure toujours dedans ? demanda Eden, d'une voix tremblante.

— Ça, je n'en sais rien. Ce n'est pas moi qui décide, je ne suis que le metteur en scène.

— Mais Santino vous a-t-il jamais dit que je devais avoir le premier rôle ?

— Jamais, répondit Quinn.

Il se commanda un double Jack Daniels. Eden tremblait de rage et d'humiliation. Le salaud ! Il l'avait menée en bateau ! Elle eut soudain envie de hurler de dépit. Elle eut envie de le tuer.

Un serveur s'approcha, un téléphone à la main.

— Un appel pour miss Antonio, dit-il.

Eden décrocha le combiné et le porta à son oreille.

— Mais, bon Dieu, pourquoi t'es partie plus tôt que prévu ? beugla Santino.

— Où es-tu ? demanda Eden, sèchement.

— Mon fils est malade. Il a de la fièvre. Il faut que je reste auprès de lui. Et si tu n'avais pas quitté la maison à sept heures, j'aurais eu le temps de te prévenir, et tu ne serais pas déjà chez *Chasen*.

— Peut-être, mais en tout cas maintenant j'y suis.

— Ça, je m'en rends compte. Alors, n'en rajoute pas. Tu vas te magner le cul, et rentrer. Fissa. Dis-leur que je ne pourrai pas venir, et explique pourquoi. Je n'ai pas du tout envie qu'ils croient que je me défile. Tu as entendu ?

— Je ne suis pas sourde.

— Alors invente n'importe quoi, une migraine, ce que tu veux, mais tu as intérêt à avoir quitté les lieux dans cinq minutes au plus tard. Pigé ?

— Oui.

Il raccrocha.

— Rien de grave, j'espère ? demanda Vitos.

— Mr Bonnatti ne pourra pas se joindre à nous ce soir. Son fils a de la fièvre, et il veut rester près de lui. Il espère que vous comprendrez.

— Mais bien sûr, entonnèrent-ils en chœur.

— Mr Bonnatti désire qu'on prévienne son chauffeur, Zeko, qu'il peut disposer de sa soirée. Pourrait-on envoyer quelqu'un le lui dire ?

— Aucun problème, dit Quinn.

— Mais vous, charmante jeune fille, vous n'allez pas nous quitter ? demanda Vitos de sa voix suave.

— Bien sûr que non. Mr Bonnatti a insisté pour que je reste, répondit-elle en lui lançant un regard entendu.

60

Lucky regagna le yacht au pas de course. Dimitri et Francesca étaient installés sur l'un des ponts et jouaient au back gammon, tout absorbés par la partie. Francesca portait une robe de plage verte et un turban vert qui mettaient en valeur ses cheveux flamboyants. L'armateur avait gardé sa chemisette blanche et son large short kaki.

— Je croyais être en retard pour le dîner ! dit Lucky, essoufflée.

Francesca ne leva pas le nez de ses pions comme si Lucky n'existait pas. Dimitri lui lança une œillade rapide et sans expression.

— Le dîner est à huit heures, lâcha-t-il, distrait.

Il se replongea immédiatement dans son jeu. Lucky ressentit cette brusque crispation intérieure qu'elle connaissait bien : l'impression d'être exclue.

— Je t'ai eu ! s'écria Francesca avec un large sourire.

— Tu crois ça, petite dame, marmonna Dimitri, en déplaçant un pion sur le tapis.

Leurs rires fusèrent. A l'unisson.

« Qu'ils aillent se faire foutre ! » pensa Lucky, en tournant les talons.

Elle passa voir son fils. Il barbotait dans une piscine gonflable, Cee Cee jouait avec lui, et il poussa des cris de joie dès qu'il aperçut Lucky.

— Il a encore été épatant, aujourd'hui, annonça Cee Cee radieuse. C'est incroyable, c'est un bébé qui ne pleure jamais !

— Comme sa mère, murmura Lucky.

Puis elle sortit ce petit poisson frétillant du bain et lui dit quelques gentilles petites bêtises, qu'il apprécia.

De retour dans les quartiers hautement masculins de son mari, elle se déshabilla très vite, se glissa sous une douche très chaude et ferma les yeux. Le souvenir des mains de Lennie sur son corps la fit frémir de délice. Il lui vint un grand sourire au souvenir de cette étreinte silencieuse et fabuleuse. Cette fois, il n'avait rien dit, il n'avait posé aucune question. Il avait joué le jeu. Elle se laissa de nouveau envahir par une vague de visions brûlantes. Elle n'avait plus fait l'amour avec autant de plaisir et d'émotion depuis Marco...

Gino détestait la France. Il ne comprenait pas la langue, il trouvait les Français vulgaires. Il faisait trop chaud. Et il se sentait confiné sur ce bateau. Pour couronner le tout, Paige lui manquait cruellement.

Susan, archimondaine comme toujours, l'avait traîné chez des amis à elle qui possédaient une villa dans l'arrière-pays. L'homme était un célèbre acteur sur le retour avec un corps empâté, des dents gâtées et un sourire écœurant ; la femme, une langue de vipère qui avait passé l'après-midi à descendre ses amis avec une atroce cruauté. Gino avait failli partir à plusieurs reprises et les planter là. Il le confia à Susan dès qu'ils furent sortis.

— Ah bon ? dit-elle, étonnée. Moi, j'ai passé une journée délicieuse.

— Tu déchanterais peut-être si tu entendais ce qu'elle est en train de dire sur toi en ce moment ? répliqua-t-il.

— Qu'est-ce que tu veux dire ?

— Rien. Rien du tout.

Et pour le coup, il sut qu'il ne supporterait pas cette mascarade quinze jours de plus.

— Et voilà ! J'ai gagné ! s'écria Francesca.

— Comme d'habitude ! dit Dimitri en riant.

— Tu as raison, je suis imbattable !

— Bon, il faudrait peut-être qu'on se prépare pour le dîner.

— Oui, répondit Francesca, songeuse.

Olympia faisait les cent pas dans sa chambre, comme une lionne en cage. Mais où donc était Lennie ? Il fallait qu'elle passe ses nerfs sur quelqu'un, et il n'était jamais là quand on avait besoin de lui.

Elle se rua dans la salle de bains et se fit une grande ligne de cocaïne. Bien. A présent, il allait falloir décider comment s'habiller pour le dîner. Il allait surtout falloir se faire à l'idée de partager sa fortune avec un demi-frère. Et affronter sa nouvelle belle-mère.

Sa belle-mère ! Tu parles d'une plaisanterie !

Sa belle-mère ! Lucky...

Lucky, son amie.

Tu parles d'une amie !

61

Dimitri était un hôte parfait. Sa croisière d'été était devenue légendaire. Il déployait des trésors de charme et d'ingéniosité pour que ses invités gardent un souvenir inoubliable de ce voyage de grande classe.

Dès qu'il eut fini sa partie de backgammon, il prit une douche rapide, s'habilla prestement, et fut le premier à paraître sur le pont, où l'on servait quelques rafraîchissements avant le dîner. Lucky était avec lui, particulièrement resplendissante dans un smoking blanc d'Yves Saint-Laurent. Elle aperçut tout de suite Gino, qui avait l'air de s'ennuyer tout seul au bar, et elle le rejoignit.

— Il faut que je me casse d'ici, annonça-t-il.

— Moi aussi, répondit-elle.

— Oui ? Moi, j'ai envie de retourner à New York, de me lancer dans de nouvelles affaires.

— Je croyais que tu aimais Beverly Hills ?

— Non, ça lambine trop là-bas. J'en ai ma claque.

— Vraiment ?

— J'ai besoin d'action.

— Et Susan, qu'en pense-t-elle ?

— Je ne lui ai encore rien dit, mais j'ai l'intention de m'acheter un appartement à New York.

— Et de partager ton temps entre elle et ton boulot ?

— Pourquoi pas ?

— Ça m'a l'air pas mal comme idée !

— Nous avons passé une journée merveilleuse ! dit Susan à la comtesse, tout en se préparant un toast au caviar.

— Vous avez de la chance. Moi, je me suis vraiment ennuyée. Vous savez, j'adore jouer au baccara, et je suis impatiente d'arriver à Monte-Carlo. Je n'en peux plus d'attendre, je rêve de casinos toutes les nuits !

— Avant la mort de mon premier mari, Tiny Martino, j'avais

l'habitude d'aller à Monte-Carlo plusieurs fois par an. Tiny était un ami des Grimaldi. Lui et Grace étaient très proches...

La comtesse eut un instant d'étonnement.

— Vous avez été mariée avec Tiny Martino ? demanda-t-elle, médusée.

— Pendant vingt-cinq ans, répondit Susan, très fière. J'étais toute jeune quand il m'a épousée, ajouta-t-elle avec coquetterie.

La comtesse sourit et posa sa main sur celle de Susan.

— Comme nous toutes, ma chère, dit-elle.

Susan attendit qu'elle enlève cette main chaude et chargée d'émeraudes dont elle sentait la pression très nette. Mais la comtesse semblait avoir trouvé là une main à sa convenance.

Lennie n'avait toujours pas réapparu. Et Olympia n'avait nullement l'intention de l'attendre davantage. S'il ratait le dîner, c'était son affaire. Elle mourait de faim, et surtout d'envie de voir à quoi ressemblait Lucky. En proie à des sentiments contradictoires — un mélange de haine, de jalousie anticipée, de curiosité, de désir inconscient de renouer une amitié —, elle enfila son plus beau tailleur. C'était un ensemble d'Emmanuel Ungaro, couleur bouton-d'or, qui la faisait ressembler à une espèce de fleur trop épanouie sur une courte tige.

Olympia fit son entrée dans un état de nervosité avancée. Elle s'arrêta et balaya l'assemblée de ses petits yeux vifs. Elle repéra immédiatement Lucky et en eut comme un éblouissement. Comment l'adolescente timide et décharnée avait-elle pu devenir une telle beauté ?

Lucky la vit tout de suite. Pendant une fraction de seconde, leurs yeux se rencontrèrent, et elles se retrouvèrent plongées quinze ans en arrière. En un éclair.

Lucky avait toujours été une solitaire. Elle n'avait jamais eu d'amies, jamais eu de mère. Personne avec qui partager fous rires et secrets. A part Olympia.

Instinctivement, elle alla vers elle, les bras grands ouverts.

Olympia recula.

Lucky comprit pourquoi — après tout, ce mariage ne devait pas la ravir, la situation était difficile pour elle. Mais la joie subsista. Elle lui donna une petite tape douce sur l'épaule.

— Olympia ! s'exclama-t-elle. Ça fait si longtemps ! Tu as l'air en pleine forme.

Olympia ne trouva rien à répondre. Les mots la fuyaient. Elle aurait voulu agir avec calme, donner l'impression que ces retrouvailles ne la troublaient pas. Mais c'était au-dessus de ses forces, jamais elle ne pardonnerait à Lucky de n'avoir rien fait pour la contacter, la revoir. Et puis, elle avait pris trop de cocaïne, et son cerveau en était comme embrumé.

— Chère petite Lucky, dit-elle, froidement. On dirait que tu as bien changé...

— J'espère bien !

— Tu étais si empotée.

— Merci du compliment.

— Il n'y a que la vérité qui blesse, dit-on.

— Ne commençons pas à faire les rosses, veux-tu ?

Olympia rougit et sa bouche se crispa.

— Les rosses ? Mais pourquoi serais-je rosse avec toi ?

L'arrivée subite de Francesca sauva Lucky d'un dialogue épineux. L'actrice portait une robe rouge écarlate et un sublime collier de rubis. C'était la première fois qu'elle le mettait. « Encore un cadeau de Dimitri... », pensa Horace, qui eut la certitude que ça marchait toujours très fort entre eux. Mais en avait-il jamais vraiment douté ?

Lennie rentra en taxi. Il rencontra le capitaine Pratt en arrivant à bord.

— Avez-vous passé une bonne journée, monsieur ? demanda le marin, sur un ton faussement obséquieux.

— Excellente, merci, répondit Lennie, méfiant, car il avait détesté l'homme d'emblée.

— Je crois que vous êtes légèrement en retard pour le dîner. Ils viennent juste de passer à table.

— Je vais me changer. J'en ai pour cinq minutes. Voulez-vous prévenir ma femme que j'arrive ?

— Mais certainement, monsieur, répondit le capitaine, mielleux.

Lennie tourna les talons et fonça dans sa chambre.

Des conversations de bon ton s'engageaient pendant que des serveurs tendaient des plats chargés de mets raffinés et versaient des vins de grands crus dans des verres en cristal. Tout cela ronronnait de cliquetis et d'exclamations polies. Même un singe se serait endormi.

Olympia avait dit à Lennie :

— On s'habille pour dîner.

De mauvaise grâce, il enfila un costume en se demandant s'il aurait le temps de se faire un joint avant d'aller rejoindre les pingouins. Il se dit qu'il était déjà trop en retard et attacha son nœud papillon en jurant. Brusquement, il revit la fille de l'après-midi, là, devant lui. Géniale hallucination ! Elle était tellement sensuelle, tellement belle ! Lui qui n'aimait que les blondes, elle valait toutes ses conquêtes blondes réunies, Eden y compris.

Alors, enfin libéré d'elle ?

Oui. Et la belle inconnue n'avait pas fini de le hanter.

Lennie pénétra dans l'immense salle à manger, fit quelques pas, et repéra très vite Olympia. Il se dirigea droit vers elle.

— Où étais-tu passé ? demanda-t-elle abruptement.

— Désolé d'être en retard, mais je ne trouvais pas de taxi pour rentrer de la plage.

— De la plage ! s'exclama Olympia, comme s'il se fut agi de quelque lieu maudit.

— Oui, je sais, c'est un endroit pour les ploucs, mais tout le monde ne passe pas ses vacances sur un yacht.

— Très drôle, répondit-elle, pincée.

Puis elle se tourna vers les autres et leur lança :

— Je voudrais vous présenter mon mari, Lennie Golden.

Il les regarda et ne vit qu'un étalage de bijoux et de vieux messieurs.

— Voyons, poursuivit Olympia, en parfaite maîtresse des lieux. Je te présente la comtesse Zebrowski et Saoud Omar, Mr et Mrs Jenkins Wilder, Susan et Gino Santangelo, Francesca et Horace Fern, et enfin mon père, que tu as vu tout à l'heure.

Elle fit une pause, faillit intentionnellement faire l'impasse sur Lucky, puis se ravisa.

— Oh, oui ! Et voilà Lucky.

— Ma femme, précisa Dimitri.

— Votre femme, répéta bêtement Lennie.

Il la fixa intensément. Elle le regarda sans comprendre ce qui lui arrivait, un peu hébétée.

C'était exactement comme si le temps s'était arrêté.

62

Travailler avec Jerry Myerson était ce qui pouvait arriver de mieux à Steven. Il était en effet grand temps qu'il se confronte de nouveau au monde du travail. Il avait toujours résisté à la tentation de travailler dans un grand cabinet d'avocats, préférant rester un homme de l'ombre en tant qu'assistant du Procureur général de New York. Mais avec l'âge et la maturité, le fait de rechercher une position sociale brillante et d'acquérir une certaine sécurité matérielle lui apparaissait comme un nouveau défi.

— J'ai bien envie de te confier le dossier Mary Lou Moore, dit Jerry. C'est cette jeune actrice noire, tu sais, celle qui plaît tant aux familles. Elle attaque un magazine porno en diffamation pour avoir publié des photos d'elle, des photos obscènes qui datent d'avant son succès à la télé.

— Parce que je vais devoir me taper tous les Noirs ? demanda Steven.

— Seulement si tu veux bien, mon trésor ! Mais là, je te conseille de plonger. C'est un cas super. Tout à fait ton genre de bataille. Figure-toi que la fille n'a jamais rien signé avec ce magazine. C'étaient des photos prises par son petit ami quand elle avait quinze ans.

— Je dirais que c'est une affaire gagnée d'avance.

— Alors fonce !

Carrie eut une première séance de travail avec Ann Robbs, le nègre envoyé par Fred Lester. Ann était une femme de quarante ans, délicate et psychologue, qui semblait très attachée à son magnétophone.

Après cinq entrevues de quatre heures chacune, les deux femmes étaient devenues presque intimes, quoique Carrie n'ait parlé que de la face prestigieuse de sa vie. Les remarques sur les arts, la mode et le théâtre abondaient. Quand Ann lui annonça qu'elle disposait d'une matière suffisante pour travailler, Carrie bondit de joie.

— Je n'aurais jamais cru que ce serait si facile ! s'exclama-t-elle.

— Pour vous, oui ! Mais pour moi, le travail commence, précisa Ann.

— C'est tellement excitant !

— Si c'est un best-seller, effectivement, on connaît des sensations rares. Si ça ne se vend pas, c'est très déprimant.

— Comment fait-on un best-seller ? demanda Carrie, naïvement.

— Si je le savais, Fred Lester travaillerait pour moi !

— Parlez-moi de lui, dit Carrie. Est-ce qu'il est marié ?

— Pourquoi, il vous intéresse ? répondit Ann, taquine.

Carrie sursauta. Mais pourquoi diable l'intéresserait-il au fait ? Elle avait abandonné toute relation amoureuse depuis son divorce avec Elliott Berkeley, et elle n'avait plus l'âge de se lancer dans une nouvelle histoire d'amour. De plus, Steven était revenu vers elle. Et surtout, si jamais elle s'engageait de nouveau avec un homme, il faudrait tout lui avouer sur son passé. Et qui, connaissant la vérité, voudrait encore d'elle ?

— Absolument pas, répondit-elle.

— Il est veuf, dit Ann. Mais je dois vous le dire, il vit avec une femme, précisa-t-elle.

Carrie aurait bien demandé qui était cette femme, mais elle se domina. Elle fit habilement bifurquer la conversation sur un autre sujet.

63

Lucky se demandait encore comment elle avait bien pu garder une contenance pendant ce dîner. Elle avait bien tenté d'éviter le regard de Lennie — et réciproquement — mais ç'avait été impossible. Leurs yeux se rencontraient constamment, et ils ressentaient chaque fois une décharge électrique dans tout leur être.

Après cette épreuve, Lucky, qui lisait peu la presse hormis *Newsweek, The Wall Street Journal* et *Blues and Soul*, apprit par l'intermédiaire de la comtesse, qui, elle, s'intéressait passionnément à la vie des stars, que Lennie était devenu une vedette depuis quelques mois.

Quant à Lennie, il découvrit très vite qui elle était. Lucky Santangelo. Lucky Santangelo qui l'avait viré d'une façon si révoltante. A présent, il comprenait pourquoi. Madame avait voulu se faire baiser. Et il ne s'était pas exécuté. Madame toute-puissante s'était donc débarrassée de celui qui avait osé refuser ses avances. « Ignoble ! » pensa-t-il. Il était furieux, et il avait bien raison.

— Êtes-vous le Lennie Golden qui a fait un tabac dans mon hôtel ? demanda Gino.

— Oui, répondit Lennie.

Il se demandait ce que Gino Santangelo pouvait bien fabriquer sur ce bateau. C'était une réunion de famille ou quoi ?

— Vous avez battu tous les records de la maison, dit-il. J'ai déjà contacté votre agent pour l'avertir que je désirais vous avoir une semaine tous les trois mois en exclusivité.

Lucky n'avait pas réalisé que son père surveillait d'aussi près les affaires du *Magiriano*. Elle pensait qu'il se contentait d'empocher les bénéfices depuis qu'il s'était retiré.

Lennie Golden en vedette dans « son » hôtel et elle n'en avait rien su... Elle se sentit soudain malheureuse et larguée. Mais était-ce encore « son » hôtel ? Non. Elle l'avait vendu. Alors pourquoi se sentait-elle encore à ce point concernée ?

Et de toute façon, que représentait Lennie Golden dans sa vie ? Un bon coup, voilà tout.

Rien de plus.

Rien de plus ?

Après dîner, la plupart des convives décidèrent d'aller danser à terre.

— J'y vais, annonça Olympia à son mari.

— Je crois que je vais aller dormir, toutes ces mondanités me fatiguent.

— T'es vraiment con, lâcha Olympia.

— Tu vas t'excuser immédiatement ! hurla Lennie.

— Jamais ! lança Olympia avec défi, refusant de se laisser impressionner.

Lennie regarda la petite boulotte bouffie aux yeux bleus ridiculement étrécis par la colère, à la bouche outrageusement maquillée et perpétuellement dédaigneuse. Comment avait-il pu épouser ça ?

— Écoute-moi bien, Olympia, commença-t-il d'une voix étrangement calme, tu peux traiter les autres comme des chiens si ça te fait plaisir, mais ne t'avise pas de jouer à ça avec moi, compris ?

— Très bien, j'y vais, annonça-t-elle sur un ton qui se voulait léger. Tant pis pour toi si tu n'as pas envie de t'amuser.

Puis elle tourna les talons et sortit de la chambre.

Lucky prétexta une soudaine migraine pour échapper à cette odieuse petite communauté. Dimitri ne protesta pas. Il n'attendait que ça. Il allait enfin pouvoir passer une soirée avec Francesca, laquelle avait dit à son mari :

— Toi, tu restes ici. Tu sais bien à quel point tu détestes les boîtes de nuit.

Et l'autorité innée de sa femme avait encore eu raison de lui.

Jenkins et Fluff furent de la partie, ainsi que Saoud et la comtesse. Gino décida qu'il irait se coucher. Susan brûlait d'envie de sortir sans lui, mais elle n'osa pas le lui demander. Il ne fit d'ailleurs rien pour l'y encourager. Ils se retirèrent donc très vite dans leur chambre.

Lennie s'enferma chez lui pour fumer un joint et se sentit un peu plus détendu. Puis il décida d'aller faire un tour sur le pont. « Elle » était là, seule, en train de fumer une cigarette. Et elle le vit arriver.

— Le monde est petit, on dirait, lui dit-elle. On aurait peut-être mieux fait d'en rester à l'épisode de Las Vegas. Ç'aurait été moins compliqué...

Il avait envie de lui demander... tant de choses ! Et tout d'abord, pourquoi elle l'avait viré. Mais il ne trouva pas les mots. Il ne pensait qu'à une chose : la sentir contre lui.

Elle aspira une dernière bouffée de sa blonde mentholée et l'envoya par-dessus bord. Elle se tourna légèrement vers lui, et ils tombèrent spontanément dans les bras l'un de l'autre, comme si c'était la chose la plus naturelle du monde.

Ils s'embrassèrent fiévreusement et commencèrent à se caresser à travers leurs vêtements, puis glissèrent des mains avides sous les étoffes, puis...

— J'ai envie de toi, soupira-t-il, les mains sur ses seins.

Elle ne tenta pas de le repousser. C'était au-dessus de ses forces. Il réveillait en elle des sensations violentes, intenses, dont elle avait oublié l'existence.

Elle baissa la fermeture Eclair de son pantalon et s'agenouilla à ses pieds. Elle commença à le sucer avidement. Il jouit presque immédiatement, emporté par un irrésistible courant. Il avait pourtant tout connu au lit, les affaires et les mauvais coups, les inspirées et les inhibées. Mais avec Lucky, la fusion des corps relevait carrément de la magie.

— Je n'ai pas arrêté de penser à ça pendant tout le dîner, avoua-t-elle. Prends-le comme un cadeau d'adieu...

— Tu plaisantes ? s'écria-t-il. Tu ne vas pas me faire croire que tu aimes ce vieux Grec ?

— Ça ne te regarde pas.

— Tu l'as épousé pour ses beaux yeux, peut-être ?

— Et toi, qu'est-ce qui t'a plu chez Olympia ? Son charisme de milliardaire ou ses dix kilos de trop ?

Il la saisit brusquement, la renversa en arrière et pencha sa tête vers ses seins.

— Non ! cria-t-elle.

— Si ! insista-t-il. Oh, que si !

Elle s'abandonna entre ses bras. Elle se sentait emportée vers lui par une force qu'elle ne contrôlait plus. La même force qui lui avait fait heurter Marco de plein fouet. Et Marco était mort depuis cinq ans...

— On est complètement fous, dit Lucky.

Elle cherchait son soutien-gorge au milieu d'un tas de vêtements tombés à la hâte sur le pont.

— N'importe qui aurait pu nous surprendre à tout moment, poursuivait-elle. On est vraiment fous, répéta-t-elle.

— Tu n'as pas besoin de me le dire, j'en suis fermement convaincu, dit Lennie.

Elle le regarda droit dans les yeux.

— C'était juste une séance de baise très réussie, et rien d'autre, se força-t-elle à lui dire, comme pour s'en persuader.

— Écoute, je ne sais pas grand-chose de ta vie. Mais en ce qui me concerne, mon histoire avec Olympia avait déjà foiré avant même de commencer. Je l'ai épousée en cinq minutes à Las Vegas, un matin où j'étais complètement raide et où je ne savais plus ce que je faisais. Tu commences à voir le tableau ?

— Je crois, oui.

— Mais c'est toi la femme que je cherche depuis toujours.

— On ne bâtit pas une relation sur une attirance sexuelle, même s'il s'agit d'une attraction hors du commun, dit Lucky avec raison.

— Qu'est-ce que tu veux dire par là ?

— Oh, Lennie ! Tu es un grand séducteur, tu dois plaire beaucoup. Je ferai partie de tes conquêtes, et c'est tout. D'ailleurs, tu n'es même pas mon genre.

— Et qu'est-ce qui te fait croire que tu es le mien ?

Ils éclatèrent de rire de concert.

Elle approcha sa main de son visage et lui caressa doucement la joue.

— Lennie Golden, je ne sais pas ce qui se passe, mais il est en train de nous arriver quelque chose.

— Un coup de foudre, peut-être ?

— C'est comme une explosion de lumière.

— Et ce n'est pas seulement physique, dit-il.

— Non, avoua-t-elle.

— C'est beaucoup plus fort que le désir.

— Tu as raison.

— Bien sûr, j'ai raison.

— Et dire qu'on ne se connaît même pas !

Elle le fixa intensément, submergée par une foule de sentiments nouveaux et exaltants.

— Quelle âge as-tu ? lui demanda-t-elle.

— Trente ans. Et toi ?

— Je vais avoir trente ans dans deux jours, l'âge où l'on est censé ne plus faire d'actes inconsidérés, n'est-ce pas ?

— Je t'aime, Lucky.

Le bruit d'un canot à moteur lui évita de répondre immédiatement.

— Alors, qu'est-ce qu'on fait ? insista-t-il.

Les fêtards rentraient au bercail. La petite vedette approchait du bateau.

— Je te l'ai déjà dit, répondit-elle, en lançant un regard vers l'autre extrémité du pont, vers sa vie, vers Dimitri, loin de Lennie.

— Lucky ! cria-t-il.

— Cette soirée était mon cadeau d'adieu, dit-elle en s'éloignant. Restons-en là.

Ils savaient bien, tous les deux, que c'était impossible.

64

Eden était bien décidée à finir la nuit avec Vitos Felicidade. Quitte à tromper Bonnatti, autant le faire avec le grand chanteur espagnol. Il était sensuel, célèbre, et il la draguait. Cependant, plus la soirée avançait, et plus Eden se sentait attirée par Quinn Leech. C'était un homme maigre et pâle d'une cinquantaine d'années, avec une très belle barbe et de grandes mains. Il était connu pour faire frissonner le public avec des films d'une violence inouïe. Dans ses histoires, on se faisait violer, assassiner, découper en petits morceaux. L'hémoglobine coulait à flots. Tous ces excès avaient généralement des femmes pour victimes, et Quinn se faisait régulièrement tailler en pièces par les journalistes féministes. Quant à Eden, tout cela l'incitait plutôt à fondre sous le regard du scandaleux metteur en scène.

Quinn avait eu son heure de gloire. Il avait été un « jeune talent plein d'avenir ». Puis quelques bides commerciaux avaient tempéré l'enthousiasme à son égard. A présent, il faisait des films comme on jalonne le temps, histoire de tenir jusqu'au prochain grand succès. Les studios lui tournaient le dos depuis cinq ans. Aussi, quand Ryder Wheeler lui proposa un miraculeux financement, précisant néanmoins qu'il s'agissait d'argent appartenant à la « famille », s'empressa-t-il de saisir cette opportunité.

L'argent n'a pas d'odeur.

Ryder lui avait cependant conseillé de ne pas toucher à la petite amie de Bonnatti. Mais Quinn avait horreur qu'on lui dise ce qu'il devait faire.

Ils sortirent de chez *Chasen* peu avant minuit. Vitos eut la délicatesse de ne pas s'imposer et disparut rapidement, englouti par sa grosse limousine noire.

Eden et Quinn restèrent un instant silencieux sur le trottoir. Puis le garçon du parking vint garer une Porsche rouge à leurs pieds.

— Vous me raccompagnez ? demanda Eden.

— Jusqu'en enfer, mon ange ! répondit Quinn.

Il habitait sur les collines d'Hollywood, dans une grande maison où dominait le noir et où l'on aurait pu se perdre au milieu des plantes vertes.

Il se servit une dose sérieuse de Chivas Regal et demanda à Eden de lui faire un strip-tease. Elle s'exécuta d'assez bonne grâce, rompue aux désirs tordus de Santino. Il se déshabilla alors en toute hâte, mais ne parvint pas à bander. Il lui proposa alors le concours de sa petite amie endormie à l'étage et précisa qu'il disposait en sus d'un vibromasseur.

— Tu peux aller te rhabiller ! lui lança Eden.

Puis elle appela un taxi.

Quand elle quitta la maison, Quinn ronflait sur le canapé. Elle se demanda comment elle avait bien pu préférer ce malade à Vitos.

Zeko l'attendait devant la porte de chez elle.

— Santino va te botter le cul ma poupée ! annonça-t-il, content de lui.

— Seulement si tu lui dis, répondit-elle. Et si tu caftes, moi je lui raconte que tu m'épies derrière la fenêtre de la salle de bains et que tu te branles dans les buissons.

Zeko se rétracta. Il tourna les talons, et plus tard ne raconta rien à son patron.

Quand Santino vint la voir le lendemain, Eden lui dit qu'elle était restée dîner chez *Chasen*.

— Pourquoi t'as fait ça ? beugla Bonnatti. Je t'avais bien dit de rentrer, non ?

— Je suis restée pour toi. Je ne voulais pas qu'ils pensent que tu les laissais tomber.

La joue droite de Santino se mit à trembler convulsivement et son regard devint étonnamment fixe.

— Quand je te dis de faire quelque chose, je veux que tu obéisses, c'est compris ?

— Quinn Leech m'a dit qu'ils avaient remanié le scénario, et que le film s'appelait désormais *Le Chanteur*, dit-elle d'un air pincé.

— Le salaud !

— Pourquoi tu ne me l'as pas dit, toi ?

— Mais pour qui tu te prends ? Pour mon associée en affaires ? Je ne vais quand même pas te faire part de tous les détails !

— Pour moi, ce n'est pas un détail. Je devais avoir le rôle principal, et maintenant...

— Ça suffit, cette histoire. Je viens ici pour me détendre.

— Je veux voir le nouveau scénario. Tu m'avais promis que ce serait *mon* film.

La première gifle lui fit perdre l'équilibre. La deuxième la fit tomber par terre.

— Salaud..., commença-t-elle.

— Tu n'as pas d'ordres à me donner, cria-t-il. Tu n'aurais pas dû rester. Qu'est-ce qu'ils vont penser de moi, maintenant ? Hein ? Que je raconte n'importe quoi ! Alors fais gaffe, la prochaine fois que tu fais une connerie, je te fous dehors !

Eden se mit à pleurer de rage et d'impuissance.

— C'est peut-être ce que je veux, justement. En finir avec toi, sanglota-t-elle.

Il la regarda de ses petits yeux sadiques et froids.

— Quand je l'aurai décidé, dit-il, lentement. Seulement quand *moi* je le voudrai.

65

Dimitri avait décidé d'organiser une fête pour l'anniversaire de Lucky. Une fête somptueuse. Il se montrait plein d'attentions à son égard et semblait prêt à tout pour lui faire plaisir. Mais elle n'avait qu'une envie, partir. Cependant, vu les circonstances, mieux valait faire un dernier effort. Dans deux jours elle aurait trente ans. Et dès le lendemain, elle quitterait le bateau. Ç'avait déjà été très dur avant l'arrivée de Lennie, mais depuis qu'elle le savait là, la vie devenait franchement impossible.

Lennie Golden, vraiment pas son type d'homme. Elle ne comprenait pas ce qui lui arrivait. Il lui faisait le même effet que Marco. Marco... Ils avaient passé une nuit qui les avait menés aux confins de la Voie lactée. Puis on l'avait tué. Plus jamais elle ne voulait revivre cette sensation de vide vertigineux, et d'inconsolable abandon. Plus jamais.

Il fallait qu'elle parte au plus vite. De son côté, Gino était attendu à New York. Il avait organisé un rendez-vous d'affaires par téléphone.

— Tu n'as qu'à venir avec moi, avait-il dit à Lucky. On dira qu'on a rendez-vous avec nos avocats pour régler une affaire concernant le *Magiriano*.

Le yacht filait vers Cannes où la fête devait avoir lieu. Lucky bronzait au bord de la piscine du pont inférieur, pendant que Cee Cee apprenait à nager à Roberto. Brigette ne trouva rien de mieux à faire que sauter dans l'eau pour éclabousser le bébé. Cee Cee lui demanda calmement d'arrêter mais Brigette ne voulut rien savoir.

— Sale Noire ! Sale Noire ! cria la petite fille, toute contente d'entonner un nouveau refrain.

Lucky bondit et lui donna une bonne claque sur les fesses. Brigette la regarda un instant, horrifiée, puis elle se mit à pleurer, essayant d'ameuter tout le monde.

— Tais-toi, lui ordonna Lucky, froidement.

Brigette cessa immédiatement de pleurer.

— Je n'aime pas les Noirs, dit-elle, piteusement.

— Pourquoi ? demanda Lucky, très calme.

— Parce que ! Parce que... Parce que maman les déteste ! lâcha-t-elle, triomphante.

— Ce n'est pas une raison suffisante, répondit Lucky.

La gamine commença à sucer son pouce.

— Et toi je t'aime pas ! dit-elle, avant de filer à l'autre bout de la piscine.

— Quelle sale enfant gâtée ! marmonna Cee Cee.

— Quelle pauvre enfant mal aimée, rectifia Lucky. Je n'ai pas vu sa mère s'occuper d'elle une seule fois depuis le début de ce voyage. Elle vient l'embrasser de temps en temps, distraitement, lui faire des mamours affectés comme à une poupée. Alors Brigette se montre insupportable pour qu'on s'occupe d'elle.

— Je vais m'en occuper, moi ! dit Cee Cee. Je vais lui botter le derrière.

— C'est déjà fait, répondit Lucky. Et ça ne changera rien de recommencer. Cette petite fille a simplement besoin d'être aimée.

Lucky eut une brusque réminiscence de sa propre enfance. Elle se revit errer, seule et mal aimée, au bord de la piscine de sa grande maison, par un après-midi d'été.

Elle avait survécu à tout ça. Lucky Santangelo avait réussi à se passer d'analystes, mais elle eut la brusque intuition que Brigette ne s'en tirerait pas aussi bien.

La fête commença sous un ciel plein d'étoiles. Dans la nuit claire et douce, le bateau scintillait de mille feux, orné d'innombrables guirlandes de petites lumières vertes et bleues. On avait installé des tables rondes sur le pont supérieur, et un orchestre jouait des airs romantiques et du calypso.

Dimitri, qui faisait bien les choses, offrit son cadeau à Lucky avant l'arrivée des invités. C'était un sublime collier de chez Van Cleef and Arpels, incrusté d'émeraudes et de diamants montés sur or blanc, avec les boucles d'oreilles assorties.

Toutes les dames présentes la complimentèrent, excepté Olympia et Francesca.

Puis vinrent les autres présents. Deux jolis cadres en argent massif de la part de Saoud et de la comtesse, et un réveil de voyage en or de la part de Jenkins et Fluff. Les Fern lui offrirent une affreuse jupe en soie beaucoup trop grande pour elle. Susan eut la délicatesse de lui offrir un pull à sa taille, et en cachemire. Quant à Gino, il lui tendit d'un air ému une petite boîte recouverte de cuir fauve.

— C'est... euh... quelque chose que j'ai aimé au premier coup d'œil. Mais si ça ne te plaît pas, tu n'es pas obligée de la porter.

Elle ouvrit la boîte tout doucement. Elle ne put retenir un cri de joie. A l'intérieur dormait la plus belle broche qu'elle ait jamais vue. C'était une panthère en or incrustée de diamants. Elle en eut presque les larmes aux yeux. Ainsi Gino la connaissait beaucoup mieux qu'elle ne l'aurait cru...

— Elle est merveilleuse ! s'exclama-t-elle. Tu ne peux pas savoir à quel point elle me plaît.

Elle se jeta dans les bras de son père et ils s'embrassèrent.

— Je t'aime, ma petite fille, dit-il, tout bas. Bon anniversaire à toi.

Bientôt les invités arrivèrent, la plupart avec des cadeaux que l'on plaça dans une immense corbeille d'osier pour les ouvrir plus tard.

Lucky portait une longue robe en soie écarlate sur laquelle la broche et le collier étaient du plus bel effet. Elle se promenait d'un groupe à l'autre, en parfaite hôtesse, calme et souveraine. Elle était d'autant plus crédible dans ce rôle qu'elle le jouait pour la dernière fois.

Lennie se tenait à l'écart et observait tout cela d'un air vindicatif. Il finit par la coincer au bar et lui glissa à l'oreille :

— Tu me manques.

Elle frissonna d'émotion.

— Je me sens exclu et idiot ce soir. J'ai mal au cœur. Et tu ne vas peut-être pas me croire, mais je crois que je suis amoureux.

— C'est quelqu'un que je connais ? demanda Lucky, comme si de rien n'était.

Il lui pressa le bras.

— Et toi, comment tu te sens ?

— Mariée, répondit-elle platement. Et je crois que je ne suis pas toute seule dans ce cas.

— Je vais quitter Olympia, dit-il. Dès qu'on sera rentrés aux États-Unis. Et toi, qu'est-ce que tu comptes faire avec Dimitri ?

— Je n'en sais rien, répondit-elle sincère.

— Comment ça « tu n'en sais rien » ? Tu vas divorcer, non ?

166

Elle ressentit la question comme un reproche à sa propre indécision.

— Il me semble que je n'ai jamais rien dit de tel, lâcha-t-elle.

Il toucha légèrement son collier de diamants.

— Je suppose que ce genre de babiole rend la décision difficile, railla-t-il.

— Qu'est-ce que tu essaies d'insinuer ? Que je reste avec lui pour son argent ? explosa-t-elle, furieuse, tout à coup.

— Donne-moi une meilleure raison.

— Va te faire foutre ! dit-elle.

— Je ne demande que ça ! répondit-il.

Olympia, qui se tenait légèrement en retrait depuis le début, s'interposa. Elle avait les joues en feu, et sa poitrine se soulevait un peu trop vite sous sa robe jaune canari qui la faisait ressembler à un citron géant.

— Vous avez l'air de ne pas vous connaître d'hier, tous les deux ! dit-elle d'une voix pleine de ressentiment.

— Sans plus, répondit Lennie.

— Elle t'a dit d'aller te faire foutre ! répliqua Olympia, jalouse. Qu'est-ce qui s'est passé ?

— Je lui ai raconté une plaisanterie douteuse.

— Toutes tes blagues sont douteuses, railla-t-elle.

— Merci.

— Tu es un mauvais comédien. Tu l'as jamais vu sur scène, Lucky ? Il est nul !

— En réalité, commença Lucky — pour quelque obscure raison, elle éprouvait un besoin impérieux de prendre sa défense —, je l'ai déjà vu jouer, et je trouve que c'est l'acteur le plus doué de sa génération.

— Où l'as-tu vu ? aboya Olympia.

— J'ai longtemps dirigé un hôtel à Las Vegas. Lennie y avait été engagé et...

— Alors vous vous êtes rencontrés avant ! tempêta Olympia.

— Oui, dirent-ils d'une seule voix.

— Et vous avez déjà baisé ensemble ! cria-t-elle, visiblement saoule.

— Tu es ivre, dit Lennie.

— Je sais très bien ce que je dis. Je suis sûre qu'elle t'a harponné. Elle saute sur tout ce qui bouge !

— Je croyais que c'était toi qui avais cette réputation-là, dit Lucky, ironique.

— Ah ! Ah ! C'est peut-être parce que moi j'ai jamais eu de problème de ce côté-là ! Tu te souviens, quand on était ensemble en France, quand on s'était enfuies de l'école ? Pas un seul mec ne s'intéressait à toi !

— Je ne savais pas que vous étiez à l'école ensemble, dit Lennie, pour tenter de changer de sujet.

— Toi, la ferme ! lança Olympia.

Il lui lança un regard de profond mépris et s'éloigna.

— Alors, demanda Olympia à Lucky, t'as baisé avec lui, oui ou non ?

— Que je l'aie fait ou non, dans un cas comme dans l'autre, je ne te le dirais pas, répondit Lucky calmement.

Puis elle tourna les talons et disparut dans la foule bruyante des invités.

— Espèce de salope coincée ! lui lança Olympia. Je sais tout sur toi ! Je sais d'où tu viens. Ne crois pas que tu m'impressionnes avec tes grands airs ! Tu es née dans la rue, comme ton gangster de père !

— Olympia ! lança Dimitri d'une voix dure.

Une main ferme saisit la jeune femme par l'épaule.

— Ne te ridiculise plus jamais de cette façon ! lui dit Dimitri sur un ton sans réplique.

Il fit signe à un domestique.

— Veuillez raccompagner Miss Stanislopoulos dans sa chambre, s'il vous plaît. Et donnez lui du café très fort. Olympia, ajouta-t-il, je ne tolérerai plus jamais ça, tu as compris ?

Il ressemblait à un aigle prêt à déchiqueter sa proie.

Elle suivit le domestique, humblement. Elle n'avait pas besoin de café, ni même de joints. Ce qu'il lui fallait, c'était de la cocaïne. Et vite.

66

A New York, il faisait une chaleur d'enfer. Les touristes avaient déserté les rues, et les habitants de la ville ne survivaient que grâce à l'air conditionné. Myerson, Laker et Brandon avaient leurs bureaux sur Park Avenue, dans un immeuble cossu. Steven y disposait d'un immense bureau tout confort, doté d'une télévision, d'un magnétoscope, d'une machine à écrire électronique dernier cri, et même d'un réfrigérateur.

— Il faut pouvoir se relaxer entre deux rendez-vous, avait dit Jerry.

Et encore :

— C'est l'environnement qui fait le travailleur !

Son propre bureau ressemblait presque à un appartement. Il y avait un salon, une cuisine, une salle de bains, et même une chambre, où il passait parfois la nuit quand il travaillait tard le soir.

L'atmosphère était nettement plus détendue ici que chez le Procureur général, le premier patron de Steven. Mais désormais, sa vie et ses valeurs avaient changé. Il s'agissait de faire de l'argent, un maximum d'argent, comme Jerry Myerson. Fini, l'époque Don Quichotte.

Sa première cliente était Mary Lou Moore. Elle lui parut encore plus jolie qu'à la télévision. Elle avait les cheveux longs jusqu'à la taille et de grands yeux noirs en amande. Elle semblait ne sortir qu'avec une escorte, toujours la même. Où qu'elle allât, elle était accompagnée de sa mère, de sa tante — qui faisait office de manager — et de son petit ami, un jeune blondinet, frénétique mâcheur de chewing-gum.

Après un bref échange de propos courtois, Steven émit le désir de rester seul avec Mary Lou. La mère regarda la tante, qui elle-même lança un regard interrogatif au fiancé, lequel fixa Mary Lou de ses yeux bleu nuageux, dans l'attente d'une réponse de sa part. Elle fit signe qu'elle leur donnait la permission de sortir, et Steven put enfin l'interroger librement.

Elle essaya bien, au début, de jouer l'indifférence en racontant son histoire, mais on sentait bien que cet incident l'avait profondément troublée et révoltée.

— Les crapules qui publient ce genre de photos dans leur magazine dégoûtant sans l'autorisation des modèles ne devraient pas s'en tirer à si bon compte, dit-elle. Bien sûr, ça n'était pas très intelligent de ma part d'avoir posé pour mon petit ami, mais j'avais quinze ans, je ne réfléchissais pas, et jamais je n'aurais cru qu'un jour il les vendrait. Je veux les attaquer, conclut-elle.

— Cela prendra du temps, répondit Steven.

— Ça m'est égal.

— Pour les défendre, leurs avocats tenteront de vous discréditer par tous les moyens.

— Je saurai l'assumer.

— Il vous faudra faire des déclarations, signer des dépositions. Et finalement, vous devrez apparaître au tribunal.

— C'est bien ce que je veux.

— Nous nous embarquons pour un voyage dont nous ignorons l'issue, alors...

— Alors allons-y !

Dès qu'elle fut sortie, il feuilleta le magazine coupable, une vulgaire publication pornographique appelée *Le Jouisseur*. Les photos de Mary Lou qui s'étendaient sur six pages n'étaient visiblement pas un travail de professionnel.

Steven avait le nom et l'adresse du petit ami félon, les coordonnées des directeurs de la publication et des distributeurs. A priori, c'était une affaire dans laquelle il avait toutes les chances de gagner.

Ann Robbs tapait avec entrain à la machine. Elle venait de terminer le quatrième chapitre du livre de Carrie Berkeley, *L'Elégance et le style aujourd'hui*. Et ça marchait bien.

Elle décida de s'accorder une petite pause avant d'entamer le cinquième chapitre. Elle bâilla profondément tout en s'étirant. Se levant, elle traversa le salon de l'appartement qu'elle partageait avec son amant à Manhattan, puis entra dans la chambre sur la pointe des pieds. Il dormait, allongé sur le dos. Un verre de whisky à moitié plein traînait sur la table de nuit, et les feuillets éparpillés d'un manuscrit jonchaient la moquette. Elle les ramassa, puis elle le réveilla tout doucement.

— J'ai sommeil, marmonna-t-il.

Elle jeta un coup d'œil sur la montre Cartier qu'il lui avait offerte pour son anniversaire et fut surprise de constater qu'il était plus de midi.

— Il est déjà tard, dit-elle. Veux-tu que je nous prépare du chocolat ?

Il se redressa et s'assit dans le lit.

— Rien ne me ferait plus plaisir ! répondit-il.

— Reste couché. Je vais te l'apporter au lit.

— N'oublie pas les toasts et les biscuits.

— Bien sûr que non !

Il regardait le Carson Show quand elle revint dans la chambre avec un plateau couvert de toasts, de confiture, de tasses de chocolat fumant et de biscuits anglais.

— J'ai bien avancé dans le bouquin de Carrie Berkeley, dit-elle.

Il plongea une grande main dans l'assiette de biscuits.

— Comment ça marche ?

Elle s'installa au pied du lit.

— Super. Je pense que ça va être un best-seller.

— J'espère bien !

— Mais il faut quand même que je te dise quelque chose, ajouta-t-elle.

— Ah, oui, quoi ?

— Il y a une autre histoire derrière tout ça.

— Tiens, tiens.

— Oui, poursuivit Ann. Je suis certaine que Carrie Berkeley a des choses à raconter. Des choses fortes, des choses cachées... Je le sens. Et mon instinct me trompe rarement.

— Tu es mon petit Sherlock Holmes préféré ! dit-il.

— Ah ! Ah ! Je lis entre les lignes, c'est tout. J'extrapole, je devine. J'aimerais lui proposer d'écrire son autobiographie. Qu'en penses-tu ?

— Attendons de voir d'abord comment le premier bouquin va marcher.

— Tu crois qu'elle va faire ce qu'il faut pour qu'il se vende, qu'elle va accepter de faire des télés et tout ça ?

— Je n'en sais rien.

— Tu pourrais peut-être la persuader de participer à la promotion du livre, dit Ann d'un petit air malicieux.

— Que veux-tu dire exactement ?

— Toujours mon fameux instinct. Tu lui plais beaucoup, j'en suis sûre. Elle m'a demandé si tu étais marié. Je lui ai dit que tu vivais avec une femme, sans préciser qu'il s'agissait de moi.

— C'est ridicule ! Qu'est-ce qui te fait croire que je lui plais ?

Ann observa son amant de son regard scrutateur.

— Pourquoi t'énerves-tu ainsi ? S'agirait-il d'une attirance réciproque ? demanda-t-elle, pour le taquiner.

Elle l'avait vexé.

— Comme tu peux être bête, par moments ! Elle a au moins la soixantaine.

— Toi aussi, il me semble, remarqua Ann.

— Ce n'est pas pour autant que j'aime les femmes de mon âge !

— Je suis heureuse de te l'entendre dire ! répondit Ann, en avalant la dernière gorgée de son chocolat.

Puis elle l'embrassa avec fougue et retourna à sa machine.

Fred E. Lester fixait l'écran de télévision d'un regard vide. Il commençait à dériver des années en arrière, bien loin dans le passé.

Freddy était un étudiant très séduisant, une grande gueule néanmoins, avec un sérieux penchant pour la boisson. Il était en vacances, et ce soir-là, son ami Mel Webster lui avait arrangé un coup avec une inconnue. Et cette inconnue était noire. Cela le choqua qu'on puisse le pousser dans les bras d'une négresse. Fred Lester était originaire du Sud des États-Unis.

Son copain le persuada pourtant très vite que c'était là une occasion formidable de baiser avec une Noire, une très belle Noire de surcroît.

Après tout, pourquoi pas ?

Ce qui se passa ensuite n'était plus très clair dans son esprit. Il se souvenait vaguement d'avoir dansé avec elle, dans diverses boîtes de nuit. Il avait beaucoup bu. Trop bu. Le champagne coulait à flots et il adorait ça.

Et après... Il s'était laissé emmener jusque dans un appartement inconnu. Mel lui avait désigné un lit avant de s'enfermer dans une chambre attenante avec sa copine. Fred s'était écroulé sur le lit et s'était endormi. A son retour, la jeune Noire l'avait réveillé. Dieu qu'elle était bandante ! Il lui avait sauté dessus, mais elle s'était débattue. Il l'avait alors convaincue — par la force — qu'il était hors de question de lui résister. Il avait tout à fait conscience qu'il s'agissait d'un viol. Mais après tout, elle n'avait que ce qu'elle méritait, que ce qu'elles veulent toutes sans oser se l'avouer.

Puis la fille lui avait demandé de l'argent et il lui avait jeté à la figure tous les dollars qu'il avait sur lui. Il était parti furieux dans la nuit. Il était rentré chez lui en taxi et avait pris un bain pour se débarrasser de l'odeur persistante de la fille. Puis il s'était empressé de tout oublier.

Les années passèrent. Il épousa une jeune femme bien sous tous rapports qui lui donna deux beaux enfants. Il se lança dans l'édition et devint l'un des éditeurs les plus connus de New York en moins de dix ans. Un soir, en 1960, il fut invité à un bal de charité, et ce fut là qu'il la revit pour la première fois. Elle était très élégante, couverte de bijoux, mais il la reconnut immédiatement. Il pria pour qu'elle ne le reconnaisse pas. Et cela marcha. Elle passa devant lui sans le voir.

Cherchant à savoir qui elle était, il découvrit qu'elle était devenue une personnalité de la bonne société new-yorkaise. Il ne put s'empêcher de suivre sa vie à travers divers magazines à la mode, tels que Vogue, Harper's Bazar *et* Women's Wear Daily. *Il se sentit comme soulagé de cette inattendue notoriété.*

Sa femme mourut d'un cancer en 1973. Ses enfants, deux adultes désormais, se marièrent et quittèrent tous les deux New York. Il se retrouva seul, et souffrit de cette solitude forcée jusqu'au jour où Ann Robbs entra dans son bureau pour l'interviewer.

Et voilà. Ils vivaient maintenant ensemble. Cela durait depuis deux ans et il se sentait gentiment heureux. Ce n'était pas l'amour fou mais ils s'entendaient fort bien.

Quand Carrie resurgit dans sa vie, il reçut un choc. Il n'avait jamais pensé qu'il la reverrait un jour. Son nom avait disparu de la presse mondaine depuis des années. La dernière mention qu'on fit d'elle, ce fut à propos de son divorce. Après plus rien.

Quarante-deux ans plus tôt, il s'était senti offusqué à l'idée de faire l'amour avec une femme noire, ce jeune homme puritain, raciste et stupide. Comme il avait changé depuis !

Ann avait dit : « Tu lui plais beaucoup. » Était-ce vrai ? Lui plaisait-il ?

Si jamais elle avait pu savoir à qui elle avait réellement affaire, elle l'aurait injurié...

67

Gino fut le premier à partir. Il fit ses adieux à tous le lendemain de l'anniversaire de Lucky, prétendant qu'il avait une affaire importante à régler au plus vite.

Susan décida de rester.

— Tu n'y vois pas d'inconvénient, mon chéri ? avait-elle demandé à Gino sur le ton de l'épouse soumise et faussement dépendante.

— Aucun, amuse-toi bien, avait répondu Gino, lorgnant déjà du côté de la liberté.

Il fut convenu qu'ils se retrouveraient dix jours plus tard à Los Angeles.

Gino prit un premier avion qui le mena à Paris, puis le Concorde l'emmena à New York. Sa suite habituelle l'attendait à l'hôtel *Pierre*. La première chose qu'il fit en arrivant fut d'appeler Paige à Los Angeles.

— Je t'attends au prochain avion en provenance de L.A., lui annonça-t-il.

— Tu plaisantes ?

— J'ai quelque chose pour toi.

— Quoi ?

— Une merveille que tu seras ravie de te fourrer dans la bouche.

— On ne t'a jamais dit que tu étais le type le plus obscène de la planète ?

— Prends le premier avion pour New York.

— Gino...

— Ne me fais pas languir plus longtemps.

— O.K., t'as gagné, je te rappelle pour te dire quand j'arrive.

Gino attendit son coup de fil en faisant les cent pas. Au bout d'une heure, enfin, le téléphone sonna.

— Alors ? demanda-t-il tout de suite.

— J'arrive mercredi.

— C'est trop loin.

— Arrête de geindre. J'ai un travail à finir.

— Bon, bon, ça va. Mercredi, alors.

Puis il raccrocha. Il appela ensuite Costa.

— Faut que je te voie, dit Gino. Qu'est-ce que tu dirais d'une petite réunion de travail ?

— Mais qu'est-ce qui se passe ? demanda Costa, surpris.

— Je suis à New York. Je me sens en pleine forme, et je me dis que ce serait bien d'en profiter pour relancer quelques vieilles connaissances.

— Où est Susan ?

— Je l'ai laissée sur le yacht des Stanislopoulos et elle est aux anges.

— Et Lucky ?

— Elle devrait arriver demain. Et toi, tu viens quand ?

— Écoute, j'ai deux rendez-vous chez le dentiste cette semaine, et mon arthrite...

— Allez ! T'auras tout le temps de te faire rapiécer plus tard ! Viens, va, ça me ferait tellement plaisir ! C'est quand même pas tous les jours que je suis à New York, et seul en plus !

— Bon, c'est d'accord. De toute façon, un petit changement de décor me fera pas de mal !

Dès qu'il eut raccroché, Gino se commanda un énorme steak saignant, des frites et un gâteau au chocolat couvert de crème Chantilly, autant de mets succulents formellement interdits par sa femme qui surveillait son taux de cholestérol à longueur de journée. Il engloutit le tout sans remords, puis s'endormit avec un sourire béat aux lèvres.

Un jour de plus en compagnie de Lennie sur ce bateau, et Lucky savait qu'elle succomberait de nouveau. Était-ce seulement parce qu'elle n'avait pas fait l'amour aussi bien depuis longtemps ? Non, c'était autre chose, une force irrationnelle et bouleversante qui l'attirait vers lui. Depuis quelques jours elle l'observait, et elle avait remarqué entre autres qu'il avait un don certain pour s'occuper des enfants. Roberto et Brigette l'adoraient. Hormis le fait qu'il lui plaisait infiniment, il fallait bien admettre qu'il possédait un certain nombre de qualités et de talents.

Mais comment avait-il pu épouser Olympia ? Il était trop sensé pour accepter de lier sa vie à cette snob écervelée. Mais même les gens intelligents agissent parfois sur un coup de tête. Et Lennie était quelqu'un d'impulsif, elle était bien placée pour le savoir.

Quoi qu'il en soit, il fallait qu'elle quitte ce bateau au plus vite.

— J'ai quelques affaires à régler avec Gino à propos du *Magiriano*. Des papiers à signer, des trucs dans ce genre, dit-elle à Dimitri, suffisamment vague pour qu'il ne pose pas de questions.

Il ne protesta pas. Il avait la tête ailleurs. Francesca lui battait froid depuis qu'il avait offert ce fameux collier à Lucky pour son anniversaire, et il lui fallait régler ça au plus vite. Un bijou encore plus cher devrait arranger les choses. Il allait s'en occuper.

— Fais ce que tu as à faire, dit-il à Lucky.

— Roberto reste ici avec Cee Cee, ajouta-t-elle. Il est possible que je revienne d'ici quelques jours.

Mais elle n'en avait nullement l'intention. Ce genre de croisière en compagnie de ce genre de personnes n'était pas exactement sa tasse de thé. Et elle se débrouilla pour prendre congé sans se faire remarquer.

— Où est passée Lucky ? demanda Lennie au dîner.

— Qu'est-ce que ça peut te faire ? aboya Olympia, qui était insupportable depuis l'incident de la veille.

— Je voulais juste savoir, c'est tout, répondit-il.

— Elle avait des affaires urgentes à régler à New York, expliqua Dimitri.

Après dîner, deux groupes se formèrent, les flambeurs et les danseurs. Olympia et Lennie se retrouvèrent bien entendu sur la route des boîtes de nuit. Olympia ne pouvait passer une soirée sans se trémousser dans un endroit étouffant et surpeuplé, au son des sempiternels tubes de l'été.

Lennie, se montrant curieusement docile et indifférent, suivit le wagon des excités sans broncher, les laissa s'éparpiller dans la foule tressautante et bronzée, et s'installa à une petite table légèrement en retrait de la piste. Songeur, il regardait sa femme rouler des hanches et des seins sur un air de Stevie Wonder. Il se demandait ce que pouvait bien faire Lucky à cette heure. La belle brune occupait sans relâche ses pensées et son cœur. Il avait désormais renoncé à lutter contre cette douce et douloureuse obsession. Il lui fallait parler à Olympia sans plus tarder. Il ne mentionnerait pas Lucky — inutile d'envenimer les choses —, il lui dirait simplement que leur mariage était une erreur et qu'il reprenait sa liberté.

68

La première chose que fit Lucky en arrivant à New York fut d'appeler Gino.

— J'ai une surprise pour toi ! lui annonça-t-il. Viens me retrouver à l'hôtel *Pierre* à cinq heures et demie.

Elle téléphona ensuite à ses avocats et apprit que tout s'était déroulé comme prévu à Atlantic City. Encore quelques signatures et les terrains seraient à elle.

Elle était complètement surexcitée à la perspective de construire un nouvel hôtel tout en sachant que ce serait un défi permanent, une entreprise épuisante qui mettrait un certain temps à porter ses fruits. Mais peu importait, Lucky aimait la difficulté. Elle était prête à se battre. Il y avait trop longtemps qu'elle végétait. En outre, la réalisation de ce projet lui occuperait l'esprit. Elle se détacherait peu à peu de l'emprise de Dimitri, et surtout, elle ne penserait plus à Lennie. A présent qu'elle avait quitté le yacht, elle réalisait à quel point cette histoire était une folie. Il était marié avec Olympia, ce qui était une raison suffisante de le rayer de ses pensées. Mais il portait aussi en lui la promesse d'un amour infini, qui lui ferait oublier Marco. Et là était la vraie raison de la fuite de Lucky. Elle avait trop souffert la première fois. Le mieux à faire était d'oublier Lennie Golden. Et elle y parviendrait tôt ou tard.

Quand elle arriva à l'hôtel *Pierre*, Gino la serra dans ses bras.

— Ah ! Enfin te voilà ! s'exclama-t-il. Regarde qui est là !

— Oncle Costa ! dit-elle, ravie. Mais qu'est-ce que tu fais là !

— Oh, il faut bien que je sorte une fois de temps en temps ! Et puis, je n'ai pas pu résister à l'envie de te voir !

— Je t'adore !

Mais Gino leur avait réservé une autre surprise. Il avait organisé un dîner avec de vieux amis dans un restaurant italien du Queens. Il y avait là Aldo et Barbara, un vieil homme rond et lascif comme un vieux matou et une petite femme toute frêle. Leurs enfants aussi étaient présents avec leurs conjoints et une série de petits-enfants bruyants complétaient le tableau. Tout le monde buvait du vin rouge en mangeant des pâtes dont Barbara avait supervisé la cuisson. On dégusta de délicieuses *spumoni* au dessert, les glaces préférées de Gino.

— Je voudrais tellement que tu connaisses mon fils, Roberto, dit Lucky à Barbara.

La vieille dame, qui avait connu Lucky toute petite, eut un regard plein d'amour pour la belle jeune femme et un élan de tendresse anticipée pour son petit garçon. Sans rien dire, elle serra Lucky dans ses bras.

— Tu verras, Barbara, dit Gino. Roberto est un vrai Santangelo, il me ressemble comme deux gouttes d'eau !

Lucky rayonnait d'émotion et de joie d'entendre son père faire des compliments sur son fils.

— Il a mes yeux et mes cheveux ! poursuivit Gino, très fier. Pas vrai, Lucky ?

— Oui, papa, souffla-t-elle, tout attendrie.

— Bienvenue dans la Cité des Anges ! dit Jess.

Elle était venue accueillir Lennie à l'aéroport de Los Angeles avec le chef d'escale de la compagnie d'aviation qui lui fit passer la douane comme une fleur.

— C'est pas mal d'être une star, hein ? plaisanta-t-elle. Alors, ce voyage, c'était bien ?

— Je crois que je suis amoureux, dit-il.

— Normal quand on rentre de sa lune de miel !

— Mais pas d'Olympia, banane.

Jess ouvrit de grands yeux sans comprendre.

— Tu ne vas pas me croire, poursuivit-il, mais j'ai rencontré la femme de ma vie.

— Eden a fait une apparition surprise sur le yacht des Stanislopoulos ?

— Eden ?

— Je croyais que...

— Mais je viens de te dire que je vais commencer une nouvelle vie !

— Et Olympia dans tout ça ?

— Je vais divorcer.

— Tu lui as dit ?

— Pas encore.

— Et si elle refuse ?

— Je la quitterai.

— Et qui a fait battre ce petit cœur, cette fois ? demanda Jess d'un ton badin.

— Mais puisque je te dis que je l'aime, que je ne peux plus me passer d'elle ! tonna Lennie.

— Alors, c'est qui ?
— Lucky Santangelo.
Jess sursauta.
— Tu plaisantes ?
— Je n'ai jamais été plus sérieux, répondit-il.

69

Ce n'était pas si simple de trouver une raison valable de s'envoler pour New York impromptu. Mais le mari de Paige n'avait jamais été possessif ni soupçonneux. En outre, il était trop coincé par le boulot pour avoir le temps de gamberger. Cette fois-ci pourtant, quand elle lui annonça qu'elle devait rencontrer un créateur de mobilier italien de passage à New York pour quelques jours, il sembla contrarié. Il la pria même d'annuler son voyage. Un dîner était en effet prévu le jeudi avec Vitos Felicidade. Et Ryder avait compté sur sa femme pour amadouer le chanteur, dont les exigences aberrantes retardaient le début du tournage de jour en jour. A sa place, un autre producteur serait devenu fou. Vitos voulait un droit de regard sur tout : le casting, les décors, le scénario — qu'il prétendait encore modifier —, et même le découpage.

Paige jura à Ryder qu'elle était désolée de ne pouvoir l'aider et il la laissa partir, un peu inquiet néanmoins quant à l'issue de ce dîner.

La jeune femme dut encore reporter une douzaine de rendez-vous avant son départ. Depuis quelques mois, sa cote montait et elle était très demandée par tout ce qu'il y avait de plus riche et de plus snob dans tout l'État.

Dans l'avion, elle se retrouva assise à côté d'un très bel homme, l'une des nouvelles stars des shows télévisés. Quelques mois plus tôt, un corps pareil l'aurait mise dans tous ses états. Mais à présent, elle le considérait avec une certaine distance et un manque total d'émoi. Elle n'avait plus qu'un homme en tête, Gino Santangelo. Et elle frémissait rien qu'à l'idée de le retrouver dans quelques heures.

« Tu vieillis », se dit-elle. Mais, curieusement, cela ne lui faisait ni chaud ni froid.

Paige Wheeler fut la première maîtresse de son père que Lucky appréciât. Il les emmena dîner chez *Elaine's* — un célèbre restaurant — avec Costa. Paige les fit tous beaucoup rire. Il y avait en elle une malice et une énergie qui faisaient plaisir à voir. En outre, elle était pleine de finesse, et Lucky sourit intérieurement en pensant que la pauvre Susan ne supportait pas la comparaison. Gino lui parut plus animé que jamais. Subitement, il débordait de projets. Comment Lucky aurait-elle pu faire grise mine à cette petite femme rigolote ?

Ils sortirent du restaurant à une heure du matin et se quittèrent dans le hall de l'hôtel, euphoriques. Lucky passa à la réception avant de monter dans sa chambre et trouva sept messages de Lennie, qui la priait instamment de le rappeler à Los Angeles. Arrivée dans sa chambre, elle les froissa et les jeta dans la corbeille à papier.

« Tu es accro », se dit-elle.

« Sûrement pas », lui répondit une autre voix.

Elle fit les cent pas entre la chambre et la salle de bains pendant deux minutes, puis, n'y tenant plus, elle plongea la main dans la corbeille, en retira les messages et les défroissa. Elle allait poser la main sur le combiné quand le téléphone sonna. Son cœur s'emballa. Elle décrocha.

— Allô !

— Lucky ?

— Qui est à l'appareil ?

— Oh ! Ça suffit, tu sais très bien que c'est moi. Je suis à Los Angeles et je fais le Carson Show demain. Tu viens ?

Elle prit une cigarette dans son paquet et remarqua qu'elle tremblait comme une feuille en l'allumant.

— Redescends sur terre, Lennie. Ce qui nous est arrivé n'était qu'un... — elle chercha ses mots — un moment de grâce. C'est fini à présent, alors oublie tout ça.

Il fit comme s'il n'avait rien entendu.

— J'ai déjà contacté mon avocat, dit-il. Si Olympia est d'accord, je vais demander l'annulation de mon mariage.

Elle ne répondit rien.

— Tu m'entends ? demanda-t-il.

— Fais ce que tu as à faire, Lennie.

— J'en ai bien l'intention. Et toi ?

Elle prit une profonde inspiration.

— Je viens de m'embarquer dans un grand projet. Je vais faire construire un hôtel à Atlantic City et ça va me prendre tout mon temps et toute mon énergie.

— Tu n'as pas répondu à ma question.

— J'ignorais que tu m'avais demandé quelque chose.

— Alors je vais être clair : est-ce que tu as l'intention de divorcer ?

Elle n'avait pas à répondre à cela. Mais qui était-il donc pour l'interroger comme ça ?

— Tu ferais mieux de m'oublier, Lennie. Tu ne ferais que compliquer ma vie encore davantage. Je n'ai vraiment pas besoin de ça en ce moment.

Puis elle raccrocha.

Dans leur chambre, dans leur lit, Paige et Gino s'étaient enfin retrouvés.

— Un peu plus haut ! dit Paige, essoufflée.

Gino déplaça le bout de sa langue de quelques millimètres.

— Moins fort, souffla-t-elle.

Il relâcha légèrement la pression.

— Encore ! le supplia-t-elle.

Il plongea sa tête encore un peu plus entre ses cuisses et y trouva un goût de paradis.

Lennie n'avait rien préparé pour le Carson Show, ce qui inquiétait Jess et Isaac au plus haut point.

— Mais qu'est-ce que tu fabriquais sur ce foutu bateau ? demanda Jess.

Puis elle se souvint de sa nouvelle conquête — et quelle conquête ! — et se tut.

— Je ne pensais qu'à elle, toute la journée ! Toutes les nuits, je rêvais d'elle !

— Écoute Lennie, je ne voudrais pas être désagréable, mais tu ferais mieux de tirer un trait sur tout ça.

— Ah, oui ? Et pourquoi ?

— Mon Dieu ! Mais comment dire ? Eh bien voilà, cette fille est très liée avec la Maffia.

— Ah ! Ah !

— Crois-moi, Lennie, il y a quelques années, elle s'est trouvée impliquée dans un meurtre.

— Quel genre ?

— Oh, ça été très vite étouffé ! Mais d'après la rumeur, elle aurait tué son parrain.

— Je me fous des rumeurs, je veux des faits.

— Elle a tiré sur un monsieur avec le revolver du monsieur, voilà. Elle a prétendu par la suite qu'il avait tenté de la violer, mais le bruit a couru qu'il s'agissait d'un règlement de comptes. Il avait fait descendre son frère et son petit ami.

— Quel petit ami ?

— Marco au sourire enjôleur, tout droit sorti d'un film de gangsters.

— Qu'est-ce qui lui est arrivé ?

— Il s'est fait brûler la cervelle dans le parking du *Magiriano*. Je m'en souviens très bien. Tout le monde était parano et parlait d'un gang prêt à frapper de nouveau. Mais tout s'est calmé. Lucky Santangelo a quitté Las Vegas, et Enzio Bonnatti l'a remplacée à la tête du *Magiriano*. C'est le type qu'elle a dégommé.

Lennie resta silencieux quelques instants, le temps de digérer cette révélation salée. Il ne savait pas s'il devait croire Jess ou non. Elle avait beaucoup d'imagination.

— Matt connaît tous les détails de l'histoire. Mais ça m'étonnerait qu'il te la raconte.

— Merci pour cet épisode romanesque de la vie de Lucky. Mais quoi qu'il en soit, ça ne change rien pour moi.

Jess haussa les épaules, fataliste. Après tout, Lennie était un grand garçon.

Puis ce fut le début du Carson Show. Et la fin du Carson Show. Lennie s'en sortit fort bien — pas aussi bien qu'il en aurait été capable — mais Carson l'apprécia. Il l'apprécia même tellement qu'il l'invita à s'asseoir avec lui et d'autres invités après son numéro. A la fin de l'émission, il le réinvita pour le show suivant.

— Tu as été génial ! s'exclama Jess, la meilleure de ses fans. Quand Johnny demande à un comédien de venir s'asseoir avec lui, on sait que c'est gagné.

Mais Lennie ne l'écoutait pas. Il pensait à Lucky, et se demandait si elle l'avait vu à la télé.

Il y avait peu de temps qu'il l'avait quittée, mais elle lui manquait déjà au-delà de tout ce qu'on pouvait imaginer.

Lucky s'était installée dans l'appartement de Dimitri, et c'est à son bureau qu'elle mit au point ses premières idées concernant le *Santangelo*.

Puis elle mit son walkman et se laissa dériver sur la musique d'Isaac Hayes, l'un de ses chanteurs préférés.

A onze heures et demie, elle alluma mécaniquement la télévision. Johnny Carson, l'homme le plus populaire de la télé américaine, apparut sur l'écran. Elle l'écouta cinq minutes, puis elle éteignit le poste. Elle se prépara un whisky et resta plantée devant l'écran gris. Au bout de trente secondes, elle ralluma.

Pourquoi regarder Lennie Golden ?

Pourquoi pas ?

Dès qu'il arriva sur scène, le public lui fit une énorme ovation.

Lucky n'en croyait pas ses yeux. Il les avait mis dans sa poche en trois phrases, et au bout de cinq minutes, c'était carrément le délire. Il était bien plus qu'un grand comédien. C'était l'un des meilleurs humoristes de son temps.

Elle s'alluma une cigarette et commença à faire des ronds de fumée d'un air songeur.

Lennie Golden.

Comment pourrait-elle jamais l'oublier tout à fait ?

Le lendemain de son passage dans le Carson Show, Lennie annula un spectacle pour le soir même dans un club et s'envola direct pour New York, au mépris des vives protestations de Jess. Il descendit à l'hôtel *Regency* et téléphona à Lucky sur-le-champ.

180

— Je suis à New York. Il faut qu'on parle, annonça-t-il tout de go.

— Ça ne servira à rien, répondit Lucky.

— Ne sois pas désagréable et viens dîner avec moi.

— Mais pourquoi ? Il ne se passera plus jamais rien entre nous.

— Alors si c'est le cas, je veux te l'entendre dire entre quatre yeux. Et si tu me l'affirmes encore quand tu seras en face de moi, je ne te rappellerai plus jamais. Je te laisserai définitivement en paix. C'est promis.

Elle hésita.

Il persista.

— Alors c'est d'accord ?

— Je ne sais pas...

— Hé, l'interrompit-il, tu veux que je te laisse tranquille, n'est-ce pas ? Bon, alors accepte ce marché. Parce que je peux vraiment te rendre folle en te téléphonant sans cesse, en t'écrivant sans arrêt, en t'inondant de fleurs à longueur de journée.

Il reprit son souffle pendant quelques instants avant de poursuivre.

— Alors, à quelle heure je passe te prendre ?

— Ça ne ser...

— ... vira à rien, dit-il, terminant sa phrase. Je passerai te prendre à huit heures et demie.

Elle allait protester mais il avait déjà raccroché.

Lucky Santangelo serait à lui, même s'il devait lutter contre le monde entier, même s'il devait d'abord lutter contre elle.

Il savait qu'elle finirait par capituler, et pour cela, il était prêt à tout.

70

Sur le yacht, en Méditerranée, les journées s'écoulaient, ensoleillées et monotones. Mais Dimitri et Francesca ne profitaient pas du soleil. Ils ne sortaient pratiquement plus de la chambre de Dimitri, si ce n'était pour dîner ou jouer au backgammon. Susan et la comtesse s'en donnaient à cœur joie de leur côté. Quant à Olympia, elle avait disparu depuis plusieurs jours et personne ne semblait s'en être aperçu, excepté Brigette qui en faisait voir de toutes les couleurs à Nanny Mabel.

Olympia avait retrouvé Flash un soir, par hasard, dans une boîte à la mode, et elle ne l'avait pas quitté pendant trois jours. Ils n'étaient pas sortis de sa villa et avaient passablement abusé d'un maximum de dope et de séances au lit.

Quand elle réapparut sur le bateau, elle se sentait plus heureuse et plus comblée que jamais.

Elle embrassa distraitement sa fille et alla s'installer sur le pont supérieur pour bronzer. Ces derniers jours, elle avait perdu ses couleurs.

Olympia calcula qu'il restait encore trois semaines avant que Brigette ne retourne au collège. Avoir un enfant était une telle charge. Elle soupira. Si elle n'avait pas eu cette petite fille, elle aurait pu faire ce qu'elle voulait. Il ne lui serait jamais venu à l'esprit qu'elle avait en fait *toujours* fait ce qu'elle voulait.

Flash venait de s'envoler pour l'Allemagne où il devait enregistrer un nouvel album. Ils avaient rendez-vous à New York, dans huit jours. La vie allait enfin reprendre son cours normal. Sexe, drogue, et rock and roll.

Tout s'était passé au mieux entre eux. Flash n'avait pas fait allusion une seule fois à sa jeune femme. Olympia avait presque oublié Lennie. A présent que Flash resurgissait dans sa vie, il fallait qu'elle trouve un moyen de se débarrasser de son mari. Elle allait devoir contacter son avocat et arranger un divorce. Encore une fois...

— Francesca va passer la journée à Paris samedi, annonça Dimitri au dîner. Mon avion l'y conduira.

Horace ne leva pas le nez de son crabe. C'était un philosophe, ou peut-être un lâche. Quoi qu'il en soit, il avait perdu l'habitude de défendre son bien. Il se concentra donc sur la chair savoureuse du crustacé.

— Quelle bonne idée ! s'exclama Olympia. Je vais y aller aussi. J'ai tellement de courses à faire !

— Je peux venir aussi ? mendia Brigette.

— Ne sois pas stupide, chérie.

— Et pourquoi tu ne m'emmènerais pas ?

— Mais parce que, éluda Olympia.

Les yeux de la petite fille se remplirent de larmes.

— Maman, supplia-t-elle, s'il te plaît ?

— Il n'en est pas question ! trancha Olympia.

Brigette se leva d'un bond.

— Je te déteste ! s'écria-t-elle subitement. Tu n'es qu'une grosse vache ! Je veux plus te voir !

Il y eut un silence gêné dans l'assemblée.

— Brigette ! tonna Dimitri. Comment oses-tu parler à ta mère de cette façon ? Va dans ta chambre immédiatement !

Brigette évalua les chances qu'elle avait d'attendrir son grand-père et poursuivit sur un ton plaintif et pathétique :

— Mais grand-père, je ne vois jamais maman. Alors pourquoi je ne pourrais pas aller avec elle ? Pour une fois ?

Dimitri se tourna vers sa fille, interrogatif.

— C'est ridicule ! dit Olympia.

Brigette pensa que c'était le bon moment pour se mettre à pleurer. Au moins, elle aurait tout essayé.

— Il ne manquait plus que ça ! soupira Olympia.

Elle sonna Nanny Mabel qui emporta bien vite l'encombrante enfant hors de sa vue.

71

Lucky avait pris un bain pour se détendre. Puis elle avait enfilé un pantalon de cuir noir et une large chemise de soie. Elle s'était légèrement maquillé les yeux, elle avait brossé ses longs cheveux fous. Elle s'était parfumée, elle avait accroché la broche de Gino sur son scin gauche. Elle évalua le résultat dans la glace de la salle de bains et choisit des boucles d'oreilles pour compléter le tableau. Voilà, elle était prête. Prête à quoi ?

Lennie lui avait donné rendez-vous, et elle attendait qu'il vienne la chercher pour aller dîner. Quoi de plus naturel ? Quoi de plus insolite pour elle ! Le fait de se comporter comme les autres la déprima subitement. Elle le ressentit comme une capitulation. En outre, il lui avait imposé ce dîner. Et Lucky détestait les hommes autoritaires.

Elle se servit un Pernod et se mit à fumer cigarette sur cigarette. Après tout, mieux valait peut-être en finir une bonne fois pour toutes avec lui. Ensuite, elle aurait l'esprit libre pour se lancer à fond dans la réalisation de cet hôtel. Son hôtel, et plus tard celui de Roberto, son génial petit garçon.

S'il y avait encore des naïves qui croyaient que l'amour donnait un sens à la vie, Lucky avait dépassé ce stade. Elle avait eu deux maris qui ne lui avaient apporté que mépris, désillusions et ennui. Et le seul homme qu'elle ait jamais aimé s'était fait tuer. Quant à Lennie, il confondait tout et prenait son désir fulgurant pour de l'amour fou.

Elle se servit un deuxième verre. Puis on sonna. Elle tressaillit, essayant de vaincre le tremblement qui la saisit. Un majordome stylé traversa le salon.

— Mr Lennie Golden est là, madame.

— Très bien, faites le entrer.

Elle tenta de se composer une attitude détachée alors qu'il s'approchait d'elle, mais n'y parvint pas et se sentit très faible tout à coup.

— Lennie ! souffla-t-elle.

Leurs yeux se mêlèrent et elle se remit à trembler.

— Bonsoir, princesse ! dit-il, en lui prenant les mains. J'ai l'impression d'être dans un musée !

— Moi aussi ! avoua-t-elle.

Il n'arrêtait plus de la regarder, content, radieux, sûr de lui. Elle ne trouvait rien à dire, bouleversée et affolée par cette émotion incontrôlable qui la saisissait.

— Je t'aime et je ne veux plus jamais te quitter, lui annonça-t-il.

72

Quand Susan rentra à Beverly Hills, elle pensait y trouver Gino, mais il n'était pas là. Gemma, en revanche, était mollement étendue sur le canapé du salon. Sa présence inopinée contraria Susan. Sa fille était tellement imprévisible et désordonnée. Quand elle était allée vivre avec son petit ami, Susan avait ressenti ce départ comme un soulagement. Alors, que fabriquait-elle ici ?

— On s'est disputé, annonça Gemma en croquant distraitement dans une pomme.

— Rien de grave, j'espère ? s'enquit Susan, faussement compatissante.

— Tout dépend de ce que tu entends par grave, répondit Gemma.

Elle posa la pomme à moitié mangée sur la table chinoise sans plus de façons.

— Je l'ai surpris en train de peloter ma meilleure amie, poursuivit la jeune fille. Pour être tout à fait précise, il avait la main sous sa jupe et elle ne porte pas de culotte. Tu rangerais ce petit incident dans quelle catégorie, maman ?

— Tu en es sûre, ma chérie ? demanda Susan.

Gemma lui lança un regard ironique.

— Tout à fait sûre, répondit-elle calmement. Mais au fait, et ton voyage ?

— C'était très bien. Des gens charmants.

— Qui ça ? demanda Gemma.

— Oh, Francesca Fern et son mari. Saoud Omar. La comtesse Zebrowski, Lennie Golden...

— Lennie Golden ! s'exclama Gemma. Vraiment ?

— Il est marié avec la fille de Dimitri, l'informa Susan, tout en disposant un bouquet dans un vase Ming.

— Tu pourrais me le présenter ? Dis ? Et si tu organisais un dîner ?

— Pas question. Ce voyage m'a fatiguée et j'ai besoin de calme.

— Mais ça peut attendre la semaine prochaine...

— Parce que tu seras encore là dans huit jours ? demanda Susan, espérant que la réponse serait non.

— Si ce salaud ne vient pas se traîner à mes pieds en me suppliant de lui pardonner, je pourrais bien être encore ici dans six mois !

Gemma regarda sa mère et sourit, triomphante. Elle avait une petite bouche et de très petites dents blanches.

184

— Je ne suis pas en visite, maman, précisa-t-elle, ironique. Je suis revenue à la maison, pour de bon.

Paige et Gino avaient passé trois jours mémorables à New York. Ils ne s'étaient pas quittés une seconde. Ils avaient beaucoup ri, beaucoup joué, et s'étaient révélés les meilleurs complices du monde. Ils ne savaient ni l'un ni l'autre où tout cela les mènerait et ne se posaient aucune question. Une chose était certaine, ils étaient prêts pour le grand tour.

Quand Paige rentra à Los Angeles, elle trouva son mari déprimé. Le dîner tant attendu avait été annulé au dernier moment, Vitos s'étant brusquement senti souffrant. On avait donc reporté les festivités à la semaine suivante, chez *Chasen* cette fois.

Ryder n'ayant posé aucune question sur son voyage, Paige monta prendre un bain, tous sentiments de culpabilité envolés. Elle allait se plonger dans la mousse bleue quand le téléphone sonna. C'était Susan.

— Paige chérie, il faut absolument que je te voie, dit-elle suppliante.

— Je suis débordée de travail, répondit Paige, assez sèchement.

Elle n'avait plus aucune envie de prolonger le petit jeu du « je baise avec ton mari, mais je reste ta petite amie ».

— Écoute, Paige, c'est vital, dit Susan, très théâtrale.

Paige hésita à répondre. Susan avait-elle découvert quelque chose ? Il valait mieux en avoir le cœur net.

— Eh bien...

— Viens prendre le thé demain. A quatre heures, chez moi.

— Bon.

— S'il te plaît, promets-moi que tu viendras.

— O.K., j'y serai, répondit Paige.

Puis elle raccrocha. Elle s'immergea dans son bain. Plus vite elle en aurait fini avec Susan et mieux ça vaudrait.

73

Tomber amoureux, c'est un peu comme recevoir un violent coup de poing en pleine figure. On n'en meurt pas, mais on reste sonné. On a sans arrêt mal au cœur. On se sent incroyablement euphorique pendant une heure pour passer brusquement, sans transition aucune, dans la plus profonde des déprimes. On meurt de faim, mais on est incapable d'avaler quoi que ce soit. On a chaud, on a froid, on est perpétuellement sur les nerfs.

C'est aussi ne pas pouvoir s'empêcher de sourire, avoir l'envie soudaine d'embrasser tout le monde et de gambader comme un gamin. On a l'impression d'avoir dix ans de moins.

La maladie d'amour n'est jamais précédée de signes avant-coureurs. C'est plutôt comme si l'on vous poussait du grand plongeoir. Vous tombez sans pouvoir vous rattraper et, en l'espace d'une seconde, vous avez basculé ailleurs.

Et Lucky ne s'y attendait pas plus que Lennie. Bien sûr, ils s'étaient sentis physiquement attirés l'un vers l'autre. Mais il leur arrivait quelque chose de bien plus grave, qu'ils ne contrôlaient plus. L'amour les avait frappés, foudroyés. Lucky avait résisté quelque temps. Mais elle ne pouvait plus. L'amour n'a jamais épargné personne, et même les plus récalcitrants ne peuvent y échapper indéfiniment.

— Qu'est-ce qu'on va faire ? demanda-t-elle.

Elle venait de passer deux jours avec Lennie, les deux jours les plus merveilleux de sa vie.

— On va se libérer des pièges qui nous attachent, moi à ma femme, toi à ton mari. Puis on fera quelque chose de vraiment stupide, comme se marier, vieillir ensemble et avoir une douzaine d'enfants !

Il parlait sur le ton de la plaisanterie, mais il n'avait jamais été plus sérieux.

Lucky flottait sur un nuage. Il lui semblait que le contrôle de sa vie lui échappait et elle se rendait à la grâce des événements.

— Tu crois ? demanda-t-elle, béate.

— J'en suis sûr !

Puis il la reprit dans ses bras pour la dévorer de baisers. Lennie avait fait tomber ses dernières défenses. Il était infiniment séduisant, plein de talent, gentil avec les enfants, sans parler de ses performances au plumard. Elle n'avait jamais connu un homme comme lui.

Tout s'était passé très vite. Il l'avait emmenée dans un restaurant chinois et, au bout de dix minutes, ils avaient déjà abandonné le dialogue courtois pour s'adonner au plaisir des confidences. Fouiller dans leurs souvenirs, confronter leurs expériences finit de les rapprocher au plus haut point et de créer d'indissolubles liens. A une heure du matin, le patron dut leur demander gentiment de partir. Ils ne s'étaient même pas rendu compte que les tables autour d'eux s'étaient peu à peu vidées et qu'ils étaient les derniers.

Ils avaient passé le reste de la nuit dans une boîte de jazz de Greenwich Village. Puis ils étaient partis, au petit matin, dans la Ferrari de Lucky. Elle s'était instinctivement dirigée vers East Hampton, vers sa maison. La demeure était silencieuse et vide. C'était l'été, et les domestiques étaient en vacances. Lucky avait préparé un petit déjeuner. Ils avaient regardé le jour se lever, puis ils étaient montés au premier. Dans la chambre, sur le grand lit de Lucky qui avait été la couche nuptiale de Maria et Gino, ils s'étaient lentement enlacés, mêlés l'un à l'autre dans une douce étreinte, émus comme si c'était la première fois qu'ils faisaient l'amour. Puis ils s'étaient endormis pour se réveiller, et recommencer, encore et encore, à explorer leurs corps. Ils se sentaient inspirés comme ils ne l'avaient jamais été avec aucun de leurs anciens partenaires. Le délire sexuel exacerbé par le délire amoureux les entraîna dans les contrées vierges du plaisir, celles qu'ils n'avaient encore jamais visitées.

Le matin du deuxième jour, Gino téléphona. Cinq minutes plus tard, Lucky avait déjà oublié ce qu'ils s'étaient dit. Elle ne voulait aucune intrusion de la réalité tant qu'elle serait ici, avec Lennie.

74

Ce qui devait arriver arriva. Susan tomba dans les bras de Paige, en larmes. Et Paige se laissa faire, une dernière fois.

— Les domestiques sont absents pour la journée et Gemma est à San Francisco, avait dit Susan pour vaincre les dernières résistances de son amie.

Et Paige l'avait suivie dans l'escalier. Elle était rentrée dans sa chambre. Elle avait regardé le lit. Elle n'avait pu s'empêcher de penser à Gino. Ç'avait été une affreuse sensation de trahison non désirée. Puis Susan avait commencé à se déshabiller. Alors, à contrecœur, Paige l'avait imitée. Ce serait son cadeau d'adieu, en quelque sorte.

Quand Lennie téléphona à Jess pour l'avertir de son retour, il fut accueilli par une bordée d'injures. Il n'avait pas donné signe de vie depuis trois jours et on l'attendait d'une minute à l'autre pour enregistrer une nouvelle série d'émissions. Il promit de rentrer le lendemain, puis il raccrocha.

— Ça y est, dit-il, ils commencent à nous tomber dessus.

— Ça devait arriver, répondit-elle avec un profond soupir.

Il la regarda avec un amour infini.

— Je voudrais tellement pouvoir t'emmener avec moi.

Elle eut un sourire un peu triste, comme pour dire : « Et moi, si tu savais comme j'aimerais pouvoir te suivre. »

Mais ils avaient conscience l'un et l'autre que c'était impossible pour le moment. Dimitri allait rentrer d'un jour à l'autre avec Roberto, et il y avait de nombreuses choses à régler avant qu'ils pussent vivre ensemble. Ils avaient passé des heures à parler de l'avenir, et cette petite séparation était la seule solution pour le construire. Lucky devait parler à Dimitri, et Lennie à Olympia. Avant cela, ils ne pouvaient rien envisager de sérieux.

— Je ne veux pas te quitter, dit-il en lui agrippant la jambe.

— Parce que tu crois que, moi, j'ai envie de te laisser partir ? répondit Lucky.

Elle se réfugia contre sa poitrine et respira son odeur jusqu'à s'en étourdir.

— Tu trembles, dit-il, soudain inquiet.

— J'ai froid.

Il lui frictionna vigoureusement le dos.

— Tu sais, on ne sera pas séparés très longtemps, dit-il. Je peux revenir vendredi soir· après l'enregistrement. On aura tout samedi et une bonne partie du dimanche.

Elle se nicha dans ses bras et ils firent l'amour encore une fois, longuement, passionnément, et plus tendrement que jamais.

Lucky passa la nuit lovée tout contre lui. Au matin, ils se levèrent avec des mines de condamnés et partirent pour l'aéroport de New York la mort dans l'âme.

L'idylle était finie.

Marco était parti, un matin...

Et elle ne l'avait jamais revu vivant...

75

Gino n'aimait pas vieillir. En un sens il s'estimait heureux d'avoir tenu jusqu'ici en conservant toute son énergie. Mais d'un autre côté, la lumière au bout du tunnel se faisait plus proche de jour en jour, et il ne pouvait accepter cela avec philosophie. Soixante-quatorze ans... Le chiffre le faisait parfois frissonner.

Certes, il ne s'était pas dégradé physiquement. Au fil du temps, il avait conservé toute sa vigueur, tous ses cheveux — gris désormais, mais toujours abondants — et toutes ses dents. Et excepté un ulcère qui n'arrivait toujours pas à cicatriser et une petite alerte cardiaque, on aurait pu dire qu'il avait gardé son corps de jeune homme.

Il profita de ce qu'il était à New York pour aller voir un vieux copain médecin.

— Tu as le cœur d'un homme de cinquante ans ! annonça le toubib, triomphant. Tu es en parfaite santé.

Un homme de cinquante ans... Il aurait voulu avoir le cœur d'un homme de vingt ans.

Dans l'avion, il flirta un peu avec une jeune hôtesse qui lui rappelait Paige Wheeler. S'il l'invitait à dîner, il était certain qu'elle accepterait. Mais était-ce parce qu'elle le trouvait encore séduisant pour son âge ou parce qu'elle sentait qu'il avait de l'argent ? Sa Rollex à six mille dollars et sa mise élégante étaient des signes suffisamment éloquents. Les femmes y avaient toujours succombé. Les femmes étaient vénales, il avait eu l'occasion de le constater des milliers de fois.

Mais il n'alla pas plus loin avec celle-là. Pour le moment, Paige occupait toutes ses pensées, et il avait envie de lui rester fidèle.

Plus tard, un taxi le déposa devant chez lui. A Beverly Hills, rien n'avait changé. Le décor était toujours aussi beau, et aussi artificiel. « Comme ma femme », songea-t-il. En payant le chauffeur, il remarqua la Porsche de Paige garée juste derrière la Rolls de Susan. Un sourire éclaira son visage. Il n'aurait pas cru retrouver Paige aussi vite. D'un air guilleret, il introduisit sa clé dans la serrure.

Dès qu'elle se fut débarrassée de Francesca, Olympia fila tout droit chez les plus grands couturiers. Elle était impatiente de se composer une nouvelle garde-robe pour la rentrée. Elle pensait déjà aux fêtes qu'il y aurait à New York. Elle se voyait déjà y faire ses entrées au bras de Flash.

Quand, par hasard, elle pensait à Lennie, ce qui était fort rare, elle n'éprouvait pas le plus petit sentiment de culpabilité. Lennie faisait déjà partie de son passé. D'ailleurs, elle allait contacter son avocat très bientôt pour que cette sensation de liberté nouvelle devienne une réalité.

Susan était allongée sur le dos, immobile, les yeux fermés. Sa peau d'une blancheur ivoirine — elle ne s'exposait jamais au soleil pour ne pas aggraver ses rides — avait quelque chose d'écœurant. Les jambes légèrement écartées, elle était là, offerte, abandonnée.

Paige fit glisser sa petite culotte en dentelle violette, puis se délesta d'un joli soutien-gorge assorti. Alors elle regarda Susan. Elle n'avait plus la moindre envie de cette chair étalée, passive, sous ses yeux, mendiante et muette sous ses doigts. Susan lui avait toujours laissé la direction de leurs ébats, ce qu'elle avait trouvé excitant au début, mais qui l'agaçait prodigieusement depuis quelque temps.

Trop tard pour reculer. Paige serra les dents en se demandant par où elle allait commencer. Une ou deux caresses précises devraient suffire à la faire partir. Susan n'avait jamais été bien difficile à contenter.

Excepté le bourdonnement intermittent d'une guêpe, il n'y avait pas un bruit dans la maison. Gino remarqua les vestiges d'un thé sur la table basse. Il sourit. « C'est vrai que Paige est gourmande ! » se dit-il. Il fit un petit tour dans la cuisine. Personne. Susan avait dû emmener Paige dans sa chambre pour lui montrer l'une de ses dernières robes de Saint-Laurent. Ah ! Les femmes et les fringues ! Elles dépensaient de petites fortunes pour des tenues qu'elles ne portaient qu'une seule fois.

Il monta tranquillement au premier. Il sentait le parfum de Paige dans l'air — le musc dont elle s'aspergeait toujours généreusement.

Il ouvrit la porte de la chambre et resta interdit devant le tableau que le hasard lui offrit. Les deux femmes, qui étaient en train de se sucer quand il avait tourné la poignée, s'étaient brusquement immobilisées à sa vue et n'étaient plus que deux corps pétrifiés dans des positions obscènes.

Gino eut l'impression que quelque chose explosait sous son crâne, comme une soudaine déflagration.

76

Olympia avait dépensé trois cent mille dollars en un après-midi. Et il lui avait suffi de quelques vêtements extravagants, de deux nouveaux bracelets Cartier dont l'un était serti de rubis, et de cinquante grammes de cocaïne garantie « extra-pure » pour qu'elle se sente une autre femme. Quel bonheur de naître milliardaire ! pensait-elle en s'installant dans l'avion privé de son père. Aucun homme n'aurait jamais consenti à payer pour satisfaire ainsi ses moindres désirs. Les hommes étaient radins. Et plus ils avaient d'argent, plus ils avaient du mal à le sortir.

Olympia jeta un coup d'œil à Francesca Fern qui avait déjà attaché sa ceinture de sécurité. On décolla bientôt, et Olympia se sentit l'âme légère et romantique. Ses pensées se tournèrent vers Flash et elle se laissa bercer par une douce rêverie.

— Alors, vous avez fait des achats ? demanda Francesca.

Olympia sursauta et son regard se braqua par hasard sur les faux cils de l'actrice. Elle n'avait aucune envie de lui parler. Elle se demandait ce que son père pouvait bien trouver à cette comédienne au profil de cheval. Elle allait néanmoins faire l'effort de répondre quand l'avion pénétra dans une zone de turbulences.

Un architecte avait soumis les plans de l'hôtel à Lucky. Elle était censée lui donner son accord définitif ou bien apporter des modifications de dernière minute. Mais elle était incapable de se concentrer. Elle regardait les figures géométriques danser sous ses yeux, irrésistiblement attirée par les points de fuite.

Elle s'amusait à faire des bateaux avec des trombones, souriant aux anges. Lennie téléphonait toutes les heures. La vie n'avait jamais été aussi belle. Lennie ! Elle l'attendait le lendemain soir, vendredi.

« Un dernier week-end magique... avant d'affronter Dimitri », songea-t-elle soudain, replongeant sans transition dans la dure réalité.

Cette sombre pensée la déprima d'un coup. Elle regarda le téléphone. Non, elle ne l'appellerait pas dans cet état. Ses yeux coururent sur le squelette du *Santangelo* exposé sous son nez. Aucun intérêt. Elle n'avait plus envie de rien.

Olympia sentit tout de suite que quelque chose clochait. Elle avait suffisamment pris l'avion dans sa vie pour avoir un instinct qui l'avertissait dès qu'il y avait le moindre problème.

L'hôtesse était pâle comme un cachet malgré son bronzage, et cela n'avait rien à voir avec la tempête que le petit appareil venait de traverser.

— Qu'est-ce qui se passe ? lui demanda Olympia.

— Mais rien du tout, mentit la jeune femme.

— Pas de ça avec moi, dit Olympia, étrangement calme. Je veux savoir.

— Eh bien, il y a un petit problème avec le train d'atterrissage.

— Quel genre de problème ? demanda Olympia.

— Il est coincé.

— Je vois...

— Nous avons alerté l'aéroport de Nice, mais le pilote pense que ça va s'arranger tout seul, sans que nous ayons besoin d'avoir recours à des mesures d'urgence.

Pendant quelques instants, Olympia se sentit prise de panique. Mais elle se domina très vite.

— Il nous reste combien de temps avant l'atterrissage ?

— Vingt minutes, répondit l'hôtesse.

Vingt minutes pour que le train d'atterrissage se décoince.

Elle fouilla dans son sac et en sortit une petite fiole de la miraculeuse poudre blanche.

L'avion privé de Dimitri Stanislopoulos s'écrasa le vendredi soir à dix-neuf heures quarante-cinq.

Il y avait neuf personnes à bord, sept membres d'équipage et deux passagers.

Après avoir heurté le sol de l'aéroport de Nice en bout de piste, l'appareil rebondit deux fois avant de s'écraser sur l'aile droite et de prendre feu. Deux des membres de l'équipage et un passager réussirent à s'échapper de l'appareil en flammes. Les autres périrent dans l'incendie.

TROISIÈME PARTIE

L'été 1983

78

Ce matin-là, Carrie Berkeley était l'invitée de Bryant Gumbel, l'animateur du Today Show. Il était encore tôt dans la matinée mais, dans les rues de New York, il faisait déjà très chaud. Carrie Berkeley, une dame de soixante-neuf ans fort élégante et Bryant Gumbel, l'un des meilleurs interviewers de la télé, ne semblaient pas souffrir de la chaleur. Ils devisaient gaiement dans un luxueux studio d'enregistrement baigné par l'air conditionné, dans les locaux de la chaîne NBC, au Rockefeller Center.

Carrie passait dans ce show matinal à l'occasion de la sortie de son livre en format de poche, qui ne cessait de grimper sur la liste des best-sellers du moment.

Bryant Gumbel sourit une dernière fois aux téléspectateurs puis on envoya le générique de fin.

C'était vraiment un jeune homme très brillant et très séduisant.

Dans une pièce attenante au studio, Carrie retrouva l'attaché de presse que ses éditeurs lui avaient octroyé pour la promotion de son livre. C'était un jeune homosexuel plein d'humour, aux cheveux d'une incroyable couleur carotte. Il la taquina cinq minutes à propos de sa prestation puis ils quittèrent l'immeuble de la télé, bras dessus, bras dessous.

A l'extérieur, ils furent accueillis par une grappe de chasseurs d'autographes. Carrie dota ce petit monde d'une quarantaine de paraphes avant de s'engouffrer dans la grosse limousine qui l'attendait pour l'emmener au rendez-vous suivant. Elle se laissa délicieusement aller sur le dossier de la banquette de cuir beige, ce qu'elle faisait désormais plusieurs fois par jour. Elle sourit à la pensée de ce qu'était devenue sa vie. Elle, Carrie Berkeley, un écrivain célèbre ! Toutefois, sans l'aide précieuse d'Ann Robbs, rien de tout cela ne serait arrivé. Les deux femmes étaient devenues des amies intimes, si intimes en réalité que Carrie avait fini par livrer le secret de sa vie à Ann Robbs. Et depuis bientôt un an, elles écrivaient ensemble la biographie de Carrie, un manuscrit explosif qu'elles n'allaient plus tarder à soumettre à un éditeur.

— On peut espérer une avance d'un demi-million de dollars, avait dit Ann. C'est de la dynamite, ton histoire.

Carrie avait longtemps hésité. Pouvait-elle accepter de voir l'histoire de sa vie noir sur blanc, tous ses secrets ainsi dévoilés, même pour cinq cent mille dollars ? Mais, après réflexion, il était évident qu'elle ne s'était pas lancée dans cette aventure pour des raisons matérielles. Et à la relecture de certains passages, si durs qu'ils l'avaient fait frissonner, elle avait compris que tout cela méritait d'être dit.

Pour le moment, personne n'était au courant de ce projet. Steven ne savait rien, et l'on n'avait encore rien dit à Fred Lester.

— C'est à Fred qu'on doit proposer le manuscrit en premier, dit Ann. Je ne pense pas qu'il paiera ce prix-là, mais il a une option sur ton deuxième livre, et par ailleurs, il mérite bien d'être prioritaire dans cette affaire.

Carrie approuva cette idée. Elle savait que Fred et Ann vivaient ensemble. Pendant plusieurs mois, Ann n'avait pas osé le lui dire, puis elle lui avait finalement tout raconté.

— Tu as de la chance, avait dit Carrie. Il a l'air très gentil.

— Il l'est, avait répondu Ann.

— Tu crois que vous finirez par vous marier ? avait demandé Carrie, toute remuée à l'intérieur.

— Non, avait répondu Ann.

Puis elle n'avait plus jamais évoqué son histoire avec Fred.

Carrie était assez angoissée à l'idée d'imaginer tous ses amis, tous ses proches découvrant subitement la véritable histoire de sa vie. Tout ceci avait été si habilement caché, et pendant de si longues années ! Et Steven, comment allait-il réagir ?

— Écoute Carrie, Steven est grand et vacciné, avait objecté Ann, avec raison. Tu dois agir comme tu le sens, et Steven doit l'accepter.

Carrie savait qu'elle avait raison. Néanmoins, cela ne l'empêchait pas de voir grandir son inquiétude de jour en jour.

— Je me sens prête, annonça Mary Lou Moore. Je vais me lancer au cœur de la bataille, et j'en sortirai vainqueur.

Ses grands yeux sombres crépitaient d'excitation.

— Vous en êtes absolument sûre ? demanda Steven Berkeley.

— J'en suis plus que certaine, répondit Mary Lou avec orgueil.

— Alors on ira au tribunal, dit Steven, plutôt soulagé, finalement, qu'elle prenne aussi bien les choses.

— Tant mieux ! Ça veut dire que j'en aurai fini avec les dépositions. Je déteste qu'on fouille ainsi dans mon passé.

Puis elle regarda Steven droit dans les yeux. Il détourna vite son regard et commença à feuilleter un dossier qui traînait sur son bureau. Depuis quelques mois, Mary Lou lui lançait des œillades sans équivoque. Mais il ne soupçonnait que trop ce qu'il y avait derrière ces regards. Il était son avocat, elle était sa cliente, et point à la ligne. Le fait qu'il la trouvât fort attirante ne changeait rien à l'affaire. Car elle était très troublante. En trois ans, il avait assisté à la métamorphose de l'adolescente timide en jeune femme audacieuse et indépendante. Au tout début, elle arrivait toujours à son cabinet accompagnée d'une véritable tribu. Elle ouvrait à peine la bouche, et sa famille semblait s'occuper aussi bien de ses affaires personnelles que de sa carrière. Désormais, elle avait un agent et, quand elle venait voir Steven elle était toujours seule. Elle semblait responsable et déterminée.

— Et si nous déjeunions ensemble ? demanda-t-elle. Puisqu'on a finalement réussi à faire porter cette affaire au tribunal, on devrait fêter ça, non ?

Elle était décidément très séduisante. Mais si jeune. Elle avait juste vingt ans. En outre, Steven n'avait jamais mélangé le travail et la bagatelle.

— Je dois déjeuner avec un client, dit-il.

Il mentait, mais c'était encore la meilleure solution.

— Mais moi aussi, je suis une cliente ! objecta-t-elle.

— Je sais. Mais nous aurons l'occasion de déjeuner ensemble de nombreuses fois pendant le procès.

— Alors vivement qu'on y soit ! s'exclama-t-elle.

Quand elle fut sortie de son bureau, il resta assis, songeur, pendant un bon moment.

Et pourquoi ne sortirait-il pas avec elle ?

Parce qu'elle était beaucoup trop jeune. Il avait quarante-cinq ans. Il aurait pu être son père. Et puis c'était une actrice, une star de la télévision.

Et alors ?

Peut-être, lorsque tout cela serait terminé, l'emmènerait-il dîner.

Peut-être aussi, après le procès, n'aurait-elle plus du tout envie de dîner avec lui.

Il se mit à songer à cette affaire. Une affaire beaucoup plus délicate, en vérité, qu'il n'y avait paru au premier abord. Au départ, il avait été question d'attaquer un magazine des publications Vista. Mais peu à peu, au fil des mois et des recherches, il était devenu clair que Vista n'était que l'une des nombreuses ramifications des publications Bonnatti. Et le principal actionnaire de cette société n'était autre que Santino Bonnatti. Steven en savait long sur lui. Santino Bonnatti était le fils du fameux Enzio Bonnatti, que Steven avait presque réussi à coincer sur une histoire de prostitution internationale. Mais le destin était intervenu avant qu'il y ait un procès : Lucky Santangelo avait tué ce salaud, soi-disant en état de légitime défense.

Et voilà qu'à présent le fils de ce malfrat croisait son chemin. Il n'y avait aucun moyen de le faire tomber, bien qu'il fût un gangster notoire, impliqué jusqu'au cou dans des affaires de drogue ainsi que dans le marché du sexe sur la Côte Ouest. Mais il pourrait toutefois l'atteindre à un point sensible, le portefeuille. Mary Lou voulait dix millions de dollars de dommages et intérêts. Et Steven était décidé à se battre jusqu'au bout pour les obtenir.

Il partit déjeuner avec Jerry Myerson aux *Quatre Saisons* et tomba sur sa mère qui était assise avec Ann Robbs à la table de Fred Lester. Elle était rayonnante.

— Ta mère est vraiment quelqu'un de remarquable, tu ne trouves pas ? dit Jerry, dès qu'ils se furent installés.

Steven hocha la tête en signe d'assentiment. Oui, c'était formidable que Carrie se soit lancée dans l'aventure de l'écriture à soixante-cinq ans passés. Quant à lui, il ne regrettait pas de s'être « rangé ». Depuis trois ans, les affaires battaient leur plein, et il s'en tirait fort bien. Si bien, même, que Jerry lui avait proposé de devenir son associé à part entière. Et c'était là une offre à ne pas négliger.

Il vivait dans un somptueux appartement, et il avait plusieurs maîtresses qui ne manquaient pas d'intérêt.

Alors, pourquoi n'était-il pas heureux ?

Parce qu'au fond de lui-même, ce besoin de savoir qui était son père continuait à le tarauder.

Et un jour, il faudrait bien qu'il le découvre.

Un jour.

79

Elle l'appela une première fois, d'une voix plaintive et flûtée.

— Lennie ?

Puis il y eut un deuxième appel, plus fort, et carrément hystérique cette fois.

— Lennieee !

Il avait beau être enfermé dans son bureau, il ne pouvait pas ne pas l'entendre. De mauvaise grâce, il saisit le combiné de l'appareil réservé aux communications internes et répondit, passablement irrité.

— Qu'est-ce qu'il y a ?

— Je m'ennuie.

— Je travaille.

— Je sais, mais ça ne change rien pour moi. Je voudrais que tu viennes et que tu t'occupes de moi.

— Donne-moi dix minutes.

Il raccrocha et regarda par la fenêtre. Il y avait là une vue incroyable. Sous ses yeux s'étendait un immense jardin de rocaille imaginé par un paysagiste de génie. Une cascade, des chutes d'eau, une végétation luxuriante, tropicale et où qu'il dirige son regard, il se perdait dans les fleurs et les palmiers.

Son bureau, aux murs tendus de cuir clair, était équipé d'un matériel vidéo dernier cri. Il avait un récepteur de télé qui pouvait capter les programmes du monde entier.

La maison dans laquelle il vivait était située sur les hauteurs de Bel Air. Il y avait quatorze chambres, chacune avec salle de bains, et des salons qui n'en finissaient plus d'être grands. Il y avait une piscine extérieure *et* une piscine intérieure, deux courts de tennis, un jacuzzi dans lequel pouvaient barboter à l'aise une douzaine de personnes, et une piste de patins à roulettes.

Au sous-sol, on avait aménagé une sublime discothèque avec une piste de danse où pouvaient gesticuler une quarantaine d'invités, sur les centaines de disques de rock qu'Olympia avait achetées. Et bien entendu, la maison disposait d'une salle de projection privée de trente fauteuils.

Et pourtant, ils ne recevaient pas grand monde. On pouvait même dire qu'ils ne voyaient plus personne. Olympia refusait catégoriquement d'inviter qui que ce soit. Toutes les cicatrices et autres traces de brûlures dues à son accident avaient pourtant disparu. Les nombreuses greffes de peau, miracles de la chirurgie esthétique, avaient rendu à son visage sa joliesse d'antan. Alors pourquoi s'obstinait-elle à rester à l'abri des regards ? Parce qu'elle avait affreusement grossi depuis trois ans. Cette jeune femme, autrefois bien en chair, pesait désormais plus de cent kilos. Elle était devenue obèse et psychotique. Elle promettait sans cesse à Lennie de faire un régime, mais s'arrangeait en même temps avec une femme de chambre complaisante pour se procurer des boîtes de chocolat et des gâteaux de chez Godiva qu'elle avalait en cachette, tentant ensuite de dissimuler ses dizaines de kilos en trop sous de très amples caftans.

— Lennie ! cria-t-elle encore une fois.

Il se leva à contrecœur et partit la rejoindre.

Elle était encore dans la cuisine. Elle avait ouvert la porte d'un réfrigérateur immense, plein de victuailles diverses et variées.

— Il n'y a jamais rien à manger de convenable ici ! se plaignit-elle.

— Mais nous avons déjeuné il y a à peine une heure ! répondit Lennie.

— Ah oui ? Parce que des carottes râpées et une branche de céleri, tu appelles ça un déjeuner, dit-elle, amère.

— Tu devrais aller dans une clinique, remarqua-t-il. Ce serait beaucoup plus facile pour toi.

Ses petits yeux bleus lancèrent des éclairs.

— C'est toi que ça arrangerait, n'est-ce pas ? On envoie sa femme maigrir dans quelque établissement spécialisé et pendant ce temps-là, on s'envoie en l'air ! Je me trompe, peut-être ?

Et voilà. Elle venait de lancer son refrain favori. Toujours le même. Combien de temps allait-il encore supporter tout cela ?

— Je ne comprends pas pourquoi tu t'obstines à essayer de maigrir seule. Tu n'y arriveras pas sans l'aide d'un médecin, tu le sais très bien.

— Tu veux te débarrasser de moi pour aller baiser tout ce qui passe à ta portée ! Avoue !

Il ne répondit rien. Ce sempiternel débat l'exaspérait au plus haut point. Il la trompait, c'était vrai. Mais elle n'en avait pas la moindre preuve. Il était habile et discret. Mais il avait besoin de baiser, sans arrêt. C'était le seul moyen d'oublier...

Qu'aurait-il pu faire de mieux, d'ailleurs ? Il se souvenait encore du jour maudit où il avait appris l'accident. « Votre femme... c'était terrible... Francesca Fern a péri dans les flammes... Une tragédie... »

Il s'était retrouvé au chevet d'Olympia, dans un hôpital en Europe, sans bien comprendre ce qui se passait.

Olympia. Sa femme. Ses cheveux blonds rasés, une moitié de son visage et tout le côté droit de son corps atrocement brûlés. Elle était dans le coma.

— Elle s'en sortira, avait dit le docteur. Mais quelqu'un doit lui donner le désir de continuer à vivre.

Puis Dimitri était arrivé à l'hôpital avec Lucky. Il était décomposé. Elle était blême et avait caché ses yeux derrière des lunettes noires.

Quand Dimitri se fut assis près du lit de sa fille, Lennie entraîna Lucky légèrement à l'écart.

— Il faut qu'on se parle, dit-il, lui agrippant le bras.

Elle garda ses lunettes et lui répondit d'une voix blanche.

— Les choses sont différentes, à présent.

— Il ne s'agit que d'un contretemps.

Elle l'interrompit, et lui dit, d'un ton sans appel :

— Non. Tout cela est au-dessus de notre volonté. Nous n'étions pas destinés à vivre ensemble, c'est tout.

— Quand Olympia sortira de l'hôpital, poursuivit-il.

La voix de Lucky se teinta d'une vibrante émotion.

— Elle aura besoin de toi. Et il faudra que tu sois là pour elle.

— Lucky...

— Il ne s'agit pas seulement d'Olympia, continua-t-elle calmement. Dimitri aussi a besoin de moi. En fait, il ne me laissera pas partir.

Ils ne purent se parler plus longtemps. Dimitri venait de les rejoindre et il entraîna Lucky hors de la chambre sans prononcer un seul mot.

Lennie les regarda s'éloigner par la fenêtre en s'efforçant de rester calme. Il était encore trop tôt pour agir mais, dès qu'Olympia aurait quitté l'hôpital et que Dimitri serait remis de cet horrible choc, tout serait de nouveau envisageable entre Lucky et lui.

Il passa donc toutes ses journées à l'hôpital, avec la sensation d'assister à une longue agonie. Jess tenta de le faire revenir en Californie, mais il refusa catégoriquement. Elle dut annuler tous ses engagements.

— C'est du suicide, protesta-t-elle.

— Possible, mais je n'ai pas le droit de la laisser seule pour le moment.

— Mais tu ne l'aimes pas, je le sais. Alors, pourquoi t'acharnes-tu à rester auprès d'elle ?

— Parce qu'elle est dans le coma. Et qu'il n'y a personne d'autre que moi pour attendre son réveil. Ce n'est pas la peine d'insister, Jess, je ne bougerai pas d'ici tant qu'elle ne sera pas revenue à elle.

Jess se résigna. Elle connaissait bien Lennie. Dès qu'un de ses proches était en danger, il accourait. Il en avait toujours été ainsi.

Dimitri ne revint plus rendre visite à sa fille. Il se cloîtra sur son île pour pleurer Francesca.

Lennie essaya de joindre Lucky à New York.

— Elle est avec lui, répondit le majordome.

Elle est avec lui.

Ces mots le hantaient.

Était-elle avec lui dans tous les sens du terme ? Est-ce que leurs lèvres se touchaient ? Est-ce que leurs corps se mêlaient ? Est-ce qu'ils faisaient l'amour ensemble ?

Elle est avec lui...

Et pourquoi pas ? Il était bien avec Olympia.

Oh ! Mon Dieu ! Ils faisaient leur devoir, l'un et l'autre, alors qu'ils auraient dû être ensemble. Ce n'était pas juste.

Au bout de plusieurs semaines, Olympia sortit du coma. La première chose qu'elle fit fut de demander un miroir. Quand elle vit son reflet dans la petite glace, elle poussa un tel cri d'horreur qu'on l'entendit à travers tout l'étage de l'hôpital. Lennie tenta de la rassurer. Il n'y avait qu'une moitié de son visage qui était brûlée. L'autre moitié était intacte.

— J'ai parlé aux médecins, lui dit-il calmement. Ils m'ont assuré qu'un bon chirurgien pourra te refaire le même visage qu'avant.

— Comme s'ils pouvaient le savoir d'avance ! remarqua-t-elle amèrement.

Puis elle ne prononça plus un mot de tout l'après-midi.

Le lendemain, elle réclama de la coke.

— Mais tu es folle ! protesta Lennie. Tu avales déjà des tonnes de médicaments. Tu veux te tuer ou quoi ?

— Je m'en fous, répondit-elle d'une voix lasse. C'est peut-être ce que j'aurais de mieux à faire.

Dimitri ne revint plus. Il envoya néanmoins des fleurs chaque jour et dépêcha même l'une de ses secrétaires pour prendre des nouvelles de sa fille.

— Où est Dimitri ? demanda Lennie, agressif.

— Mr Stanislopoulos ne se sent pas très bien, répondit la secrétaire. Il n'est pas en état de quitter son île pour le moment.

— Mais qu'est-ce qu'il a, exactement ?

— Je ne suis pas autorisée à vous le dire, répondit-elle.

Mais elle lui apprit néanmoins que Lucky et son fils étaient toujours avec lui.

Lennie se sentit tout à coup très déprimé. Il essaya de joindre Lucky en Grèce, mais elle n'était soi-disant jamais là, et quand il laissait des messages, elle ne rappelait pas.

Une semaine s'écoula, puis la mère d'Olympia, Charlotte, fit enfin son apparition, fort tard, un après-midi. Elle arrivait de New York. C'était une grande femme nerveuse, aux lèvres fines, très maquillée.

— J'aurais aimé venir plus tôt, dit-elle. Mais c'était impossible.

« Et pourquoi ? » aurait voulu demander Lennie. « C'est ta fille qui est étendue là, défigurée. Et tu t'en fous, espèce de salope. »

Charlotte resta vingt-quatre heures.

— Je veux voir Flash, marmonna un jour Olympia. Est-ce qu'il a envoyé des fleurs ? Est-ce qu'il a téléphoné ?

Olympia recevait chaque jour des monceaux de fleurs. Les cartes qui les accompagnaient étaient soigneusement classées dans une boîte par ordre d'arrivée, et la secrétaire de Dimitri tapait des réponses impeccables et polies. Lennie lui demanda si Flash avait envoyé quelque chose. Il lui fut répondu que non.

Après des recherches dignes d'un privé, Lennie finit par joindre Flash à Londres.

— Olympia veut vous voir, dit-il, espérant que le chanteur allait sauter sur l'occasion et le délivrer du même coup de ce fardeau.

— Écoute, mec, répondit Flash. Il y a bien longtemps que c'est fini avec Olympia. On venait de milieux trop différents pour s'entendre. J'espère qu'elle va bien et tout, mais entre elle et moi, tu sais, ça n'a jamais été sérieux.

Olympia crut que c'était Lennie qui empêchait Flash de la voir.

Et finalement vint le jour où elle fut en état de quitter l'hôpital. Toute une série d'opérations étaient prévues, mais il était encore trop tôt.

— Je vais t'accompagner sur l'île de ton père, suggéra Lennie avec l'idée de voir enfin Lucky.

— Non, répondit Olympia très vite, tout à fait consciente que son père n'avait aucune envie de la voir. Je veux aller en Californie.

Elle venait de lire dans un magazine que Flash s'était acheté une maison là-bas, et elle était prête à tout pour le retrouver. Sans rien dire à Lennie, elle acheta la maison de Bel Air, dont elle négocia le prix par téléphone. Il ne l'apprit qu'en arrivant à Los Angeles.

De retour aux États-Unis, il retarda encore le moment de la quitter. Il avait pourtant prévu de le faire dès qu'elle rentrerait de l'hôpital, mais il n'en eut pas le cœur ni le courage. Elle était encore trop diminuée. La seule chose à faire désormais était d'attendre le moment opportun pour se séparer d'elle. Peut-être après sa première opération, quand elle commencerait à retrouver son apparence normale.

Les producteurs de la série télévisée qu'il n'avait pas pu tourner lui réclamaient plusieurs millions de dollars.

Bref, tout allait bien.

Jess n'en rajouta pas et fit comme si de rien n'était quand il décida de se remettre au travail.

Ils s'installèrent dans la maison de Bel Air avec toute une kyrielle de domestiques. Peu de temps après leur emménagement, Brigette et Nanny Mabel arrivèrent d'Angleterre. Elles venaient passer les vacances de Noël en Californie.

— Qu'est-ce que t'es moche comme ça, maman ! fut la première réflexion de Brigette.

— Je hais cette enfant, avoua Olympia à Lennie un peu plus tard.

Dès le lendemain de Noël, elle l'expédia en Grèce, sur l'île où son grand-père était toujours reclus.

Un matin, aux aurores, Lennie vit Olympia s'engouffrer dans sa Rolls, le visage masqué par un large foulard. Le chauffeur démarra discrètement et l'emporta vers une destination inconnue.

Lennie était ravi. C'était la première fois qu'elle sortait seule de la maison. Il déchanta cependant dès qu'elle rentra, une heure plus tard, complètement hystérique. Elle ne lui dit rien, mais le manager de Flash se chargea de l'informer.

— Dites à votre femme, s'il vous plaît, de ne plus jamais relancer mon client.

— Dites vous-même à votre client de merde qu'il aille se faire foutre ! répondit Lennie.

Puis il raccrocha rageusement. Ainsi elle avait eu le courage d'aller revoir Flash avant même d'avoir subi la première opération. Et ce salaud l'avait envoyée promener. Vertement sans doute. Lennie se sentit brusquement pris d'une profonde compassion à l'égard d'Olympia.

Peu après ce regrettable incident, Olympia recommença à s'occuper d'elle-même. Elle prit l'habitude de s'habiller avec soin et de se maquiller tous les matins. Puis elle émit le désir de faire l'amour, ce qui ne lui était plus arrivé depuis son accident.

Lennie fit de son mieux pour la contenter, mais n'y parvint pas.

Curieusement, Olympia se montra compréhensive. Elle mit cet échec sur le compte de son apparence meurtrie.

Lennie n'avait aucune excuse qu'il puisse invoquer en face de sa femme. Il était bien trop pris par la pensée et le désir de Lucky pour faire l'amour avec une autre. Lucky, la seule femme qu'il ait jamais vraiment voulue. A présent ils étaient séparés par des circonstances tragiques. Pour combien de temps ?

De nouveau, il essaya de la contacter en Grèce, mais en vain. Il devenait de plus en plus clair qu'elle l'évitait. Il se sentit rejeté, ce qui le rendit furieux. Mais il était surtout piégé. C'était à en devenir fou.

Quand il s'était remis au travail, Jess lui avait dit que sa cote était au plus bas. Les rares propositions étaient sans intérêt. Lui qui avait atteint le sommet, il semblait désormais que la simple évocation de son nom fasse fuir les producteurs. En outre, le battage insensé organisé par la presse autour de l'accident d'Olympia donnait un côté morbide à son personnage.

Mais il ne se découragea pas. Il y avait déjà plusieurs mois qu'il caressait l'idée d'écrire un scénario original.

— On pourrait peut-être essayer de trouver un financement et le produire nous-mêmes, dit-il à Jess.

— Et pourquoi ne demandes-tu pas l'argent à ta femme ? Elle passe son temps à te couvrir de cadeaux !

C'était vrai. Olympia restait assise toute la journée dans une chaise longue et commandait des choses par téléphone. Elle lui avait déjà offert une Mercedes, une Porsche, tout un équipement vidéo, un bateau, des livres, des vêtements. Elle avait la folie des catalogues. Elle commandait — pour voir — et généralement elle n'aimait pas ce qu'elle avait commandé. Alors elle commandait autre chose et ainsi passaient ses journées.

La première intervention chirurgicale fut un succès total. Elle eut lieu au Brésil, dans la clinique privée d'un chirurgien esthétique de renommée mondiale. Olympia et Lennie y restèrent plusieurs semaines après l'opération. Lennie travaillait sur son scénario et venait voir sa femme tous les jours. Elle avait besoin d'un maximum de soutien, et il était le seul qui fasse l'effort de le lui offrir. Dimitri avait bien envoyé encore un wagon de fleurs, mais il y avait presque un an qu'il n'avait pas rendu visite à sa fille.

Cela ferait bientôt un an que Lennie n'avait pas revu Lucky. Il pensait à elle sans arrêt, bien qu'elle ne lui ait donné aucune nouvelle. Elle l'ignorait délibérément, mais Lennie refusait de croire que tout était fini entre eux. Il allait dans la vie avec une espèce de pesante tristesse et attendait l'impossible.

Quand Olympia fut de retour à Bel Air, elle passa ses journées à se regarder dans la glace. Elle observait les plus petits recoins de sa peau et semblait devenue complètement indifférente à toute autre chose. Son poids, par exemple. Elle grossissait à vue d'œil et ne paraissait nullement affectée par cet état de choses, qui n'allait qu'empirant.

Lennie termina son script et le donna à Jess.

— Voilà ce que je veux faire, dit-il. Fini les clubs et les numéros de clown à la télé. Et non, je ne demande pas à ma femme d'investir dans ce film.

Jess fit une petite moue cynique. Lennie était un comique, une star de la télé. Personne n'accepterait jamais de financer son film. Pourtant, elle changea d'avis après avoir lu le scénario. Il s'agissait d'une comédie policière drôle et originale qui s'appelait *Richard le privé*. Néanmoins, elle n'essuya que des refus de la part des studios.

Elle allait renoncer à se battre pour ce film, quand elle rencontra un producteur du nom de Ryder Wheeler dans une fête. L'homme en question venait de subir un demi-échec avec un film à petit budget dans lequel Vitos Felicidade avait le rôle principal. Jess lui parla du projet de Lennie, et il parut tout de suite intéressé. Le lendemain, elle lui envoyait le scénario. Et trois semaines plus tard, l'affaire était conclue.

Le reste appartient à l'histoire. *Richard le privé* fut le plus grand succès commercial de l'industrie du film aux États-Unis en 1981. Du jour au lendemain, Lennie devint une grande star du cinéma. Il signa aussitôt un contrat mirifique avec l'un des plus grands studios d'Hollywood pour écrire trois nouveaux scénarios dans lesquels il aurait chaque fois le premier rôle.

Lennie était devenu l'homme le plus envié de tout Hollywood. Pourtant, sa vie privée était un ratage complet. Et il y avait trois ans que ça durait.

80

Les soirées d'inauguration avaient toujours affolé Lucky. Celle-ci était la deuxième soirée de ce genre dans sa vie. La première avait eu lieu le soir de l'ouverture du *Magiriano,* en 1975, huit ans plus tôt. Il lui suffisait de fermer les yeux pour se souvenir d'une manière extrêmement précise de ce soir-là. Une espèce de chaud et froid permanent dans l'estomac, une excitation folle. C'était un peu comme retenir un tigre par la queue et n'en plus pouvoir de l'empêcher de bondir.

Et ce soir, le *Santangelo* allait s'ouvrir au monde. Lucky ne tenait plus en place.

Elle prit une longue douche chaude pour se calmer, et s'aspergea d'un jet d'eau glacée à la fin pour s'éclaircir les idées. Puis elle s'enroula dans une grande serviette bleu ciel et se sécha les cheveux. Dans son hôtel, il n'y aurait pas de ces serviettes blanches et de ces affreux peignoirs de bain blancs et rêches. Au *Santangelo*, les peignoirs étaient en soie — elle les faisait fabriquer à Hong Kong — et on les donnerait aux clients en cadeau.

Quand elle se fut séché les cheveux, elle s'assit devant sa coiffeuse et commença à se maquiller. Elle restait généralement très discrète dans ce domaine, mais ce soir-là, elle décida de jouer le grand jeu. Elle couvrit ses paupières d'un fard brun doré et choisit un khôl noir pour le contour de ses yeux, avec beaucoup de mascara noir sur les cils, et elle acheva son œuvre d'une touche de fard à joues rose irisé.

Elle avait trente-trois ans et n'avait jamais été aussi belle. Les années n'avaient fait qu'accentuer le côté exotique de sa beauté. Et ce soir, elle était plus mystérieuse et sexy que jamais.

Elle paracheva le tableau d'une robe fourreau de satin noir, aux applications de dentelle et de peau de serpent.

Elle laissa ses cheveux de jais, toujours aussi longs, bouclés et abondants, flotter librement sur ses épaules.

Elle sourit à son reflet dans un grand miroir en pied et finit de se parer avec quelques bijoux. Elle choisit sa broche favorite, la panthère de Gino, des boucles d'oreilles en diamant et une bague au diamant en forme de poire que lui avait offerte Dimitri. Il la couvrait de cadeaux. C'était sa façon à lui de lui dire merci.

Merci pour quoi ?

Francesca Fern avait péri trois ans plus tôt dans cet affreux accident d'avion. Et il ne s'en était jamais vraiment remis. Alors, offrir tous ces présents à Lucky était sa manière de lui signifier qu'il lui était reconnaissant d'être restée auprès de lui, et surtout, de lui avoir donné ce qui était désormais son unique raison de vivre, son fils, Roberto.

Lucky restait songeuse devant la glace. En la voyant, les gens pensaient qu'elle était une femme d'affaires sûre d'elle et sexy, assez impressionnante. Ils ne voyaient pas sa fragilité sous le masque parfait. Ils ne savaient pas que, depuis trois ans, son cœur était brisé.

Elle n'avait jamais pu oublier Lennie. Et l'idée de l'avoir perdu la faisait trembler comme au premier jour. Elle s'était néanmoins promis de ne plus jamais le revoir.

D'abord Marco. Puis Lennie. Tous les deux lui avaient été ravis par une force qu'elle ne contrôlait pas, par des événements fortuits, par le destin, par la vie.

Elle se demandait souvent comment il avait surmonté cette séparation forcée, cet arrachement. Il avait tout fait pour la revoir pendant plus d'un an. Puis il s'était tu.

Avait-il fini par comprendre que cet accident n'était qu'un avertissement ? Pour elle, en tout cas, cela ne faisait aucun doute. Elle était persuadée que si elle le revoyait, quelque chose de terrible arriverait.

Elle rejeta ses cheveux en arrière et sortit de son appartement privé, situé tout en haut du *Santangelo*. Elle se dirigea vers son ascenseur personnel en songeant qu'il ne lui restait plus qu'une vingtaine d'étages pour se composer un sourire.

— Ah ! C'est quelque chose ! s'exclama Costa.

— C'est splendide ! renchérit sa femme.

— Un chef-d'œuvre, dit simplement Gino.

Ils attendaient tous trois l'arrivée de Lucky, accoudés au bar Art déco. Tous trois ? Oui. Les choses avaient bien changé. Costa s'était marié, et Gino avait divorcé.

La femme de Costa était une ancienne pute de luxe. A quarante ans, elle avait deux passions : le bridge et le jardinage. Ils s'étaient rencontrés dans un club de bridge de Miami un an plus tôt, et ç'avait été le coup de foudre, en dépit d'une différence d'âge de trente-cinq ans. Ria — c'était son nom — fut tout à fait honnête quant à son passé, et Costa apprécia sa franchise. Ils commencèrent à vivre ensemble, puis Ria attendit un bébé. C'était fort rare à cet âge et Costa, qui n'avait jamais eu d'enfant de sa première femme, était fou de joie. Il l'épousa. Et à soixante-quinze ans, il était le futur père le plus heureux de la terre.

Au tout début, Gino et Lucky s'étaient montrés sceptiques quant à la réussite de ce mariage. Mais dès qu'ils eurent fait la connaissance de Ria, ils changèrent d'avis. Elle adorait Costa, cela crevait les yeux, et, par ailleurs, c'était une femme chaleureuse et pleine d'humour.

Gino jeta un coup d'œil à sa montre.

— Je me demande ce que fabrique Lucky ! dit-il. Je ne suis quand même pas venu jusqu'ici pour poireauter toute la soirée !

— Quelle impatience ! se moqua Costa. Tu sais, Gino, c'est un grand soir pour elle.

Il eut un regard songeur tout à coup.

— Ah, je me souviens encore de l'inauguration du *Magiriano*. Quelle soirée ç'avait été...

— Ouais, marmonna Gino, pendant que j'étais coincé en Israël.

Il était divorcé à présent.

Susan avait demandé et obtenu une fortune grâce à la loi californienne.

C'était pourtant lui qui l'avait confondue en flagrant délit d'adultère ! Avec une femme, certes, mais qu'est-ce que ça changeait à l'affaire !

Il n'oublierait jamais leurs têtes, le jour où il les avait trouvées en pleine action.

Susan et Paige.

Sa femme et sa maîtresse.

Deux belles salopes, oui !

Cependant, Paige lui manquait cruellement. Il se refusait à l'admettre, mais le grand drame de cette histoire, c'était que Paige fût sortie de sa vie. Bien entendu, il ne l'avait jamais rappelée.

— La voilà ! s'écria Costa.

— Elle est somptueuse ! s'exclama Ria.

Gino, infiniment fier, regardait sa fille fendre la foule.

Brigette Stanislopoulos ôta délicatement les bigoudis chauffants de sa longue chevelure blonde. Elle n'avait que quatorze ans, mais tout le monde lui en donnait dix-huit. Tous ces gens qu'elle ne connaissait pas et qu'elle semblait attirer comme un aimant. Elle adorait ça.

Brigette était désormais étudiante en Suisse. Elle était pensionnaire à l'Évier, ce collège strict pour jeunes filles de bonne famille dont sa mère, l'insupportable et grosse Olympia, et Lucky, la femme de son grand-père qu'elle adorait maintenant, s'étaient fait renvoyer. Longtemps, Brigette s'était demandé pourquoi sa mère l'avait envoyée là. Elle avait fini par trouver la seule explication plausible : Olympia avait voulu se débarrasser d'elle, la savoir le plus loin possible des États-Unis, et elle avait choisi l'Évier parce que c'était la solution de facilité.

Comme sa mère en son temps, Brigette faisait le mur. Elle n'était d'ailleurs pas la seule ! Mais ces escapades restaient solitaires. Elle n'avait en effet nulle envie de se mêler aux autres pensionnaires, des petites filles grand format, alors qu'elle, Brigette Stanislopoulos, se considérait déjà comme une jeune fille pleine d'expérience. Et après tout, elle avait pas mal circulé. Son grand-père était l'un des hommes les plus riches du monde, sa mère une célèbre héritière, et son beau-père une star. Elle adorait Lennie, bien qu'elle ne le vît que rarement, car elle passait la majorité des vacances sur l'île de Dimitri.

Elle avait un sacré pedigree. Et un fichu caractère. Ce qui faisait fuir les autres filles, mais avait un effet inversement proportionnel sur les garçons. Il faut avouer qu'elle leur accordait des faveurs que ses camarades leur refusaient.

Néanmoins, elle n'avait pas encore poussé la chose jusqu'au bout.

Mais elle en avait bien l'intention. Dès qu'elle aurait trouvé *le* garçon, elle ferait le grand saut.

Brigette décocha un sourire à son reflet. Elle était particulièrement mignonne. Elle avait des seins sublimes. De gros seins. Et les hommes adoraient les gros seins. Et se les faire caresser était son jeu érotique favori. Dans l'échelle des plaisirs qu'elle avait à ce jour expérimentés, la fellation arrivait très loin derrière. Certes, elle la pratiquait. Il fallait bien. C'était ce que les hommes préféraient. Et quand elle avait un homme dans sa bouche, elle l'avait en son pouvoir. C'était une chose à savoir dans la vie.

Brigette enfila la robe blanche que Lucky lui avait tout spécialement envoyée pour l'inauguration du *Santangelo*. C'était une robe sympa, sans plus. Une tenue jeune et fraîche. Brigette aurait aimé quelque chose de plus sexy. Du noir, par exemple. Le noir lui allait si bien ! C'était sa couleur de prédilection.

Elle commença à jouer avec ses boucles blondes. Les garçons adoraient ses longs cheveux. Quelques-uns aimaient même s'y branler. « Les hommes ont parfois de drôles d'idées », pensa-t-elle.

Brigette se demandait ce que Lennie pouvait bien faire avec Olympia quand ils étaient au lit.

Puis elle essaya d'imaginer ce qui pouvait se passer entre Lucky et Dimitri. Pas grand-chose, certainement. Il était trop vieux. Son « truc » devait pendouiller bêtement. Est-ce que les hommes continuaient à bander après soixante-quinze ans ? Comment savoir ? Et surtout, à qui le demander ? Ce n'était pas le genre de renseignement que l'on trouvait à la bibliothèque de l'Évier. Il aurait fallu quelque chose du genre *La Queue, grandeur et décadence*. Mais apparemment, aucun auteur ne s'était penché sur la question.

Elle se mit à ricaner bêtement et jeta un dernier regard à sa petite personne. « Pourvu que Lucky ne me trouve pas trop maquillée », pensa-t-elle. Car ce soir, elle avait vraiment forcé la dose. Mais elle adorait se maquiller.

Lucky se dirigea droit sur Gino. Elle avait une allure de fauve, gracieuse, sûre d'elle et dangereuse, l'œil toujours aux aguets.

— Lucky ! dit-il en la prenant dans ses bras.

— Papa ! s'exclama-t-elle, émue.

— Je suis fier de toi, lui murmura-t-il à l'oreille.

— Ça n'a pas été facile, tu sais, répondit-elle.

— C'est toujours difficile de réaliser de grandes choses, remarqua-t-il.

C'était un cliché, mais c'était vrai.

Elle se mit brusquement à penser à Lennie. Elle avait vu *Richard le privé* quatre fois, et *Un morceau de choix*, son nouveau film, trois fois.

Pure torture. Le simple fait de le voir sur l'écran la faisait frémir de désir. Mais, Dieu soit loué, elle ne s'était plus jamais retrouvée en face de lui. Il vivait en Californie avec Olympia, toujours marié. Les choses avaient dû finir par s'arranger pour lui.

« Ah oui ? Parce que les choses se sont arrangées pour toi, peut-être ? » lui rétorqua une petite voix. « T'es contente, toi, d'être toujours mariée ? »

« NOOOOON », aurait-elle voulu crier. Elle était la femme d'un reclus. Dimitri n'avait plus rien de l'homme qu'il avait été. Il vivait dans le souvenir de Francesca et n'avait même plus le désir ni la force de quitter son île.

Au début, Lucky s'était occupée de lui. Il était vieux, et seul. En outre, la présence quotidienne de Roberto à ses côtés ne pouvait que l'aider à s'en sortir. Mais au bout de quelques mois, Lucky lui annonça qu'elle devait se rendre à Atlantic City. Les plans de l'hôtel étaient prêts. On n'attendait plus qu'elle pour commencer les travaux.

— Mais tu es libre de faire ce que tu veux, Lucky. Tu peux voyager, tu peux même t'installer là-bas et y rester aussi longtemps que tu voudras, mais il y a une chose à laquelle je tiens et à propos de laquelle je ne fléchirai pas. Je veux garder Roberto auprès de moi.

Elle avait accusé le coup, mais n'avait pas protesté. Roberto était le fil ténu qui rattachait Dimitri à la vie. En outre, le petit était aussi bien au soleil, sur une île, aux bons soins de Cee Cee et à l'abri de toute tentative d'enlèvement, qu'à Atlantic City six mois par an. Lucky avait donc décidé de partager son temps et sa vie entre son fils et son travail.

— Tu as fait du beau travail, Lucky ! la félicita Costa.

— C'est vraiment superbe ! s'exclama Ria.

Lucky imaginait très bien Ria, du temps où elle faisait commerce de ses charmes, en train d'encourager ses clients avec des propos du genre : « T'as une queue magnifique, chéri ! »

Ah ! Ce sacré Costa qui n'avait rien trouvé de mieux que d'épouser une call-girl !

Lucky contrôla son fou rire et répondit gentiment à Ria.

— Je suis heureuse que ça vous plaise, dit-elle.

Il aurait été mesquin de lui battre froid, et d'autant plus absurde qu'elle faisait visiblement le bonheur de Costa.

Quant à Gino, il se portait plutôt bien depuis son divorce. Il avait réintégré Las Vegas et renoué avec ses vieilles habitudes. Elle l'avait finalement assez peu vu ces trois dernières années. Il était venu lui rendre visite trois fois en Grèce et s'était montré carrément gâteux avec Roberto. Les deux premières fois, il était venu seul. Mais lors de sa troisième visite, il était arrivé accompagné d'une starlette de vingt-cinq ans au corps de déesse qui venait de faire la page centrale de quelque magazine érotique. Sa conversation n'était pas d'un fol intérêt.

— S'il te plaît, Gino, avait soupiré Lucky, trouve-toi une autre Susan s'il le faut, mais ne m'impose plus jamais l'une des ravissantes idiotes que tu as le don d'attirer.

— Je croyais que tu détestais Susan ? objecta Gino, l'œil en coin.

— C'est vrai. C'était Paige que j'aimais. D'ailleurs, pourquoi tu ne la vois plus ?

— Elle s'est moquée de moi, marmonna-t-il.

Mais il se garda bien de donner de plus amples explications.

— T'as vraiment réussi ton coup, ma petite fille, lui déclara Gino. C'est tout à fait spectaculaire. A côté, le *Magiriano* ressemble à une pension de famille !

Lucky partit d'un grand rire.

— Faut quand même pas exagérer ! répondit-elle.

Elle glissa son bras sous celui de son père.

— Allez, viens, allons nous amuser. J'ai envie de rigoler avec mon vieux père.

— Ton « vieux » père ? tiqua Gino.

— Je t'adore ! s'exclama-t-elle.

81

La chambre d'Eden était inondée de soleil. Pourtant, elle restait allongée sur son lit, sans force, sans envie. Étalée de tout son long sur ses draps froissés, elle maudissait Santino en silence. Il avait ruiné sa vie.

Mon Dieu ! Elle n'aurait jamais dû accepter de vivre à ses crochets. Jamais. Dès le départ, elle aurait dû refuser de le revoir, ce petit homme chauve et puant. Ses bizarreries au lit auraient dû lui mettre la puce à l'oreille. Santino était un pervers hypocrite. Les pires. Et d'année en année, en douceur si l'on peut dire, il l'avait entraînée dans des pratiques de plus en plus abjectes qui l'avaient amenée à se mépriser, à se dégoûter pour les avoir finalement acceptées. Santino était redoutable. Il l'avait laissée penser qu'elle finirait par réussir à le manipuler. C'était bien entendu le contraire qui s'était passé.

Elle aurait dû rompre depuis longtemps, profiter de l'occasion quand il s'était moqué d'elle pour la première fois, en l'évinçant sciemment du film de Vitos Felicidade.

Mais non. Au lieu de réagir, elle était restée là, dans sa cage dorée, accédant à tous les désirs de ce maître ignoble et abhorré.

A sa décharge, il fallait bien avouer qu'elle était bien gardée. Zeko, le gorille, le mateur, le fidèle homme de main de Santino, veillait. Il semblait que le diable présidait à sa destinée.

Elle avait bien encore quelques ultimes velléités de s'en sortir. Et elle remettait régulièrement le chapitre de sa carrière sur le tapis. Malin, Santino faisait l'innocent et temporisait habilement.

— Il te faut un rôle à ta taille, poupée, disait-il alors. Tu dois attendre ton heure, et crois-moi, elle viendra.

Quand il avait investi dans le premier film de Lennie Golden, elle avait bien cru que son heure, justement, était arrivée. Elle avait lu le scénario et en avait tremblé d'excitation. Son rôle, le rôle de sa vie, était là, aux côtés de Lennie !

Elle avait quémandé, pleuré, supplié à genoux, rien n'y avait fait. Santino avait prétendu qu'il n'était que l'un des trois financiers du projet, et par là même sans droit de regard sur le casting. Ce qui était faux. Il avait entièrement financé le film.

Alors elle avait commencé à faire ses valises. Pour la première fois, elle avait tenté de reprendre son indépendance, ce qui lui avait coûté très cher. Santino l'avait frappée jusqu'à la rendre quasiment inconsciente. Non content du résultat, il avait même sorti son cran d'arrêt dont la lame effilée avait salement brillé dans l'éclatant soleil de la mi-journée.

Depuis ce jour, Eden mûrissait sa revanche. Il lui fallait absolument un allié pour échapper à cet enfer. Ou une alliée.

Elle se redressa sur son lit défait et prit le téléphone qu'elle posa sur ses cuisses nues. Oui, Santino enregistrait toutes ses communications. Non, elle n'avait pas le droit de sortir seule, sauf pour déjeuner avec Ulla ou Paige Wheeler. Paige Wheeler, et si elle lui racontait tout ? Paige pourrait peut-être l'aider.

Allons donc ! Paige lui serait d'un grand secours quand elle se retrouverait sur un lit d'hôpital, le visage tailladé, sa beauté enfuie pour toujours.

82

Comme tous les Californiens dignes de ce nom, Lennie apprit à jouer au tennis. Quand il n'était pas en tournage, il se réveillait à sept heures du matin. Il n'y avait aucun risque qu'il dérange Olympia

— ils faisaient chambre à part. Dès qu'il était prêt, il prenait sa voiture et allait chez Ryder Wheeler faire quelques balles. Parfois, Paige était dans les parages. Lennie l'aimait beaucoup et se délectait chaque fois de sa conversation et de ses commérages.

Après avoir joué et discuté un brin, il rentrait chez lui et se mettait au travail. Il restait enfermé six ou sept heures dans son bureau, s'interrompant parfois pour déjeuner.

Il avait plusieurs petites amies dans divers coins de la ville, qu'il pouvait appeler à n'importe quel moment, généralement des femmes actives, séduisantes et peu exigeantes. Elles savaient toutes qu'il était marié et s'en accommodaient. Il lui arrivait de parler pendant des heures avec l'une d'entre elles après l'avoir baisée. Depuis que Lucky était sortie de sa vie, le sexe ne présentait plus grand intérêt pour lui, et généralement la question était vite expédiée.

Il fallait qu'il se sépare d'Olympia. Ce mariage ne signifiait plus rien — si tant est qu'il ait jamais eu un sens. Il n'était resté auprès d'elle que pour la soutenir à travers toute une série d'opérations, qui lui avaient finalement rendu son apparence d'antan. En outre, Lucky ne se conduisait pas exactement comme une femme éprise qui l'aurait attendu. Elle n'avait jamais donné suite à ses innombrables messages, missives, tentatives désespérées de la joindre, et vivait toujours avec Dimitri, ce qui rendait Lennie fou de jalousie.

Si Olympia avait retrouvé son joli visage, elle avait simultanément recouvré son délicieux caractère de riche héritière égomaniaque et hystérique. Chaque fois que Lennie sortait de son bureau — ce qui arrivait rarement — elle faisait tout pour le mettre hors de lui.

— Je pense que nous devrions divorcer, avait-il dit un jour.

Elle était montée sur ses grands chevaux, jouant les offensées et le culpabilisant. Puis elle avait lâchement invoqué son accident et finalement menacé de se suicider.

Il avait clos le débat en lui disant :

— Calme-toi. Tu sais bien que je ne te quitterai pas tant que tu ne seras pas prête à l'assumer.

Et il le pensait. Après tout, il n'avait aucun endroit où aller s'il partait du jour au lendemain. Et son chantage au suicide lui laissait à réfléchir. Il n'avait nullement l'intention de passer le reste de ses jours avec une mort sur la conscience.

Il savait que Lucky allait bientôt ouvrir son hôtel à Atlantic City. Les attachés de presse lui avaient envoyé un carton d'invitation pour la soirée d'inauguration. Il avait longtemps tourné et retourné cette petite carte entre ses doigts, songeur et ému. Puis il l'avait balancée, rageur, à l'autre bout de la pièce. Qu'elle aille se faire foutre !

Il la haïssait.

Non, il l'aimait.

Si, il la détestait.

Mais non ! Elle lui manquait atrocement.

Lucky... Lucky... Elle était dans sa tête, dans ses pensées. En un sens, ils n'avaient jamais été réellement séparés.

Jess adorait déjeuner avec Paige Wheeler. D'abord, Paige était la seule femme avec laquelle elle pouvait se montrer en public sans avoir l'air ridiculement petite. Et Paige avait ce côté scandaleux et fascinant des femmes qui racontent ce qui leur passe par la tête sans tricher. C'était généralement drôle et salace.

— T'as déjà couché avec Lennie ? demanda Paige dès qu'on les eut installées à une table ombragée.

— Mais enfin, Paige, c'est mon meilleur ami. Est-ce qu'on est censé baiser avec ses meilleurs amis ?

— Y a intérêt, oui ! s'exclama Paige.

Les deux femmes étaient devenues amies quand Ryder avait commencé à produire les films de Lennie.

— Je le trouve très sexy, poursuivit Paige. Il m'a l'air très sensuel. Mais on a parfois des surprises, une fois au lit...

— Pas avec Lennie, protesta Jess.

— Mais je croyais que tu m'avais dit...

— Sa réputation parle pour lui. N'oublie pas qu'on se connaît depuis qu'on est tout petits.

Elles consultèrent le menu et commandèrent des plats légers.

— Je vais à Atlantic City ce week-end, dit Jess, le nez au-dessus de sa salade au pamplemousse.

— Chez quelqu'un que je connais ? demanda Paige, tout excitée.

Les prunelles de Jess se mirent à scintiller.

— Non, c'est un homme, un homme d'un certain âge.

— Les meilleurs ! dit Paige.

— Il a été très amoureux de moi à une époque, poursuivit Jess. Mais tu sais, c'était le genre de mec toujours prêt à sauter sur tout ce qui passe — alors j'ai gardé mes distances.

— Un bon point pour toi.

— Quand je suis retournée à Las Vegas il y a trois ans, je l'ai trouvé nettement plus froid et...

— ... naturellement tu as eu envie de lui !

— Comment le sais-tu ? demanda Jess, médusée.

— Très simple. C'est toujours comme ça que ça se passe. Tant qu'ils sont comme des fous, qu'ils en crèvent, on n'a pas vraiment envie d'eux. Ils sont toujours un peu ridicules, trop présents, et ce n'est pas très excitant. Par contre, dès qu'ils se détachent, qu'ils deviennent inaccessibles et froids, on ne voit plus qu'eux, et on se mettrait des claques pour les avoir laissés passer.

Jess sourit. Cette sacré Paige ! Elle connaissait la vie.

— Et maintenant, vous en êtes où ? demanda Paige.

— Je crois qu'il a toujours envie de moi.

— Et toi ?

— Oh, moi aussi ! s'exclama Jess.

Paige hocha la tête en signe d'assentiment.

— C'est formidable. Mais qui est-ce ? Est-ce qu'il te mérite, au moins ?

— Il s'appelle Matt Traynor. Dans le temps, il dirigeait le *Magiriano* pour Gino Santangelo. Et maintenant il va s'occuper du nouvel hôtel de Lucky Santangelo à Atlantic City. Il a dans les cinquante ans et...

Paige Wheeler ne l'écoutait plus. Le simple fait d'entendre prononcer le nom de Gino la remuait complètement. Gino ne lui avait jamais laissé l'occasion de s'expliquer. Et que lui aurait-elle dit, d'ailleurs, pour se disculper ?

— ... et alors il m'a appelée et invitée pour le week-end. Il m'a dit qu'il avait à me parler et qu'il ne pouvait pas le faire par téléphone.

— Tout ça m'a l'air très bien parti, répondit Paige, encourageante.

— Je l'espère, dit Jess.

Olympia téléphona à l'un de ses dealers. Elle en avait plusieurs.

Olympia stockait la dope. Elle en avait une formidable réserve au frais, bien loin des regards indiscrets. Elle avait la meilleure cachette possible pour emmagasiner sa poudre magique et autres euphorisants. Elle disposait d'une pièce secrète que lui avait montrée l'agent immobilier le jour où ils avaient emménagé dans la maison de Bel Air. Pendant que Lennie visitait les chambres au premier, l'homme avait entraîné Olympia au fond d'une immense penderie encore vide. Puis il avait pressé un bouton discrètement ménagé dans la cloison, et Olympia s'était retrouvée à l'entrée d'une toute petite pièce sans fenêtres.

— Pour garder l'herbe au frais ! avait plaisanté l'agent immobilier. Très drôle.

— Surtout, ne dites rien à mon mari, avait-elle répondu très vite. C'est un endroit formidable pour cacher les cadeaux de Noël.

La cachette était désormais bondée de divers produits. Si la bombe atomique explosait, elle pouvait tenir six mois. Plus jamais on ne la priverait de dope. Plus jamais ! Il y avait déjà eu l'accident, les opérations, les cauchemars incessants. Et dire qu'on avait osé lui supprimer sa cocaïne, son herbe et ses pilules. Tout ce qui donnait du sel à la vie, en somme.

Ayant passé commande, elle se regarda longuement dans la glace, se caressant les joues lentement, goûtant la douceur de sa peau. Oui, elle était aussi belle qu'avant l'accident. Peut-être même plus belle encore.

Si seulement elle était mince ! C'en serait fini de sa réclusion. Elle pourrait sortir, s'amuser de nouveau, reconquérir Flash.

Parce qu'il lui reviendrait un jour. C'était certain.

83

— Tu es trop maquillée, dit Lucky. Mais ça te va très bien. Alors, ne change rien.

— Trop maquillée ? s'étonna Brigette. D'habitude, j'en mets deux fois plus !

— En classe, sans doute, railla Lucky.

— Euh, pas vraiment, non. Plutôt dehors, le soir, hors de cette école pourrie.

Lucky sourit. Brigette lui rappelait Olympia au même âge. Mais Brigette était plus grande que sa mère, plus belle aussi et moins autoritaire.

— Je suis très contente que tu sois venue, dit Lucky. Et la robe que je t'ai achetée te va très bien.

— Oui, je fais très jeune fille pure et virginale.

— Si tu le dis !

Lucky entoura les épaules de l'adolescente de son bras.

— Viens, je veux que tu t'installes à la table de Gino et de Costa.

Elles traversèrent la foule bruyante qui avait peu à peu investi la salle de réception. A un moment donné, Brigette crut reconnaître John Travolta. Son cœur se mit à battre, ses prunelles à scintiller. Oh ! Et celui-là ! Mais oui, c'était Tim Wealth, le comédien. Il avait vingt-six ans et il était « gé-nial » ! Elle aurait donné n'importe quoi pour le rencontrer, et il était là, tout près, à quelques mètres d'elle !

Gino l'accueillit avec un baise main.

— T'es devenue une vraie jeune fille à ce que je vois ! dit-il. Et plutôt jolie, on dirait.

Brigette aimait beaucoup le père de Lucky. Il était vieux, mais beaucoup plus drôle que Dimitri, qui restait assis dans une chaise longue des journées entières à regarder la mer, l'air absent. Brigette savait qu'elle avait beaucoup de chance d'être ici, à Atlantic City. Elle avait insisté pour venir jusqu'à ce que Lucky cède.

— Mais juste quelques jours, avait précisé celle-ci. Après, tu pars direct en Californie où ta mère t'attend.

Brigette n'avait aucune envie de voir sa mère. Et la perspective d'un été entier en sa compagnie la déprimait à l'avance. Elle aurait préféré rester ici et passer ses vacances, toutes ses vacances, avec Lucky.

C'était une soirée magnifique, et tout le monde avait l'air de bien s'amuser.

Matt, encore plus séduisant que d'habitude dans un nouveau smoking, ses cheveux gris coiffés en arrière et légèrement gominés, semblait s'être trouvé une nouvelle fiancée. Elle était petite et ravissante, avec des cheveux bouclés et un corps parfait. Lucky était persuadée d'avoir déjà rencontré cette jeune femme, mais elle n'arrivait pas à se souvenir dans quelles circonstances. Quand Matt la lui présenta, elle la reconnut immédiatement. C'était Jess, la jeune croupière du casino du *Magiriano* dont le bébé s'était noyé. Jess, l'imprésario de Lennie, l'amie de Lennie...

Lucky lui fit un grand sourire.

— Ça me fait plaisir de vous voir. Et félicitations pour vos succès avec Lennie Golden.

« Comment va-t-il ? Est-ce que parfois il parle de moi ? Est-ce qu'il est heureux ? »

— Cet endroit est incroyable ! s'exclama Jess. Ça a dû représenter un travail fou de faire aboutir un tel projet.

— Oui, acquiesça Lucky en souriant.

Jess était-elle au courant pour elle et Lennie ? Non. Personne n'avait eu vent de leur histoire. C'était leur secret.

— Ouais, c'est vraiment quelque chose, cet hôtel ! dit Jess.

— Merci, répondit Lucky.

« Est-ce que je lui manque ? Lui, il me manque, tout le temps. »

Brigette écoutait tous ces adultes parler, et elle s'ennuyait ferme. Soudain elle vit Tim Wealth se lever, à quelques tables de là.

— Je vais aux toilettes, souffla-t-elle à l'oreille de Lucky.

Puis elle se leva et se dirigea sans hésiter dans la même direction que l'acteur.

On avait convié toutes sortes de célébrités pour cette inauguration. Lucky, resplendissante et très à l'aise, naviguait d'un groupe à l'autre, souriant, félicitant, souhaitant la bienvenue de-ci de-là. Ce n'était pas son rôle de prédilection, mais elle s'en tirait avec beaucoup de talent.

C'était une soirée très mondaine et très chic. Vitos Felicidade chantait, le champagne coulait à flots, et des vasques de caviar trônaient un peu partout.

Dimitri avait tout d'abord accepté de venir, mais, au dernier moment, il s'était désisté et avait préféré rester sur son île.

En l'espace de trois ans, Dimitri était devenu un vieillard. Il semblait qu'avec la disparition de Francesca s'en était allé son désir de vivre. Il ne s'intéressait plus qu'à Roberto et à Brigette. Ses petits-enfants l'empêchaient de sombrer tout à fait.

Lucky avait accepté de laisser son fils avec Dimitri. Mais à présent qu'il atteignait l'âge scolaire — il avait quatre ans et demi —, elle se posait de sérieuses questions. Avait-elle le droit de le laisser vivre ainsi coupé du monde extérieur ?

En ce qui concernait Brigette, les choses étaient différentes. Elle ne venait sur l'île que pour les vacances. Elle passait alors ses journées à nager, à faire du ski nautique et à bronzer. Puis elle retournait à l'école et se replongeait dans la « vraie vie », si tant est qu'une existence de privilégiée dans une institution privée pour jeunes filles de bonne famille ait un quelconque rapport avec la dure réalité.

Brigette, qui avait été une petite fille insupportable, s'était transformée en adolescente adorable. Lucky était ravie de cette métamorphose. En outre, la jeune fille traitait Roberto comme son petit frère. Elle semblait avoir trouvé, chez Lucky et Dimitri, une famille d'adoption. Il fallait d'ailleurs se battre avec elle pour qu'elle consente à voir sa mère. Olympia, de son côté, se désintéressait totalement de sa fille, ce qui n'était pas nouveau. Depuis quelques années, Lucky se sentait comme une seconde mère pour Brigette, et elle lui avait enseigné certaines valeurs auxquelles elle tenait, comme le sens de l'indépendance. Elle lui avait en outre donné son avis en ce qui concernait l'usage de la drogue et celui des garçons.

— Je pense que nous devrions nous marier, annonça Matt solennel. Il me semble absurde que vous soyez venue de si loin sans que nous fassions quelque chose d'exceptionnel pour commémorer l'événement.

Jess en resta bouche bée. Trois ans de silence et tout à coup une proposition en mariage.

— Qu'est-ce que vous en pensez ? poursuivit-il, comme si de rien n'était.

— Euh...

Elle le fixait, complètement abasourdie.

— Je... Euh... « marier » ?

— Oui. A moins que vous pensiez qu'il s'agisse là de l'idée la plus saugrenue que vous ayez jamais entendue.

— Pourquoi ? demanda-t-elle, l'air interdit.

— Et pourquoi pas ? répondit-il.

Elle tenta de se redonner une contenance.

— Je vois un certain nombre de raisons, commença-t-elle.

Il se rétracta.

— Très bien. N'en parlons plus.

— Pourquoi ?

— Est-ce que vous allez arrêter de dire tout le temps « pourquoi » ?

— Matt ?

— Oui ?

— Je ne pense pas que ce soit une idée saugrenue.

Brigette attendait devant les toilettes des hommes quand Tim Wealth réapparut.

— Bonjour ! lui lança-t-elle, désinvolte, comme s'ils étaient de vieux amis.

Il regarda autour de lui pour voir si elle s'adressait à quelqu'un d'autre.

— C'est à vous que je parle, dit-elle avec impudence. On s'est déjà rencontrés. Vous avez oublié ?

Tim Wealth était un grand type dégingandé au visage émacié où brillaient des yeux de prédateur. Il avait de longs cheveux noir corbeau. Il portait un smoking de location, une chemise noire et une petite boucle en or à l'oreille droite. Il avait fait un film deux ans plus tôt et avait été proclamé jeune espoir de l'année. Depuis, plus rien. Pas un seul scénario n'était passé à sa portée.

Qui pouvait comprendre quelque chose aux caprices de l'industrie cinématographique ? En tout cas, sûrement pas Tim Wealth.

Après dix-huit mois d'inactivité totale, il en avait finalement été réduit à se produire dans de mauvais shows télévisés. A partir de là, c'était la descente assurée. A présent, il était à Atlantic City avec un producteur homosexuel qui lui avait promis bien plus qu'un simple coup dans son petit cul maigrichon.

— On est censés s'être rencontrés où ? demanda-t-il en regardant ailleurs. Y a un bout de temps que j'ai arrêté de fréquenter les jardins d'enfants.

Brigette cligna des yeux.

— Quoi ?

— Laisse tomber.

Elle n'arrivait pas à croire qu'elle lui parlait pour de vrai.

— J'ai vu votre film six fois ! dit-elle, tout excitée. Pourquoi vous n'en avez pas fait d'autre ?

— Bonne question ! dit-il, l'air cynique.

— Mon beau-père est acteur.

— C'est intéressant.

— Il s'appelle Lennie Golden. Vous connaissez ?

— Et ta sœur, elle bat le beurre ?

— Comment ?

— Laisse tomber.

Brigette continua vaillamment à attaquer.

— Ma tante est propriétaire de cet hôtel.

— Et qui c'est ta tante ?

— Lucky Santangelo. Vous ne l'avez pas remarquée ?

— Comment aurais-je pu la rater !

— Vous êtes avec une fille ?

— Qu'est-ce t'es en train de faire, là ? Tu me proposes tes services pour la nuit, ou quoi ?

Brigette se sentit frissonner d'excitation. Il était encore mieux dans la vie qu'à l'écran.

— Oui, dit-elle très vite.

Il la dévisagea d'un air narquois.

— Et t'as quel âge ?

— Dix-huit ans, répondit-elle. Et toi ?

— J'ai vingt-six ans et je vais sur cinquante. Et si je reste un quart d'heure de plus ici, j'irai bientôt sur soixante.

Elle se tortilla vaguement dans sa robe virginale.

— Tu t'ennuies, hein ? demanda-t-elle.

— Quelle jeune fille intelligente !

— Où tu habites ?

— L.A., répondit-il.

— J'y serai demain ! annonça-t-elle, très fière.

— Ah ouais ? Tu veux une médaille ou quoi ?

Elle changea de position en mettant bien ses seins en avant. Il ne put s'empêcher de les remarquer. Il préférait les garçons, mais il ne crachait jamais sur une belle paire de roberts. En outre, son petit copain producteur s'était absenté pour plusieurs heures.

— Tu veux que je te montre mes pieds ? demanda-t-il.

— Tes pieds ?

— Mes orteils sont très célèbres.

— Vraiment ?

— Si t'existais pas, faudrait t'inventer ! dit-il.

— Comment ?

— Laisse tomber, va, et suis-moi, petite fille.

— Où est Brigette ? demanda Lucky.

— T'inquiète pas ! répondit Gino. Brigette est une grande fille, Dis-moi plutôt quand je vais revoir mon petit-fils.

— Bientôt, promit Lucky.

— Et pourquoi ne le ramènes-tu pas aux États-Unis ? demanda-t-il.

Oui, pourquoi pas ? Elle n'allait pas temporiser indéfiniment. Dimitri le prendrait très mal, si tant est qu'il lui donne jamais son accord — mais elle ne devait pas continuer à se laisser faire.

— J'irai le chercher le mois prochain, répondit-elle.

— Bien, bien, dit-il en se laissant aller sur le dossier de sa chaise.

Elle jeta un coup d'œil alentour. La fête battait son plein. La plupart des invités s'activaient autour des tables de roulette.

— Mais où est passée Brigette ? demanda de nouveau Lucky, visiblement inquiète.

Mais elle fut distraite de ses craintes par l'arrivée de Vitos Felicidade, entouré de sa cour d'admirateurs.

— Lucky, c'est vraiment l'une des plus belles soirées de ma vie ! dit-il avec son habituelle emphase.

— Merci, répondit-elle en souriant.

— Je peux vous offrir un verre ? demanda-t-il.

Il avait des yeux humides d'épagneul.

— Mais je suis déjà en train de boire !

— Je voulais dire, avec moi...

— Je suis occupée pour l'instant. Plus tard, peut-être.

— Peut-être, peut-être pas ! chantonna-t-il.

Puis il s'éloigna, après lui avoir fait un gracieux petit salut.

Avec qui allait-elle finir la nuit ? Avec un inconnu. Quelqu'un qu'elle ne reverrait jamais plus.

— Bois.
— Suce.
— Vas-y, sniffe.

Tim Wealth donnait ses instructions, et Brigette s'exécutait sans broncher, complètement impressionnée.

Il lui fit boire de la vodka. Pure. C'était dégoûtant, on aurait dit un médicament. Mais elle avala tout le contenu du verre, bravement. Elle ne voulait pas qu'il la prenne pour une novice.

Puis il défit la fermeture Éclair de sa braguette, lui demanda de se mettre à genoux devant lui, et lui introduisit sa « chose » dans la bouche. La « chose » en question ne ressemblait à aucune de celles qu'elle avait sucées jusqu'alors. Elle était toute molle et sans vie, comme un jouet en caoutchouc rose.

Elle fit de son mieux, mais rien ne se produisit. Cela ne la vexa pas plus que ça. Elle détestait le moment où le liquide chaud et salé se répandait dans sa bouche. Elle avait horreur de boire leur sperme, mais eux semblaient adorer ça. Tim Wealth, apparemment, était différent.

Il la repoussa, referma sa braguette et se dirigea vers l'autre bout de la pièce. Il fouilla dans un tiroir et en extirpa un petit sachet transparent rempli de poudre blanche. Il fit deux lignes sur le marbre de la commode, puis il lui tendit une courte paille et prononça le troisième commandement : « Vas-y, sniffe. »

Elle savait ce que c'était. De la cocaïne. L'une des pensionnaires de l'Évier, la fille d'un émir arabe, en prenait sans arrêt.

Brigette avait déjà fumé de l'herbe plusieurs fois, mais elle n'avait encore jamais pris de coke. Elle se glissa la paille un peu trop loin dans le nez, tenta d'inspirer la poudre magique et éternua. La cocaïne se répandit un peu partout sur la commode et sur la moquette.

— Merde ! dit Tim Wealth. Ma parole, t'as jamais sniffé une ligne de ta vie !

— Je suis désolée, souffla-t-elle.

— Tu peux ! rétorqua-t-il, mauvais.

Puis il prépara deux nouvelles lignes de cocaïne.

Le second essai de Brigette fut le bon, et elle se sentit soudain très, très bien.

— Déshabille-toi, lui ordonna Tim.

Elle hésita un court instant. D'habitude, c'étaient les garçons qui la déshabillaient et tout se passait dans le noir, à l'arrière d'une voiture. Cette situation était nouvelle. Décidément, Tim Wealth n'avait rien à voir avec les autres.

Elle obéit. Elle ôta sa robe blanche, son soutien-gorge et sa petite culotte avec une fébrilité maladroite. Elle se sentait tout excitée, dans l'attente de quelque chose de délicieux et d'imminent.

Dès qu'elle fut toute nue, il ressortit son mâle attribut, qui cette fois était grand, dur, et turgescent. Puis il la fit mettre en levrette et se planta en elle d'un coup sec. Elle retint un cri de douleur. Il commença à la baiser vite et fort. Il lui faisait un peu mal, mais en même temps, des ondes de plaisir violentes la parcouraient tout entière. Elle perdit complètement le contrôle d'elle-même. Elle ne comprenait pas ce qui lui arrivait, mais instinctivement, elle s'abandonnait.

Lui s'excitait de plus en plus en elle. Il commença à lui donner des claques sur les fesses, accéléra la cadence, puis il poussa une espèce de soupir immense et explosa brusquement. Il se retira immédiatement, et roula sur le sol.

Elle tremblait. Elle eut du mal à se relever, et quand elle fut debout, elle se sentit les jambes toutes flageolantes.

— Rhabille-toi, petite fille, et rentre à la maison, dit-il en bâillant, toujours allongé par terre.

Ne s'était-il donc pas rendu compte qu'il venait de la déflorer ?

Elle était un peu déboussolée. Alors, elle fit ce qu'il lui avait dit. Elle renfila ses vêtements, puis lui laissa le numéro de téléphone d'Olympia sur un petit bout de papier qu'elle glissa sous le téléphone. Tim Wealth dormait. Et seuls ses ronflements de bête repue l'accompagnèrent jusqu'à la porte.

— Il faut que j'appelle Lennie, dit Jess.

Matt sourit.

— Tu sais, j'étais persuadé qu'il était ton amant. Et j'étais jaloux comme un fou.

— Idiot ! dit Jess. Je me demande pourquoi tu as attendu si longtemps pour me dire que tu m'aimais.

Il leva les yeux au ciel.

— Tu ne manques pas d'air, quand même ! A t'entendre, on dirait que c'était moi qui passais mon temps à repousser tes avances ! La situation était légèrement différente, si je ne me trompe...

— Mais tu draguais tout le monde ! protesta Jess.

— Merci !

— Je veux dire, en ce temps-là.

Il la regarda, les yeux remplis de désir.

— Si seulement on était à Las Vegas, dit-il, songeur.

— Pourquoi ? demanda-t-elle.

— On aurait pu le faire ce soir.

Elle eut un large sourire.

— Mais on va le faire ce soir !

— Vraiment ?

— Je ne pense qu'à ça, Mr Traynor.

— Ah ! Enfin, te voilà ! s'exclama Lucky, soulagée. Où étais-tu donc passée ?

— J'étais partie explorer les lieux, mentit Brigette.

— Je n'aime pas que tu disparaisses comme ça. Je t'ai déjà expliqué que tu n'es pas n'importe qui. Et dès que tu es seule quelque part, tu cours un danger. Si Dimitri était là, il serait furieux.

Brigette prit un air faussement penaud. Parfois, Lucky était aussi bête que les autres.

— Je suis un peu fatiguée, dit-elle. Je peux aller me coucher ?

— Mais bien sûr, répondit Lucky. Dors bien.

A trois heures et demie du matin, tous les invités étaient partis. Lucky était assise à une table avec Matt, Jess, Gino, et une jolie danseuse qu'il avait draguée.

L'infatigable Gino !

Il se leva, et la fille se leva aussitôt.

— Il est tard pour un vieillard comme moi, dit-il. Je ne suis plus habitué à une telle agitation.

— Oh que si ! s'exclama Lucky.

Gino se pencha vers elle et l'embrassa.

— N'oublie jamais que tu es de la race des vainqueurs, petite fille, lui glissa-t-il à l'oreille.

— Mon père est vraiment quelqu'un d'exceptionnel, dit-elle, alors qu'il s'éloignait, sa nouvelle conquête au bras.

— Oui, répondit Matt. J'espère qu'à son âge, j'aurai la même énergie que lui.

— Moi, en tout cas, je commence à être fatiguée, avoua Lucky. Je propose qu'on aille tous au lit, qu'est-ce que vous en dites ?

— Je crois que c'est une excellente idée ! répondit Matt en lançant un clin d'œil à Jess.

Elle baissa les yeux un instant et rougit, ce qui ne lui était plus arrivé depuis des années. Puis tout le monde se leva. On se dit bonsoir et on se sépara.

Quand Lucky se retrouva seule dans son appartement, allongée dans son grand lit, elle se mit à penser à Lennie. Que faisait-il à cet instant ? Quelle heure était-il à Los Angeles ?

Ne parvenant pas à trouver le sommeil, elle se releva pour se rouler un joint. C'est à ce moment-là que le téléphone sonna. Son cœur s'emballa. Et si c'était lui ?

— Meesis Stanislopoulos...

C'était une voix d'homme au fort accent étranger. L'appel venait de très loin. Lucky eut soudain un mauvais pressentiment. Son cœur se mit à battre la chamade. Roberto. « Mon Dieu, faites qu'il ne lui soit rien arrivé. »

Sa voix tremblait terriblement quand elle dit :

— Oui ?

— Si vous saviez comme je suis désolé...

— Qu'est-ce qui se passe ? hurla-t-elle, follement inquiète.

— Meester Stanislopoulos... une attaque fatale... pas eu le temps de vous prévenir... il est mort il y a une heure.

84

Au procès, Mary Lou fut parfaite, très digne, d'une limpidité totale dans ses déclarations, irréprochable. Et bien que la partie adverse, représentée par des hommes de Bonnatti impeccables en costumes trois-pièces, se soit montrée coriace, personne ne s'y trompa, ni l'avocat général ni les jurés. Les publications Bonnatti furent condamnées à verser seize millions de dollars en dommages et intérêts à la jeune star de la télé.

Steven l'emmena dîner pour fêter l'événement. Les agapes durèrent toute la nuit et, au petit matin, il se retrouva dans son lit. Bien que tout cela ait été fort agréable, il lui annonça au réveil qu'il n'avait pas l'intention de la revoir.

— Je t'attends à sept heures ce soir, lui répondit-elle, sans tenir compte de sa réflexion. Je te préparerai un dîner chinois.

— Je te l'ai dit, Mary Lou, ça ne peut pas marcher entre nous, répondit-il.

— Je n'en doute pas, dit-elle, mais n'oublie pas d'être à l'heure ce soir.

Une semaine plus tard, elle s'installait chez lui.

— T'es complètement inconscient ! lui dit Jerry. J'espère que t'as pas oublié qu'elle a vingt-cinq ans de moins que toi.

— Tu es sûr qu'elle n'est pas un peu jeune pour toi ? demanda Carrie, plus nuancée.

Steven était absolument d'accord avec eux. Elle était bien trop jeune pour lui, et sans aucun doute, il était un peu fou. Mais il avait l'impression de renaître avec Mary Lou. Steven Berkeley n'avait jamais été aussi heureux de sa vie.

— Un grand éditeur vient de nous faire une offre, dit Ann Robbs. Je te laisse deviner de qui il s'agit.

Carrie la regarda, perplexe.

— Je n'en ai pas la moindre idée, répondit-elle.

— Tant mieux, parce que tu n'as aucune chance de trouver ! dit Ann, qui avait l'air de s'amuser comme une petite folle.

— Qui est-ce ? demanda Carrie.

— Tu veux vraiment le savoir ?

Ce n'était pas le genre d'Ann d'être aussi taquine. Carrie commençait à perdre patience.

— Oui, dit-elle très vite. Dis-le-moi s'il te plaît.

Ann prit une profonde inspiration.

— Alors voilà. C'est un contrat d'un demi-million de dollars. Un quart à la signature, un quart à la publication, un quart à la parution du titre en format de poche, et un dernier quart six mois plus tard.

— Et qui se cache derrière cette proposition mirobolante ?

— Fred ! lâcha Ann.

— Fred ? répéta Carrie, médusée.

— Oui, ma chérie. Et il veut l'acheter parce qu'il trouve que c'est la meilleure autobiographie qu'il ait jamais lue. Il y croit dur comme fer. Il m'a même dit que ce livre était tellement sincère qu'il l'avait fait pleurer. Et venant de Fred Lester...

Ann continuait à parler mais Carrie ne l'écoutait plus. Elle était sur le point de révéler son histoire au monde entier. Et ce n'était pas uniquement « son » histoire, mais également celle de Steven. Elle aurait peut-être dû lui en parler.

— ... Fred veut te voir très rapidement. Demain, si possible. Il a de grands projets en tête ! annonça Ann, toute contente.

Carrie n'avait jamais vu son amie dans un tel état d'euphorie. De grands projets ? Mon Dieu ! Elle avait peut-être eu tort de se lancer dans cette aventure.

— Je ne sais pas, commença-t-elle.

— Tu ne sais pas quoi ? l'interrompit Ann. Mais Carrie, tu devrais bondir de joie ! Tu vas devenir la plus célèbre femme noire des États-Unis !

85

Quand on lui annonça la nouvelle, Santino entra dans une colère noire. « Les enculés, hurla-t-il, s'ils croient qu'ils vont me faire raquer ! Ils peuvent aller se brosser ! »

Ce fut dans cette disposition d'esprit qu'il arriva chez Eden. Il fit irruption dans le salon tel un braqueur patenté, poussa un grognement dégoûtant et se laissa tomber dans un fauteuil, jambes écartées. Puis il défit sa braguette et dit à Eden :

— Suce-moi !

Le parfait gentleman.

Elle eut un haut-le-cœur. Comment osait-il ? Zeko faisait une partie de solitaire à l'autre bout de la pièce, la femme de ménage était en train de laver le carrelage de l'entrée, et le jardinier bricolait autour de la piscine.

— J'en ai ma claque de toi, dit-elle bravement.

Il y avait trop de monde autour pour qu'il ose la toucher.

Las ! Avant même qu'elle réalise ce qui lui arrivait, il avait jailli de son fauteuil et la giflait à toute volée.

Elle essaya de se dégager.

— Fumier ! hurla-t-elle.

Le diamant qu'il portait à la main droite lui entailla profondément la joue. Elle se mit à pisser le sang.

Zeko ne leva pas le nez de son jeu. La femme de ménage resta courbée sur le carrelage, et le jardinier sur ses mauvaises herbes.

Eden se rua dans la salle de bains, se regarda dans la glace et poussa un cri d'horreur. Elle aurait une cicatrice à vie.

Santino la rejoignit.

— Mais pourquoi faut toujours que t'emmerdes au mauvais moment ? demanda-t-il, le reproche dans la voix. On dirait que tu le fais exprès ! Je viens ici pour me détendre, bon Dieu !

Elle prit un morceau de coton qu'elle imbiba d'eau oxygénée et s'en tamponna la joue.

— J'ai eu une journée à chier ! J'arrive ici et ça continue ! C'est pas possible ! poursuivit-il.

Elle ne répondit pas.

Il mata son propre reflet dans la glace et réajusta sa cravate. Sa calvitie ne lui donnait aucun complexe. Ne dit-on pas que les chauves sont de chauds lapins ?

Et d'ailleurs, à propos :

— Mets-toi à genoux, mon ange, et suce-moi, dit-il.

Mon ange ? Il l'appelait mon ange ? Et il lui demandait de le sucer après ce qui venait de se passer ?

Pas question.

Elle n'en pouvait plus.

D'une façon ou d'une autre, il fallait qu'elle en finisse avec lui.

Deux jours plus tard, Santino lui annonça qu'il avait enfin pour elle le rôle du siècle. Il balança le script sur la table.

Elle ne lui avait pas pardonné l'affreuse balafre qui ornait désormais sa joue, mais elle lut néanmoins le scénario. Elle eut une moue de dégoût. C'était carrément pornographique.

— C'est un peu érotique, admit-il. Mais c'est « soft ». Ça fait une grande différence. Enfin, si t'en veux pas, dis-le, et je le donne à quelqu'un d'autre.

Elle ne répondit pas et relut l'histoire. Peut-être, en modifiant certains passages, en supprimant la scène du viol et en repensant le rôle de l'héroïne, cela deviendrait acceptable. Après tout, c'était un rôle principal.

— Qui est le metteur en scène ? demanda-t-elle.

— Ryder Wheeler fera sûrement quelques prises...

— Mais il est producteur, pas metteur en scène ! objecta-t-elle.

— Et Reagan, banane, il était acteur, et regarde ce qu'il est devenu !

— Et qui sera mon partenaire ?

— Un mec qui s'appelle Tim Wealth.

Elle eut du mal à rester impassible. Tim Wealth ! Le jeune acteur avec qui elle avait filé à Los Angeles cinq ans plus tôt.

— T'as déjà entendu parler de lui ? demanda Santino.

— Non, mentit-elle.

— Moi non plus, dit Santino. Mais il paraît qu'il est bon. Alors, tu veux ce rôle ou pas ?

Elle soupira. Puis elle dit oui. Un film érotique, c'était quand même mieux que rien...

86

Les obsèques de Dimitri Stanislopoulos eurent lieu sur son île par un jour très gris. Étaient présents, outre la famille, tout ce qu'il avait compté d'amis et de relations sa vie durant, venus de tous les coins du monde pour l'accompagner jusqu'en son ultime demeure.

Lucky, vêtue de noir, tenait Roberto par la main et avançait en tête du cortège funèbre. Brigette se tenait à ses côtés. Gino était là aussi, en compagnie de Costa et de Ria.

Olympia ne vint pas, ce qui choqua un certain nombre de gens.

— J'ai cru comprendre que Mrs Golden est souffrante, dit à Lucky l'avocat de la famille.

— Qu'est-ce qu'elle a exactement ?

— Je crois qu'elle ne s'est pas encore tout à fait remise de son accident.

— Mais c'était il y a trois ans, remarqua Lucky.

— Je sais, poursuivit l'avocat, mais je pense qu'elle sera rétablie pour assister à la lecture du testament.

— Je vois, dit Lucky, sarcastique.

Enterrer Dimitri était étrange. Elle n'avait pas le sentiment d'être veuve, mais plutôt d'avoir perdu un ami. Et de fait, depuis la mort de Francesca, il n'avait plus été pour elle un amant, ni un mari. Il lui avait parfois donné de judicieux conseils à propos de ses affaires et s'était montré un excellent père pour Roberto. Dimitri allait leur manquer à tous deux.

Et maintenant, qu'allait-elle faire ? Elle était libre de ses mouvements. Elle pouvait emmener son fils où elle voulait. Elle était riche. Elle avait toute la vie devant elle. Mais cette liberté tant souhaitée, maintenant qu'elle pouvait en disposer, la laissait toute désorientée.

Olympia aurait bien voulu assister aux obsèques de son père. Mais elle avait eu honte de se montrer. Comment aurait-elle eu le courage d'exposer ses cent dix kilos à leurs regards méchants ou, pire, remplis de pitié ?

L'annonce de la mort de Dimitri l'avait tout d'abord laissée prostrée. Puis elle avait versé des flots de larmes. Toute sa vie, Dimitri avait représenté pour elle une ancre où se raccrocher après toutes ses dérives. Il l'avait sauvée de divers mariages ratés. Dans l'ombre, il veillait sur elle. Dimitri vivant, il ne pouvait rien lui arriver de vraiment fâcheux.

Désormais, elle ne pourrait plus jamais compter sur lui.

Il était mort, et c'était la faute de Lucky.

— Cette salope l'a tué ! dit-elle à Lennie. L'hôtel ne lui suffisait pas. C'est toute sa fortune qu'elle voulait.

— Mais qu'est-ce que tu racontes ? dit Lennie.

Elle l'exaspérait. Trois ans de servitude avaient usé ses nerfs. Il n'en pouvait plus.

— Tout a commencé le jour où il l'a épousée, poursuivit Olympia. Et c'est elle qui l'a empêché de venir me voir à l'hôpital. Elle a toujours été jalouse de moi.

— Mais il est venu à l'hôpital ! objecta Lennie.

— Une fois ! cracha Olympia, pleine de venin. Puis elle l'a obligé à rester cloîtré sur son île. Je ne sais pas comment elle s'y est prise, mais elle l'a tué.

— Tu dérailles complètement, dit Lennie.

— Ah oui ? Mais qu'est-ce qu'il y a donc entre elle et toi ? Pourquoi prends-tu toujours sa défense, hein ? Pourquoi ?

Ce n'était pas la première fois qu'ils parlaient de Lucky, et ça finissait toujours très mal.

— Quand j'étais en classe avec elle, dit Olympia, je la considérais comme une amie. Mais je me trompais. Crois-moi, elle est diabolique, et elle a eu la peau de mon père. Je le sais.

Mieux valait ne pas discuter une fois qu'Olympia s'était mis quelque chose dans la tête.

A peine rentrée à L.A., Jess téléphona à Lennie pour lui annoncer la grande nouvelle. Elle allait se marier ! Et elle ne tarissait plus d'anecdotes sur son week-end génial à Atlantic City.

— Mais au fait, je t'ai pas dit que j'avais vu Lucky.

— Ah oui ? Comment va-t-elle ? demanda Lennie sur un ton qu'il voulait anodin.

Bien sûr, Jess était au courant de tout depuis le début, mais elle évitait généralement d'aborder ce sujet douloureux.

— Elle avait l'air en pleine forme. Tu sais, c'est vraiment marrant de rencontrer les gens. On s'en fait toujours une idée sans les connaître et je n'avais pas du tout imaginé Lucky comme ça. C'est une femme très chaleureuse, en fait.

— Et le *Santangelo* ? l'interrompit Lennie.

— Une pure merveille ! Le plus bel hôtel que j'aie vue de ma vie ! répondit Jess encore sous le charme. Tu sais, poursuivit-elle, si tu acceptais d'aller faire un show là-bas...

Jess commença à lui décrire l'endroit, mais il n'écoutait plus. Il se demandait ce qui se serait passé si Lucky l'avait aimé aussi fort que lui l'aimait.

Mais selon toute évidence, elle avait tiré un trait. Elle avait choisi l'hôtel et Dimitri.

Qu'allait-elle faire de sa vie maintenant que Dimitri était mort ?

Olympia lui avait demandé de l'accompagner à New York pour la lecture du testament. Il ne tournerait pas avant plusieurs mois, et pour le moment, il n'avait d'autre obligation que celle d'écrire. Il pouvait donc partir quelques jours.

Quoi de plus normal que d'accompagner sa femme ?

Il allait revoir Lucky pour la première fois depuis trois ans.

Il n'en pouvait plus d'attendre.

87

Devenir la veuve de l'un des hommes les plus riches du monde était une expérience des plus impressionnantes. En tant qu'épouse de Dimitri Stanislopoulos, Lucky avait eu droit au respect vaguement craintif des hommes d'affaires avec lesquels elle avait traité. En tant que veuve du milliardaire, on lui léchait les bottes.

Le pouvoir qu'elle détenait dépassait tout ce qu'elle avait pu imaginer. Olympia et Roberto hériteraient, certes, de la part du lion, mais elle ne serait pas exactement réduite à la mendicité. Elle était bel et bien propriétaire du *Santangelo*. Elle avait plusieurs millions de dollars en banque depuis la vente de ses parts du *Magiriano*. En outre, la maison d'East Hampton lui appartenait en propre. Elle attendait donc sereinement la lecture du testament.

Gino rentrait à Las Vegas, et Costa décida de l'y accompagner avec Ria pour un bref séjour au paradis des flambeurs. Lucky décida de leur confier Roberto et Cee Cee. Ce serait l'occasion pour son fils de passer quelque temps avec Gino, qui était ravi. Des arrangements furent pris, en outre, pour qu'ils emmènent Brigette jusqu'à Los Angeles.

— Il est hors de question que tu prennes l'avion toute seule, dit Lucky à la jeune héritière. Et je vais songer très sérieusement à te trouver un garde du corps.

Brigette en frémit de plaisir anticipé.

— Enfin, tant que ton vrai nom n'apparaît pas sur ton billet, on court déjà moins de risques. Pour tout le monde, tu t'appelles Brigette Standing, ne l'oublie jamais.

Une vague de souvenirs envahit Lucky. Quand elle était adolescente, Gino avait insisté pour que sa véritable identité n'apparaisse nulle part. Pour les autres, elle était Lucky Saint. Vraiment le genre de nom qui vous aide dans vos relations ! Mais Olympia avait tout de suite découvert son secret et elles étaient devenues amies.

Il y avait bien longtemps...

Assise à côté de Gino dans l'avion, Brigette rêvassait. Dans quelques heures, elle serait à L.A. Et Tim Wealth habitait à L.A. La mort de son grand-père l'avait attristée un temps, puis la perspective d'une vie nouvelle et intéressante avait gommé le chagrin. Désormais, elle ne passerait plus toutes ses vacances sur cette île où rien n'arrivait jamais. Elle pourrait rendre visite à Lucky à Atlantic City — du moins, elle l'espérait — et se faire inviter de temps à autre à Las Vegas. Après tout, Gino était devenu un proche pour elle. A l'idée de tout ce qui l'attendait, elle eut un large sourire et laissa son regard se perdre à travers le hublot, très loin vers l'infini.

Olympia trouva finalement le courage de suivre un régime — pendant trois jours. Le fait de perdre quelques kilos ne changea pas grand-chose à son apparence éléphantesque, mais cela la rasséréna un peu.

Aujourd'hui encore, elle était sortie faire des courses. Lennie était dans son bureau quand elle rentra. Il était ravi de constater qu'elle reprenait goût à la vie, et content qu'elle lui fiche enfin la paix.

— Où étais-tu passée ? demanda-t-il, tout sourires.

— Je suis allée faire des achats. Je maigris beaucoup en ce moment, et il me faut de nouveaux vêtements. Je veux être belle à New York.

— Voilà de bonnes nouvelles !

— Oh ! Et au fait, ajouta-t-elle, soudain autoritaire, il faut que tu me loues un avion. Il n'est pas question que je prenne un vol régulier pour aller à New York.

Sur ces bonnes paroles, elle sortit de son bureau.

C'était bien de lui de se retrouver marié à une femme qui lui disait:
« Loue-moi un avion » comme une autre aurait demandé un café !

Il tenta de se remettre au travail, mais il n'arrivait plus à se concentrer. Il décida donc de ne pas s'acharner davantage et monta au premier. Olympia était dans sa chambre. Il y avait des vêtements étalés un peu partout.

— Brigette arrive ce soir, lui dit-il, histoire de lui rafraîchir la mémoire. Et nous partons lundi. On pourrait peut-être prévoir quelqu'un pour s'occuper d'elle en notre absence ?

— Tu pensais à qui ?

— A Jess, par exemple.

— Mais elle retourne à Atlantic City, il me semble. Elle va rejoindre ce type, tu sais bien !

— Ah, c'est vrai, dit Lennie.

Il avait oublié que Jess avait décidé de ne plus passer que trois jours par semaine à Los Angeles.

— J'ai pris une décision, annonça Olympia.

— Oui ?

— Je vais faire une cure de sommeil et, cette fois, perdre vraiment du poids.

— C'est une excellente idée, dit Lennie.

Il espérait qu'elle ne faisait pas cet effort pour le reconquérir. Ç'aurait été parfaitement inutile, vu qu'il avait pris la décision de divorcer dès leur retour de New York.

— Et à propos de Brigette, qu'est-ce qu'on fait ? demanda-t-il.

— Et si on invitait ta mère ? proposa-t-elle.

— Si tu veux.

Il voyait Alice le moins souvent possible, mais il devait bien endurer sa présence de temps à autre. Quelques années auparavant, à Las Vegas, elle s'était fort bien entendue avec Brigette.

— Bon, il faut que j'y aille, dit Lennie en s'étirant. J'ai un rendez-vous avec Ryder.

— Mais pourquoi c'est toujours toi qui y vas ? Pourquoi ne vient-il pas, lui ? répliqua Olympia.

— Il ne vient pas parce que tu ne veux jamais recevoir personne ici.

— Et ça t'arrange bien, hein ? Comme ça, tu peux aller où tu veux et voir qui tu veux sans que je le sache ! Profites-en, parce qu'à l'avenir ça va changer, crois-moi. Il y a trop longtemps que tu me retiens prisonnière ici.

— Moi ? Je te retiens prisonnière ? Mais tu divagues ou quoi ?

Pour une fois, elle n'avait pas envie de poursuivre la discussion.

— Au revoir, dit-elle, crispée.

— Adieu, oui, marmonna-t-il.

— Quoi ?

Il sortit sans rien ajouter, se glissa derrière le volant de sa Porsche, et démarra en trombe.

Sur le court de tennis, une machine automatique crachait des balles à intervalles réguliers, que Ryder renvoyait avec, il faut bien l'avouer, un certain talent.

Lennie s'installa confortablement dans l'un des fauteuils du jardin et le regarda jouer. Ryder le régala de quelques revers, puis il stoppa la machine, saisit une serviette blanche qu'il se mit sur la nuque et vint rejoindre son ami.

— Ça t'arrive souvent de jouer tout seul ? demanda Lennie, taquin.

— Seulement quand Paige n'est pas disponible, répondit Ryder.

Comme pour donner raison à son mari, Paige apparut alors moulée dans une minirobe de soie rouge vif et perchée sur des sandales dorées aux talons démesurés. On aurait dit une prostituée marseillaise.

— Salut, beauté, dit Lennie.

— Je ne savais pas que vous aviez rendez-vous, tous les deux, dit-elle, en embrassant Lennie sur le front.

— Mais on n'avait pas rendez-vous, répondit Lennie. J'avais simplement besoin d'un peu d'air frais.

Comme tout le monde, Paige se posait des questions sur la vie privée de Lennie. On entendait beaucoup parler d'Olympia Stanislopoulos, mais on ne la voyait jamais. Elle n'apparaissait jamais en public, ce qui ne lassait pas d'intriguer le Tout-Hollywood. D'après Jess, le mariage tenait bon. C'était la seule information que Paige avait réussi à glaner.

— Eh bien, tu vas pouvoir respirer tout à ton aise. Il faut que je retourne travailler, dit-elle.

Son regard allait de l'un à l'autre, avec un petit air mystérieux.

— Lennie, tu devrais demander à Ryder de te parler de son prochain film. Il aurait peut-être un rôle de figurant pour toi, ajouta-t-elle, énigmatique.

Puis elle tourna les talons et s'éloigna vers la maison.

— Quel prochain film ? demanda Lennie, intrigué.

Ryder se laissa aller sur le dossier de son fauteuil et annonça :

— Je vais faire un porno.

— Quoi ?

Lennie n'était pas tout à fait sûr d'avoir bien entendu. Depuis ses deux derniers films, Ryder était l'un des producteurs les plus enviés de la ville.

— Du soft, bien sûr, ajouta Ryder, très vite. Du soft très esthétique. Je vais le réaliser moi-même.

Lennie partit d'un grand rire.

— Ah, tu ne vas pas me faire avaler ça !

Ryder haussa les épaules.

— Écoute, Lennie, je ne pourrai pas monter plus haut. J'ai tout ce dont un homme peut rêver. Une femme géniale et plus d'argent qu'il n'en faut pour vivre royalement. Alors j'ai décidé de me mouiller et de faire quelque chose que j'ai toujours eu envie de faire, voilà.

— Tu plaisantes ?

— Pas du tout. Je suis très sérieux.

— Mais tu n'es pas un metteur en scène, Ryder, ce n'est pas ton métier. Tu es un grand producteur, alors il vaudrait peut-être mieux ne pas risquer de te planter en te lançant tout à coup dans la mise en scène.

Ryder prit une allumette sur la table et commença à se curer les dents.

— Ce n'est quand même pas si compliqué de réaliser un film. Il y a une espèce d'aura bidon autour de ce métier. Il suffit de bien savoir s'entourer, c'est tout. Tu prends un grand directeur de la photo et le tour est joué. Et puis, entre nous, si je ne dois mettre en scène que des séquences érotiques...

— Mais justement ! s'exclama Lennie. Ça n'a jamais été ton truc. Tu es le mec le plus fidèle que je connaisse. Tu n'arriveras jamais à me faire croire que tu es un obsédé sexuel !

— Mais je ne fais pas ça pour draguer ! protesta Ryder. Je veux faire un film porno parce que c'est le dernier rêve qui me reste. Par ailleurs, c'est l'un de mes financiers qui met tout le blé. Il me laisse les coudées franches et la moitié des bénéfices sur la vente en vidéocassettes.

— Et ton image de marque, tu y as pensé ? demanda Lennie.

Ryder se mit à rire à gorge déployée.

— Mon image de marque ! Mais enfin, tu sais bien que dans cette ville, on ne juge les gens que sur ce qu'ils gagnent. Oh, et puis merde, Lennie, pour un mec branché, tu as parfois des réactions de boy-scout !

— Va te faire foutre.

— Tu es cordialement invité à passer sur le tournage quand tu veux, répondit Ryder, en ignorant l'injure.

88

Le café fut servi dans de ravissantes tasses chinoises avec des petites cuillères très ordinaires. Carrie décida d'offrir à Fred Lester des petites cuillères en argent pour Noël. Mais, le connaissant, elle se demanda s'il les utiliserait jamais.

Pour la troisième fois, Fred s'éclaircit la voix en toussotant mais il ne prononça pas un mot. Carrie croisait et décroisait ses jambes sans arrêt. Pour son âge, elle avait encore de fort belles jambes.

— Votre livre est extraordinaire, dit-il enfin. Un exemple de sincérité remarquable dans ce monde pourri.

— Merci, murmura Carrie, émue.

Fred était le premier à lui donner son avis sur son bouquin. Elle n'en avait toujours pas parlé à Steven.

Fred commença à faire les cent pas dans la pièce, l'air absorbé.

— Il pourrait y avoir, euh... quelques problèmes avec les gens que vous nommez, dit-il. Il faudrait peut-être utiliser des pseudonymes.

Il se mit à rire.

— A commencer par Fred Lester ! dit-il.

Elle se mit à rire aussi.

— Je ne vous l'ai jamais dit, mais c'est grâce à ce nom que je suis arrivée jusqu'à vous, avoua-t-elle.

Il se plongea dans la contemplation de ses mains.

— Vraiment ?

— Mais oui. Vous voyez, quand j'ai finalement dit la vérité à Steven, il a été pris d'une espèce d'obsession. Il était prêt à tout pour savoir qui était son père : Gino Santangelo ou Freddy Lester.

— A-t-il rencontré Gino Santangelo ?

— Il a failli. Nous sommes allés jusqu'en Californie, mais au dernier moment, il a décidé d'arrêter les recherches. Dieu soit loué !

— Vous avez retrouvé combien de Fred Lester, Carrie ? Et qu'est-ce qui m'a éliminé de la liste ?

Elle but la moitié de son café à petites gorgées. Il était trop fort, et trop chaud.

— Pourquoi ? Vous n'êtes quand même pas en train de me dire que c'était vous ? plaisanta-t-elle.

Il y eut un moment de silence puis Fred se mit à rire.

— J'aimerais bien pouvoir le dire.

— Vous mentez, dit-elle. Cet homme était une brute. Il m'a violée. Et même si j'avais été une pute, j'avais quand même droit au respect, non ?

Sa voix était pleine de rancœur.

— Mais bien sûr, Carrie, bien sûr, dit Fred, sur un ton apaisant.

— Ç'a été la période la plus noire de ma vie. J'étais complètement coincée : j'étais enceinte, je n'avais pas un sou, pas de travail. J'étais seule. C'est à cause de lui que j'ai dû reprendre le seul métier que je connaissais. A cause de lui !

Fred se rapprocha d'elle.

— C'est vrai, mais maintenant, vous avez un fils formidable. Quelque chose de positif est sorti de toute cette souffrance.

Elle n'avait jamais envisagé la question sous cet angle. Elle fut soudain prise d'un doute.

— Vous savez, Steven n'est pas au courant pour ce livre. Je ne voudrais pas qu'il en souffre.

— Si cette histoire le préoccupe, c'est son problème.

— Je le sais, mais...

— Voulez-vous que, moi, je lui en parle ? demanda Fred.

— Non. C'est à moi de le faire, répondit-elle. Je lui en parlerai demain.

— Ce serait peut-être bien que je sois là aussi.

Il y avait quelque chose dans la façon dont il avait dit ça qui lui mit la puce à l'oreille. Et brusquement elle comprit.

— C'est vous, n'est-ce pas ? murmura-t-elle. C'est vous ! Et c'est pour ça que vous me donnez cinq cent mille dollars, pour vous racheter ! C'est vous !

— Oui, dit-il.

Un grand poids tomba de ses épaules.

89

— Bonjour ! dit Brigette, en essayant de masquer le choc que lui causait l'apparence éléphantesque de sa mère.

— Comme tu as grandi ! s'exclama Olympia sur un ton de reproche. Tout ça ne me rajeunit pas.

— Pourquoi n'es-tu pas venue à l'enterrement de grand-père ? demanda Brigette sans plus attendre.

— Je déteste les enterrements, répondit Olympia, très théâtrale.

— Ta mère était malade, intervint Lennie.

— Ah bon ? Elle m'a l'air en pleine forme, pourtant.

— Alors dis-le-lui, Brigette. Elle a subi je ne sais combien d'opérations. Dis à ta mère qu'elle est aussi jolie qu'avant.

— T'es très belle, maman, exactement comme si tu n'avais jamais eu d'accident, dit Brigette, à contrecœur. Est-ce que quelqu'un m'a appelée ? ajouta-t-elle.

— Tu attends un coup de fil de qui ? demanda Olympia, un peu sèchement.

Ça ne lui plaisait pas du tout, cette nouvelle maturité chez sa fille. Elle avait l'air bien affranchie pour ses quatorze ans.

— J'ai quelques amis à Los Angeles, éluda Brigette.

— Tant mieux, dit Olympia, qui commençait à y voir son intérêt.

— Super ! s'exclama Lennie, sincère.

— On part à New York demain, ajouta Olympia. Alice va venir te tenir compagnie ici.

— Qui ça ? demanda Brigette.

— Alice. La mère de Lennie. Tu ne vas pas me dire que tu l'as oubliée ? dit Olympia.

Brigette se mit à bâiller et s'étira comme un chat.

— Ah oui, je me souviens, dit-elle.

« Cette vieille folle, pensait-elle. Celle de Las Vegas. A l'époque j'étais vraiment une petite fille ! Enfin, avec elle, ça devrait être assez facile de faire ce que je veux. »

— Vous serez partis combien de temps ? demanda Brigette.

— Le temps qu'il faudra, répondit Olympia.

Le jour où il commença à tourner avec Ryder Wheeler, Tim Wealth quitta son amant parce que ce dernier commençait à le traiter comme une merde, ce qui n'est jamais très agréable. Après tout, l'homme en question n'était qu'un producteur minable et non la réincarnation de Clark Gable.

Tim recommençait à travailler. Il pouvait de nouveau payer ses factures. Le rôle principal de *Fournaise* n'était peut-être pas du niveau de Gatsby, mais c'était un rôle bien payé dans un film qui ne passerait pas inaperçu.

Le premier jour du tournage, il fut présenté à sa partenaire, Eden Antonio. Il la reconnut immédiatement et lui sourit d'un air de connivence. Elle resta de marbre.

— Vous vous connaissez ? demanda Ryder.

— Non, répondit Eden.

Puis elle tourna les talons et s'éloigna.

« Espèce de menteuse », pensa Tim. Mais elle avait toujours été une sale menteuse.

Tim Wealth était arrivé à New York à dix-neuf ans, venant de Detroit. C'était un acteur, très doué, et il s'attendait à voir s'ouvrir devant lui les portes des théâtres. Les seules portes qui s'ouvrirent pour lui furent celles des voitures qui croisaient le soir à Times Square. Il se prostitua — ses clients étaient des hommes — non par vice, mais par nécessité. Il gagnait ainsi suffisamment d'argent pour bien vivre et pour se payer des cours de comédie dans la journée.

L'une des élèves du cours était Eden Antonio. C'était la plus belle femme qu'il ait jamais vue. Et il n'y avait pas que son étonnante beauté pour lui plaire. Eden était sophistiquée et elle avait voyagé dans le monde entier. Ses histoires, qu'elle savait très bien raconter, faisaient rêver. Tim Wealth, qui n'avait jamais mis un pied en dehors du Nouveau Monde, était ébloui.

Il leur arrivait parfois d'avoir des scènes ensemble. Elle ne jouait pas très bien, mais sa beauté mystérieuse compensait largement ce handicap. Bien qu'elle fût de plusieurs années son aînée, ils devinrent amis. Bien qu'elle vécût avec un autre, ils devinrent amants.

Un jour elle arriva au cours avec un air décidé qu'il ne lui avait jamais vu. Elle semblait prête à mener une bataille et à la gagner.

— Écoute, dit-elle, j'en ai marre de cette ville. Je veux tenter ma chance à Los Angeles. Je veux jouer dans des films. Si on partait ensemble ?

— *Et ton petit ami ? demanda Tim.*

— *Quel est le problème ? répondit-elle.*

Dès que leur décision fut prise, elle laissa à Tim le soin de tout organiser. Il avait pas mal d'argent de côté. Les passes rapportaient gros, et on le payait toujours en liquide. Eden attendait de lui qu'il assure le côté matériel, ce qu'il fit.

Cela commença par deux billets de première classe.

Puis l'on s'installa au Beverly Hilton. *Pourquoi s'arrêter en si bon chemin ?*

Ensuite Eden eut besoin d'une nouvelle garde-robe pour éblouir les directeurs de casting.

Au bout d'un mois, ils n'avaient toujours pas décroché d'engagement et les finances étaient au plus bas.

Ce fut le moment que choisit Eden pour lui fausser compagnie. Tim se retrouva avec une note d'hôtel de trois mille dollars, délesté de ses dernières illusions sur les femmes du monde.

Tim ne connaissait qu'un seul moyen de gagner de l'argent rapidement. Finalement, draguer sur Santa Monica Boulevard était aussi facile que de faire le tapin à Times Square.

A vingt et un ans, il rencontra une star masculine qui s'enticha de lui. L'homme était marié, père de famille, mais ces détails ne semblaient nullement le gêner. Il installa Tim dans un appartement sublime et le couvrit de cadeaux. Tim Wealth était ravi. Il pouvait de nouveau sortir de jolies filles — en l'absence de son bienfaiteur — et prendre des cours de comédie dans la journée.

Cette nouvelle « liberté » porta finalement ses fruits. En 1980, Tim décrocha le premier rôle d'un film qui fut un succès. Son petit ami en prit ombrage et ils se séparèrent.

D'excellentes critiques et une première place au box-office n'eurent pas le moindre effet sur la suite de sa carrière. La star délaissée avait intrigué pour qu'on l'évince définitivement des studios. Il végéta pendant cinq ans. Il pensait que tout était fini quand on lui proposa le rôle principal du film de Ryder Wheeler.

— *Je te préviens, c'est très en dessous de la ceinture, lui dit son agent. Mais ce sera fait avec classe et avec talent. D'autre part, le budget est très important.*

Tim accepta le rôle sans hésiter. Puis il lut le scénario. Du vrai porno. Mais il espérait que la présence de Ryder Wheeler donnerait un certain prestige à cette scabreuse entreprise. Tim Wealth avait goûté une fois à la célébrité, et il était prêt à tout pour recommencer à en croquer.

Eden Antonio. Elle était parfaite pour ce film. Tim ne l'avait jamais oubliée. Mais il était à présent plus vieux et plus avisé. Cette fois-ci, il ne se laisserait pas marcher sur les pieds.

Elle irradiait la sensualité. Quant aux autres starlettes, elles auraient fait pâlir d'envie Dolly Parton.

Des seins ! Des fesses ! Tim en tremblait d'excitation. Il n'avait jamais été capable de choisir.

A présent que le tournage commençait, il était ravi d'avoir accepté ce rôle. Il n'y avait rien de déshonorant à tout montrer. Richard Gere l'avait bien fait ! La seule différence était que là, il y avait encore plus à faire qu'à montrer...

Ryder Wheeler disait que la pornographie était l'avenir du cinéma.

— Les spectateurs n'attendent que ça ! assurait-il. Aujourd'hui c'est toi, Tim, demain ce sera Burt Reynolds et Jessica Lange.

Tim n'en était pas si sûr. Mais au moins, tout cela était fait avec suffisamment de moyens.

La première fois que Tim se retrouva seul avec Eden, elle s'empressa de lui dire :

— Alors, toi non plus tu n'as pas réussi ?

— Espèce de salope, répliqua-t-il.

— C'est mon rôle préféré, rétorqua-t-elle.

Ils étaient dans sa loge. Tim ferma la porte d'un coup de pied et ils firent l'amour en souvenir du bon vieux temps.

— S'il l'apprend, mon petit ami te tuera, dit-elle.

— Parce que tu vas lui dire ?

— A ton avis ?

Quelques jours plus tard il rencontra pour la première fois le « financier ». Ce dernier foulait le plateau à grands pas, l'air arrogant, comme si le monde lui appartenait. Eden, en tout cas, lui appartenait. Cela ne faisait aucun doute. Il l'appelait « ma chatte » devant tout le monde.

— Ton petit ami ?

— Oui, hélas, répondit-elle.

Sur les premiers rushes, le désir entre eux ouvrait l'écran. Ces images étaient de la dynamite. Et pourtant, on n'avait pas encore tourné les scènes les plus chaudes.

Ryder s'en aperçut immédiatement. Il téléphona à Paige pour qu'elle vienne lui donner son avis. Dès qu'elle vit Tim et Eden ensemble, elle s'exclama :

— Eh bien, ça promet !

— Tu l'as dit, acquiesça son mari. On a là tous les ingrédients pour faire un film puissamment érotique et de grande qualité. Je veux que ce soit le « dernier tango »... des années quatre-vingts.

— Je te fais confiance, dit sa femme.

— Oh, moi je n'ai aucun problème, mais j'ai peur que Santino ne l'entende pas de cette oreille. J'espère me tromper.

Il ne se trompait pas. Après cinq semaines de tournage, Santino commença à se fâcher.

— Je veux du cul ! Vous m'entendez ? Du cul ! Des seins ! Je veux que ça baise, ça me paraît clair, non ?

— Non, répondit Ryder.

Santino poussa un affreux grognement. Il mettait de l'argent dans un porno et il se retrouvait avec de longues séquences artistiques en lumière tamisée !

— Faites ce que je vous dis, le prévint-il, ou dégagez !

Ryder préféra se retirer, ainsi qu'on l'en avait si courtoisement prié.

Eden et Tim furent consternés par ce départ, et encore davantage par l'arrivée d'un célèbre metteur en scène de pornos, avec ses deux assistants et une foule d'extra prêts à entrer en action au premier tour de manivelle.

Tim consola Eden dans l'intimité de sa loge qui, heureusement, fermait à clé. Ils firent l'amour avec fièvre et jouirent tout de suite. Tim était surpris de pouvoir encore prendre tant de plaisir avec une femme. Eden se sentait plus détendue pour aborder le tournage.

Mais ces petites séances en privé se reproduisirent, et Santino ne tarda pas à devenir soupçonneux. Il les regardait faire l'amour devant lui pour la caméra et ne semblait pas en prendre ombrage. En revanche, dès qu'ils sortaient du plateau, il ne supportait plus de les voir se parler.

— Il faut que tu le laisses tomber, dit Tim, préoccupé.

— Je sais, approuva Eden.

Tim ne comprenait pas lui-même pourquoi il se sentait concerné par le bonheur d'Eden. Bonnatti était le genre d'homme à vous créer des ennuis. De sérieux ennuis...

— Si j'arrive à trouver assez de blé, on part se planquer tous les deux à Mexico. Qu'est-ce que t'en dis ?

— Je suis d'accord, répondit Eden.

Mais elle se demandait comment il allait trouver l'argent. Le soir même, il fouilla dans sa valise — celle qu'il avait avec lui à Atlantic City — et y retrouva un petit bout de papier. C'était le numéro de téléphone de Brigette Stanislopoulos.

Tim n'hésita pas une seconde.

90

Brigette s'ennuyait à mourir. Elle était coincée dans la grande maison de Bel Air, avec une foule de domestiques et la vieille Alice pour compagnons. Elle était venue voir Olympia et Lennie et, dès le lendemain de son arrivée, ils s'étaient envolés pour New York sans un mot d'explication. Ils avaient vraiment envie de la voir, cela ne faisait aucun doute...

— Et si on allait à Disneyland ? proposa Alice.

Disneyland ! Mais elle la prenait pour un bébé ou quoi ?

A la place du parc d'attractions, elles allèrent voir un film interdit aux moins de dix-huit ans, puis remontèrent Sunset Boulevard à l'arrière de la Rolls blanche d'Olympia. Brigette regardait les prostituées, fascinée.

— Elles se font vraiment payer ? demanda-t-elle, curieuse.

— *Naturellement, ma chérie* [1], répondit Alice.

Elle avait glané quelques expressions françaises qu'elle plaçait le plus souvent possible. C'était un nain qu'elle avait rencontré un soir dans un bar qui les lui avait apprises. Il s'appelait Claudio, il travaillait dans un cirque, et elle s'était bien amusée avec lui.

— Mais qu'est-ce qu'elles font ? demanda Brigette.

— Qu'est-ce qu'elles ne font pas, oui ! répondit Alice, mystérieuse.

Elles rentrèrent à la maison et jouèrent aux cartes.

Brigette attendait un appel de Tim Wealth depuis trois semaines et ne se décourageait pas. Il finirait bien par téléphoner, pensait-elle.

Alice, quant à elle, hésitait à inviter Claudio. Lennie avait été formel à ce sujet.

— Je ne veux pas qu'un seul de tes amis pénètre chez moi en mon absence, que ce soit un homme, une femme, un pédé ou un travelo.

Pauvre petit Claudio. Il était si gentil et si calme. Et tellement sexy pour un nain. Lennie ne pourrait pas lui reprocher d'avoir invité un être aussi délicieux.

— Je m'ennuie ! soupirait Brigette à longueur de journée. On fait jamais rien d'intéressant.

Alice sauta sur l'occasion. Elle téléphona immédiatement à Claudio.

— Un de mes amis va venir ! annonça-t-elle.

— Je suis ravie pour toi, répondit Brigette, sarcastique.

— Allez ! dit Alice. Il nous emmène en ville toutes les deux. Tu ne crois quand même pas que je vais sortir sans toi !

Brigette fit un effort pour avoir l'air d'apprécier. Mais le cœur n'y était pas. Tim Wealth n'avait toujours pas téléphoné.

A New York, l'ouverture du testament de Dimitri Stanislopoulos provoqua quelques grincements de dents. A la surprise générale, il fut annoncé que la quasi-totalité de ses biens revenait à Lucky. Elle devrait les gérer au mieux des intérêts de Roberto, qui lui-même en hériterait à vingt-cinq ans.

Olympia ne fut pas tout à fait oubliée. Elle allait bénéficier d'une rente à vie d'un million de dollars par an, ce qu'elle considéra tout bonnement comme une insulte. Brigette aurait droit, quant à elle, à deux millions de dollars annuels, et une somme de vingt-cinq millions de dollars devait lui revenir à sa majorité.

— Comment a-t-il osé ! explosa Olympia dès qu'ils furent sortis

1. En français dans le texte.

du bureau de l'avocat. Comment a-t-il osé me faire ça à moi, ce vieux rat !

Lennie ne se sentait pas particulièrement concerné par les protestations hystériques de sa femme. Il venait de revoir Lucky pour la première fois depuis trois ans, et il avait un peu l'impression d'avoir reçu un grand coup de poing dans l'estomac. Elle était plus belle, plus désirable que jamais dans son tailleur noir très strict et ses chaussures à talons hauts.

C'était elle qui, la première, s'était approchée d'eux. Elle avait gentiment souri à Olympia qui lui avait répondu par une grimace de mépris.

Et lui, Lennie, n'avait pas trouvé les mots pour lui faire sentir qu'il n'avait jamais cessé de l'aimer. Lui, la star la plus éloquente de sa génération, s'était retrouvé sans voix.

— Comment vas-tu ? avait-il marmonné bêtement.

Elle l'avait à peine regardé avant de lui répondre, sur un ton qui ne trahissait aucune émotion :

— Bien, merci.

Et ce fut tout. Pas le moindre signe, pas le plus infime regard dans sa direction pendant les longues heures mornes et silencieuses qui précédèrent la lecture du testament.

En ce qui la concernait, tout était apparemment fini.

Et Lennie ne pourrait la convaincre de la sincérité de son amour tant qu'il resterait marié avec Olympia.

— Tout est de sa faute, à cette salope ! poursuivait Olympia. Elle l'a manipulé, j'en suis certaine. Mais si elle croit s'en tirer comme ça, elle va déchanter ! Elle va bientôt savoir de quel bois je me chauffe !

91

Si seulement elle avait pu joindre Lennie ! Eden savait qu'il ne lui refuserait pas son aide pour qu'elle puisse enfin échapper à Santino. Depuis que Wheeler avait abandonné le tournage, les choses se dégradaient de jour en jour. Les scènes avec Tim Wealth ne lui posaient aucun problème. Elles étaient certes particulièrement corsées, mais d'autant plus supportables que Tim lui plaisait. Néanmoins, quand il fut question de réintégrer la scène du viol dans le scénario, elle se sentit très déprimée.

Un acteur spécialisé dans les films pornos, et qui ressemblait à l'homme de Néanderthal, fit son apparition un beau matin pour jouer les violeurs. Et elle eut le pressentiment que Santino avait donné des directives pour que l'on pousse la scène jusqu'aux limites du tolérable.

Tim lui donna trois pilules jaunes avant le moment fatidique.

— Prends-les, lui dit-il. Ça t'aidera à supporter cette brute.

Elle les avala d'un trait et se sentit rapidement beaucoup mieux.

Santino était aux premières loges quand elle arriva sur le plateau. Il était assis dans un fauteuil de metteur en scène juste derrière le cameraman, un gros cigare vissé entre les lèvres.

— Bonne chance, mon ange, dit-il.

Quel homme compréhensif !

Elle eut un vague sourire. Elle planait à présent dans un monde où plus rien ne pouvait l'atteindre.

Elle portait un déshabillé de satin rose avec une petite culotte assortie. Elle s'allongea sur le lit et attendit le mot magique : « Moteur ! »

Au signal du réalisateur, la brute surgit de derrière un rideau et se jeta sur elle. Elle le laissa faire.

— Débats-toi ! cria le metteur en scène.

— Oui, défends-toi ! renchérit Bonnatti.

Pourquoi lutter ? L'issue était fatale, alors autant se laisser faire. Elle simula néanmoins la peur, ce qui excita le colosse au plus haut point. Il lui arracha sa petite culotte d'un seul coup et la viola.

Voilà. Les pilules l'avaient complètement protégée de toute sensation d'angoisse et elle sourit, béate, dès l'instant où l'on dit : « Coupez ! » Il fallait bien faire quelques sacrifices pour devenir une star de cinéma.

— Bonjour, petite fille !

— Tim !

— Tu as reconnu ma voix ?

— Pourquoi ne m'as-tu pas appelée plus tôt ?

— Je pensais qu'une jeune héritière comme toi n'apprécierait pas de se faire relancer par un acteur fauché.

— T'as plus d'argent ?

— Plus beaucoup. Mais je devrais encore pouvoir trouver quelques dollars pour t'inviter à dîner.

— Tu m'invites ? Vraiment ?

— Et pourquoi pas ? T'es libre, non ?

— Oui, oui.

— Je te retrouve au bar *Trader* à huit heures.

Brigette raccrocha et ne se sentit plus de joie. Elle n'avait jamais douté qu'il finirait par l'appeler. Et il l'invitait même à dîner. C'était complètement génial ! Sauf que... il lui fallait maintenant inventer un mensonge pour y aller.

Alice s'était assoupie sur le canapé devant la télé.

Brigette s'approcha d'elle et la secoua assez vivement pour la réveiller.

— Quelle heure est-il ? demanda Alice, hagarde.

— Il est cinq heures. Tu sais, ma meilleure amie vient d'arriver.

— Où est-elle ? demanda Alice, affolée d'être ainsi surprise par une visite au milieu de sa sieste.

— Elle n'est pas ici, grosse bête ! Elle est à L.A., chez ses parents.

— C'est formidable, ma chérie, dit Alice, en bâillant.

— Elle voudrait que j'aille dormir chez elle, mentit Brigette.

Alice n'en espérait pas tant. Claudio n'allait plus tarder à arriver et ils pourraient ainsi être seuls. D'accord, elle s'occupait de Brigette, mais ce n'était pas une raison pour négliger sa vie sexuelle.

— Je préférerais ne pas aller chez ma copine en Rolls, dit Brigette.

— Et comment iras-tu alors ?

— J'appellerai un taxi.

— Mais Lennie a dit que...

— Oh ! S'il te plaît, Alice, sois gentille ! Si tu ne dis rien à Lennie, je ne lui dirai rien non plus.

Alice, qui ne voyait le mal nulle part, ne sentit pas qu'il pouvait y avoir un danger à laisser Brigette sortir ainsi. Une fois partie en taxi, on ne pourrait jamais savoir où elle était allée.

— C'est d'accord, mais promets-moi de ne pas parler au chauffeur.

Brigette sauta au cou d'Alice pour l'embrasser. Puis elle fila dans la chambre d'Olympia et commença à fouiller dans la penderie. Sa mère avait des goûts extravagants. Elle trouva néanmoins, dans un fatras d'affreux vêtements voyants, un foulard de soie impression léopard qui lui plut infiniment. Elle aurait juré qu'il avait appartenu à Flash.

Elle poussa quelques robes sur la droite pour attraper le foulard, et — surprise ! — la cloison du fond coulissa, révélant à Brigette, éberluée, l'existence d'une pièce secrète. Pénétrant dans la penderie, elle s'introduisit dans ce lieu bizarre. Le long des murs, il y avait des étagères couvertes de flacons de verre remplis de pilules tantôt vertes, tantôt jaunes, tantôt roses, tantôt bleues. Il y avait également un grand nombre de sachets remplis de poudre blanche. « De la cocaïne », pensa Brigette, qui n'avait plus l'âge où l'on confond ce genre de produit avec du sucre glace. Elle pensa qu'il s'agissait là de la réserve de coke de Lennie. Elle avait lu récemment dans l'*Enquirer* que toutes les grandes stars faisaient une consommation effrénée de cocaïne.

Elle se souvint alors que ce fameux soir où elle s'était retrouvée en « tête à tête » avec Tim Wealth, il avait eu l'air de puiser un surcroît de virilité dans la poudre magique.

Elle glissa un sachet de coke dans l'une de ses poches, puis téléphona à un taxi.

— Bonsoir, petite fille ! dit Tim Wealth, en se levant légèrement de son fauteuil.

— J'ai dix-huit ans, mentit Brigette, tu pourrais peut-être arrêter de me traiter comme un bébé.

Elle prit place en face de lui et il se pencha vers elle pour lui chuchoter :

— Ça m'excite, moi, les restos polynésiens, pas toi ?

Elle tremblait de désir, mais ne voulait surtout pas qu'il s'en doute.

— Qu'est-ce que tu bois ? demanda-t-elle en lorgnant son verre.

— Un whisky.

— Je prendrai la même chose, annonça-t-elle, en priant pour qu'on ne lui demande pas sa carte d'identité.

Comme s'il lisait dans ses pensées, il lui dit :

— Hé ! Pour boire de l'alcool, il faut avoir vingt et un ans minimum, et t'en as que dix-huit. Tu veux me faire arrêter ou quoi ?

Elle eut une moue vaguement confuse.

— Je vais te commander un jus de fruits et tu boiras la moitié de mon whisky en douce. Ça te va ?

— Oui, c'est une bonne idée.

Il était vraiment formidable, et tellement compréhensif !

Le dîner se déroula comme dans un rêve. Tout avait l'air très bon, mais Brigette ne put le vérifier car elle était trop excitée pour avaler quoi que ce soit. Elle avait du mal à croire qu'elle était réellement en train de dîner avec Tim Wealth.

— Parle-moi un peu de toi, demanda Tim. Tu es vraiment la petite-fille de Dimitri Stanislopoulos ?

— Oui, mais il est mort, tu sais.

— Je sais. J'ai lu un article sur lui.

En réalité, il avait lu tous les articles se rapportant à sa mort.

— C'était l'un des hommes les plus riches du monde ? demanda-t-il.

— Je suppose, oui.

Elle supposait ! Il regarda cette jeune héritière blonde et se demanda comment il allait bien pouvoir la manipuler au mieux de ses intérêts personnels. Il n'éprouvait aucun remords. Après tout, elle se moquait bien de lui en prétendant avoir dix-huit ans, quand elle n'en avait que quatorze. Elle lui faisait risquer la prison.

Il aurait bien voulu savoir de quelle façon elle disposait de l'argent qui lui appartenait désormais. Quatorze ans, ce n'était pas bien vieux, et elle devait être entourée d'un bon nombre d'anges gardiens en tous genres... Mais au fait, si on la surveillait en permanence, comment avait-elle fait pour venir jusqu'ici sans problème ?

Il lui posa quelques questions et apprit qu'elle était sous la garde d'Alice, la mère de Lennie. Il apprit aussi certains autres détails sur la personnalité de celle-ci qui le firent jubiler intérieurement. Vraiment léger comme protection.

— Et comment t'es venue jusqu'ici ? demanda-t-il.

— Euh... En taxi.

Elle hésita un instant avant de poursuivre.

— Je serais bien venue avec ma voiture, mais elle est en réparation.

— Ah, oui ? Et pourquoi ?

— Euh, il y a un truc qui déconne dans le moteur.

Elle espérait qu'il ne lui poserait pas de questions plus précises, mais il poursuivit son investigation.

— C'est quel genre de voiture ? demanda-t-il.

Elle eut un petit moment de panique avant de se souvenir de la Porsche de Lennie, qui dormait bien sagement au garage.

— Une Porsche, dit-elle très vite.

— Quel modèle ?

Cette fois, il le faisait exprès.

— Il faut que j'aille aux toilettes, dit-elle, en se tortillant pour s'extirper de son fauteuil.

— Mais je t'en prie, dit-il, fort civilement.

92

Le plaisir était dans l'action. Lucky aimait entreprendre. Le *Santangelo* était son œuvre, l'hôtel dont elle avait rêvé. Mais elle n'avait nullement l'intention de moisir à Atlantic City le reste de sa vie à compter les bénéfices. Il y avait des gens très bien pour ça. Ce qu'il lui fallait à présent, c'était un nouveau défi, une nouvelle aventure.

Un grand groupe financier était intéressé par le *Santangelo*. Il avait coûté deux cents millions de dollars, et ils en offraient beaucoup plus.

Elle décida d'accepter leur proposition. « Prends l'oseille et tire-toi », aurait dit Gino. Ce n'était pas qu'elle ait eu besoin d'argent — elle était désormais plus riche qu'elle n'aurait jamais pensé l'être —, mais elle voulait retrouver sa liberté pour se lancer dans une nouvelle entreprise, même si elle ignorait encore laquelle. Elle donna donc les instructions nécessaires à ses avocats pour qu'ils règlent l'affaire.

— Olympia Stanislopoulos fait opposition au testament, lui annonça bientôt l'un de ses hommes de loi.

Lucky n'en fut pas vraiment surprise.

— Faites-lui savoir que je lui donnerai le double de ce que son père lui a laissé. Et dites-lui qu'en plus je lui fais cadeau du yacht, déclara Lucky, magnanime.

La réponse d'Olympia ne se fit pas attendre longtemps. Ce fut un « non » catégorique.

Lucky décida alors de se montrer encore plus généreuse.

— Je triple le montant de son héritage. Et j'y ajoute encore l'appartement de New York. Si elle n'a pas accepté mon offre sous dix jours, je retire cette offre ainsi que les précédentes.

Encore une fois, Olympia refusa.

— Pourquoi devrais-je attendre dix jours pour donner ma réponse ?

Quand j'aurai réussi à traîner cette salope en justice, et à prouver qu'elle a manipulé mon père pour lui faire modifier ses dernières volontés, quand j'aurai prouvé qu'elle l'a tué, alors tout sera à moi.

Les avocats se frottèrent les mains. Ils étaient ravis que les choses tournent ainsi. La presse aussi.

— Je m'en vais, annonça Lennie.

Olympia le gratifia de son plus beau sourire.

— Tu n'es pas sérieux, je suppose. Tu ne me quitterais pas ainsi, tu ne renoncerais pas à tout ce que je peux encore t'offrir ?

Ils se disputaient depuis des semaines, depuis qu'ils étaient à New York. Olympia attendait d'un jour à l'autre un rebondissement en sa faveur dans l'affaire du testament. A Bel Air, Lennie pouvait s'enfermer dans son bureau ou s'échapper en ville s'il le désirait. Mais ici, il était coincé avec elle dans cet appartement. Olympia en avait fini avec la série d'opérations qui lui avaient rendu sa beauté et n'avait plus la moindre cicatrice. Elle était obèse, certes, mais était-ce une raison valable pour qu'il continue à gâcher sa vie auprès d'elle ?

— Je me fous pas mal de ton argent, répliqua-t-il. Tu peux même reprendre tout ce que tu m'as offert. Les voitures, la maison, les meubles. Je veux sortir de ta vie les mains vides.

— Les mains vides, mon cul ! rétorqua-t-elle. Qu'est-ce tu fais de l'argent que *tu* as gagné ?

— Je l'ai gagné, il est à moi. Ça ne me paraît pas compliqué.

— Pas quand on aura vraiment divorcé. La moitié de tes biens me reviennent. C'est la loi californienne.

— Et vice versa, répliqua Lennie. Mais je ne veux rien de ce qui t'appartient. Alors oublie-moi, et j'en ferai de même.

— Fumier !

— Quelle distinction, ma chère !

— Dégage ! Tu as décidé de me quitter parce que je n'ai pas hérité de toute la fortune de Dimitri.

— L'argent n'a rien à voir dans tout ça, tu le sais très bien.

— Ben voyons, siffla-t-elle, méprisante. Tu le regretteras, crois-moi. Quand j'aurai prouvé que ce testament était truqué, alors je serai la femme la plus riche du monde, et tu t'en mordras les doigts.

Il jeta quelques vêtements dans une valise, en tira la fermeture à la hâte et se dirigea vers la porte à grands pas.

— Au revoir, Olympia.

Elle le suivit en proférant des menaces et lui lança un lourd cendrier de cristal qui ne passa qu'à un cheveu de sa tête.

Il ouvrit la porte d'entrée et fit son premier pas dans la liberté retrouvée.

Il n'avait que trop attendu.

93

— Alors, ma chérie, tu t'es bien amusée ? demanda Alice.

Un taxi venait de déposer Brigette à la grille du jardin. Il était un peu plus de midi.

— Ton amie devait être ravie de te voir, poursuivit Alice.

Elle ne laissa pas le temps à Brigette de répondre et continua.

— Gino a téléphoné. Il est à Beverly Hills avec Roberto, et le petit veut te voir. Gino nous l'envoie cet après-midi avec Cee Cee.

— Mais pourquoi sont-ils ici ? demanda Brigette, mécontente de cette arrivée inopinée.

— Je ne sais pas, répondit Alice, souriant au souvenir de sa nuit passée avec le nain.

Brigette fulmina intérieurement. Encore tout imprégnée des caresses du jeune acteur, elle avait prévu une douce journée de rêverie. Quelle soirée incroyable ils avaient passée ! Et quelle nuit inoubliable ! Tim Wealth était l'homme le plus formidable qu'elle connaissait.

Elle l'adorait.

Elle aurait fait n'importe quoi pour lui.

Il était le maître absolu.

La loge de Tim était le seul lieu où ils pouvaient rester dans l'intimité sans être dérangés.

— Comment ça c'est passé, hier ? demanda Tim à Eden.

Elle avait de grands cernes sous les yeux et le corps couvert de bleus.

— Une fois sur le plateau et une fois hors champ. Si tu savais comme il m'a frappée... Je crois que si j'avais eu un revolver je l'aurais tué.

— Tu n'auras pas à en arriver là. Je suis en train de nous préparer une sortie de première classe. Qu'est-ce que tu dirais d'aller passer l'hiver à Acapulco ?

— Il faut que je me sorte de ses griffes à tout prix, répondit-elle, exaspérée. Je n'en peux plus.

— T'inquiète pas. C'est en bonne voie.

Elle l'entoura de ses bras minces, lui caressa la nuque et pressa ses lèvres fines contre les siennes. « Rien à voir avec le bébé de la nuit dernière », pensa-t-il. Beaucoup plus excitante et expérimentée. Eden connaissait toutes les clés du plaisir. C'était une femme avec qui il pourrait passer des mois sans s'ennuyer.

On frappa à la porte de la loge et ils se détachèrent l'un de l'autre précipitamment.

— Qui est là ? demanda Tim.

— On t'attend sur le plateau, répondit une voix.

— J'arrive.

Gino, Costa, Ria, Cee Cee et Roberto déjeunèrent au restaurant du *Beverly Hills Hotel*. Gino dégusta des œufs brouillés au saumon fumé et se délecta du spectacle environnant.

A sa table, ce fut un véritable défilé. Un sénateur aux tempes argentées accompagné d'une jeune et pulpeuse secrétaire, une grosse dame qui lui avait vendu une maison quelques années plus tôt, un homme d'affaires défoncé qui clignait bizarrement des yeux, enfin, Paige Wheeler.

Elle fit son entrée, échangea quelques mots avec le maître d'hôtel, puis elle se dirigea vers une table. Soudain elle vit Gino. Elle fut tentée spontanément de ne pas le saluer, mais son habitude des bonnes manières l'emporta sur ses sentiments. Sans compter Costa, qui lui faisait déjà de grands signes de la main.

Paige portait l'une de ses fameuses jupes ultra-serrées et fendues jusqu'à l'extrême limite de la décence. Une petite veste de lin blanc n'était qu'un prétexte à l'élégance, et le chemisier de soie violette qui apparaissait sous la veste ouverte ne cachait pas grand-chose des seins magnifiques dont la nature l'avait généreusement dotée. Paige ne portait pas de soutien-gorge, et Gino avait une vue directe sur cette poitrine magnifique qu'il connaissait si bien.

— Gino ! s'exclama-t-elle, avec un sourire éloquent. Ça fait si longtemps !

Ils ne s'étaient pas revus depuis qu'il l'avait surprise dans les bras de Susan.

Il se leva, toujours très gentleman, et l'embrassa sur le front. Ah ! Cette odeur musquée ! Paige avait un peu vieilli. Lui aussi, d'ailleurs. Et alors ? Ils n'étaient plus des gamins depuis longtemps. Paige allait sur ses cinquante ans, et Gino approchait des quatre-vingts.

— Et vous, Costa, dit-elle, en se penchant vers lui, je suis bien contente de vous voir.

Costa lui présenta Ria et lui annonça qu'il allait bientôt être père. Paige eut l'air impressionnée.

— Et voici Roberto, poursuivit Costa, le petit-fils de Gino. Vous ne trouvez pas qu'ils se ressemblent ?

Paige sourit au petit garçon.

— Comme deux gouttes d'eau, répondit-elle.

— Peut-on vous offrir un verre ? demanda Costa.

Il ne savait pas pour quelle raison Gino avait cessé de la voir. D'ailleurs, personne ne le savait.

Elle lança un regard interrogatif à Gino, qui resta imperturbable.

— Je suis désolée, je ne peux pas. J'ai rendez-vous avec un client pour déjeuner. Peut-être une autre fois, dit-elle.

— Alors promettez-moi de téléphoner, dit Costa.

Il écrivit leur numéro de téléphone sur une boîte d'allumettes qu'il lui tendit.

— Nous sommes ici pour un mois, précisa-t-il.

Elle regarda Gino droit dans les yeux et murmura :

— J'appellerai peut-être.

De nouveau, il n'eut aucune réaction.

— Bon, eh bien, ça m'a vraiment fait plaisir de vour revoir, dit-elle, chaleureuse.

Puis elle s'éloigna jusqu'à la table où l'attendait son client.

— Elle a vraiment de la classe, dit Costa. Comment as-tu pu la laisser tomber, Gino ?

Gino ne répondit pas. Il était trop occupé à se souvenir de tous les délicieux moments passés avec elle.

94

Lennie avait besoin d'être seul pour réfléchir à son avenir. Aussi ne prévint-il personne de son arrivée à L.A. Il prit le premier vol New York-Los Angeles puis se fit conduire en taxi jusqu'à son ancien appartement qu'il avait gardé pour des raisons sentimentales.

Son deux-pièces sentait le renfermé. Il ouvrit les fenêtres et les volets, et se sentit soudain très bien.

Harriet, la vieille femme de ménage qui s'occupait de lui quand il vivait ici, était supposée venir faire le ménage une fois par semaine — il avait continué à la payer. Mais il était évident qu'elle n'avait pas mis les pieds dans l'appartement depuis bien longtemps. Une belle couche de poussière bien égale couvrait les étagères.

Il jeta un coup d'œil sur le lit. Il était défait, comme un souvenir fripé des innombrables blondes du passé. Dans la cuisine, il trouva une bouteille de vodka à moitié pleine et en but une gorgée.

L'endroit était paisible. Aucun domestique alentour, plus de téléphones sonnant dans tous les coins, et surtout plus d'Olympia à l'horizon.

Il avait finalement réussi à la quitter.

Il était libre.

Enfin presque.

Après la pause du déjeuner, Santino quitta le studio.

Eden redressa la tête et tenta de sauvegarder ce qui lui restait de dignité. L'ignoble petit chauve l'avait forcée à le sucer entre deux prises, désir qu'il avait, bien entendu, exprimé devant toute l'équipe.

Eden n'en pouvait plus. Elle était au bord de la dépression, et il lui fallait s'enfuir sans plus tarder. Elle avait désormais la conviction que sa vie était en danger. Elle était persuadée qu'il n'hésiterait pas à la tuer dans un des accès de fureur dont il était coutumier.

Tim la rejoignit dans sa loge dès que Santino fut parti et ils firent l'amour rapidement. Tim pouvait disposer de son corps comme il l'entendait. Et il s'y entendait fort bien.

— J'ai tout mis en œuvre pour qu'on se tire d'ici le plus vite possible, dit-il, rassurant.

— Il faut rayer d'emblée tous les endroits où Santino serait susceptible de me retrouver, dit-elle, anxieuse.

— Avec de l'argent, on peut aller très loin. Et je ne vais pas tarder à en avoir. Un maximum.

Il avait un projet précis. Un projet qui impliquait Brigette. Et alors ? La belle affaire ! Elle n'était qu'une sale gosse de riche, qui avait toujours vécu à l'abri des dures réalités. Il était plus que temps qu'elle connaisse la vraie loi de la vie.

Passer l'après-midi avec un gamin de quatre ans et demi était bien la dernière chose dont Brigette avait envie. En outre, elle n'avait jamais aimé Cee Cee.

Ils étaient tous installés au bord de la piscine, comme une gentille petite famille. Alice portait un maillot de bain orange duquel dépassait une dégoûtante forêt de poils pubiens tout blancs. Claudio, son ami, parfaitement constitué mais à peine plus grand que Roberto, barbotait dans l'eau avec l'enfant. Cee Cee était étendue dans une chaise longue, silencieuse, mais l'œil aux aguets. Brigette, enfin, paradait dans un sublime bikini blanc. On lui aurait donné facilement dix-neuf ans.

Brigette bronzait toute la journée avec enthousiasme. Elle savait qu'une peau dorée ne pourrait que flatter sa blondeur bouclée. En outre, l'été tirait à sa fin, et il fallait en profiter. Elle voulait séduire Tim, et un judicieux bronzage ne pourrait que l'y aider. Elle ne pensait plus qu'à lui, à la soirée et à la nuit merveilleuses qu'elle avait passées en sa compagnie.

Après dîner, il l'avait emmenée chez lui. L'appartement était vraiment petit. Mais qu'importe ! Il n'y avait qu'une seule pièce et un grand lit mangeait tout l'espace. Il l'avait déshabillée et lui avait fait l'amour pendant des heures. A deux reprises, elle avait failli s'évanouir, tellement il l'avait fait jouir. Puis il avait lancé, sur le ton de la plaisanterie :

— Et si on faisait quelques photos, petite fille ?

Au début, elle était un peu crispée. Mais dès qu'il lui avait dit que les photos étaient pour elle en souvenir de cette soirée, elle s'était détendue. Il lui avait fait prendre des poses obscènes, mais quelle importance ! puisque personne n'en saurait jamais rien.

Ils ne s'étaient réveillés que très tard dans la matinée. Ils avaient fait l'amour une dernière fois, puis il lui avait appelé un taxi. Il lui avait promis de lui téléphoner très vite, et elle attendait de ses nouvelles avec impatience.

Après qu'il eut envoyé Roberto et Cee Cee chez Brigette, Gino se sentit un peu seul. Costa et Ria étaient partis faire des courses sur Rodeo Drive et l'après-midi semblait s'étirer sans fin devant lui.

Depuis son divorce, il improvisait. Il faisait exactement ce qu'il voulait quand il le voulait. C'était agréable, mais il lui manquait quelque chose. Peut-être la compagnie d'une femme amoureuse et fidèle. Il aimait bien avoir quelqu'un à côté de lui quand il se réveillait le matin. Il avait passé l'âge des aventures sans lendemain, et la plupart des femmes qu'il attirait dans son lit le lassaient rapidement.

Il fallait bien se rendre à l'évidence : il vieillissait.

Avec Paige Wheeler, il ne s'était jamais senti vieux. Et le fait de l'avoir revue par hasard avait fait resurgir en lui une foule de souvenirs délicieux.

Il avait cru voir une petite lueur coquine dans son regard tout à l'heure. Se leurrait-il ou bien lui manquait-il, lui aussi ?

Sans réfléchir, il fonça au *Beverly Wilshire Hotel* et demanda une suite.

— Pas de bagages, Mr Santangelo ? demanda le réceptionniste.

— Ils arriveront tout à l'heure. Mais en attendant, faites monter une bouteille de dom pérignon et un plat de votre meilleur caviar.

— Très bien, monsieur.

Dès qu'il se retrouva seul dans l'appartement, il commença à faire les cent pas. Cette suite, ils l'avaient louée tant de fois...

Bien sûr, il avait surpris Paige avec Susan. Mais enfin, elle n'avait jamais prétendu être un ange...

Alors qu'attendait-il pour l'appeler ?

C'est dans un magasin de Rodeo Drive, vers seize heures, que Ria perdit les eaux.

— Oh ! Mon Dieu ! gémit-elle. Emmène-moi à l'hôpital, vite !

Costa, habituellement calme et maître de lui, paniqua complètement. Ce fut donc l'un des clients présents dans la boutique qui les conduisit à l'hôpital le plus proche.

Sans lui, Ria aurait vraisemblablement commencé à accoucher sur le trottoir.

— Je voudrais un devis pour un travail d'aménagement intérieur dans ma maison, annonça Gino, au téléphone.

Paige reconnut sa voix immédiatement, et fit signe à son assistant de sortir de son bureau. Elle se laissa aller sur le dossier de son fauteuil.

— Quel genre de travail ? demanda-t-elle, tout aussi conventionnelle que lui dans le ton.

— Un travail urgent.

— Urgent ?

— Extrêmement.

— Hmmmm...

Elle s'interrompit un instant, comme si elle cherchait un moment de libre dans un agenda surchargé.

— J'ai bien peur de ne pouvoir vous rencontrer avant la semaine prochaine, annonça-t-elle.

— Viens me rejoindre, dit Gino, n'y tenant plus.

— Je ne sais pas si je vais pouvoir.

— Tu peux si tu veux.

— A quel endroit ?

— Au *Beverly Wilshire*.

Il lui donna le numéro de la suite. Elle sourit. Elle savait ce numéro par cœur.

— Avez-vous une idée précise de ce que vous désirez ? demanda-t-elle, sur un ton très professionnel.

— Toi. Et vite.

Ils éclatèrent de rire, puis ils raccrochèrent.

— Mais prenez donc une part de gâteau aux fruits ! dit Alice en proposant le plat à la ronde. Je l'ai fait moi-même. Il n'y a dedans que des ingrédients naturels !

Elle faisait son numéro de parfaite maîtresse de maison pour impressionner Claudio. Car Claudio était noble. Claudio était comte et Alice s'imaginait très bien vivant en France dans un château. Le comte miniature ne lui avait pourtant rien laissé entendre de pareil — il s'agissait vraisemblablement d'un noble désargenté vivotant dans un cirque — mais Alice était persuadée qu'il était riche. Les comtes ont toujours un château, c'est bien connu.

Cee Cec fut la seule à se dévouer. Elle accepta une part du gâteau dans lequel elle croqua à si belles dents qu'elle se cassa une incisive sur un morceau de coquille de noix qui se trouvait là par erreur.

Alice, assez contrariée par l'incident, insista néanmoins pour l'accompagner chez son propre dentiste, à Marina del Rey.

Cee Cee téléphona chez Gino et Costa pour leur confier Roberto pendant les quelques heures où elle serait absente, mais ils étaient sortis l'un et l'autre. On confia donc l'enfant à Brigette qui ne pouvait décemment refuser de s'en occuper.

— Allô, petite fille ?

— J'attendais ton coup de fil ! répondit-elle, mais je ne pensais pas avoir si vite de tes nouvelles.

— Tu veux venir me voir ?

— Oh, non ! Je ne peux pas. Il faut que je surveille mon oncle.

— Ton oncle ?

— Ouais. Il a quatre ans et demi, et il est vraiment con.

Brigette ne saisit pas l'excitation subite qui perça dans la voix de Tim.

— Roberto ?

— Mais comment ça se fait que tu connaisses son nom ?

— Je suis pas seulement un beau jeune premier.

Brigette se mit à rire.

— Et où sont passés les autres ? demanda Tim, curieux. Comment se fait-il que ce soit toi qui gardes le petit ?

— Sa gouvernante s'est cassé une dent et ils l'ont tous accompagnée chez le dentiste, à Marina del Rey. Tu vois, j'ai comme l'impression que je suis coincée pour l'après-midi.

— Mais j'adore les enfants, dit Tim, imaginant très vite un nouveau plan que la présence de Roberto l'obligeait à improviser.

— Celui-là, tu l'aimeras pas.

— Viens me voir et amène-le, on verra.

Brigette hésita.

— C'est impossible, je ne peux pas faire ça.

— Mais bien sûr que si ! Suffit de prendre un taxi jusqu'au coin de Fairfax et de Sunset. Je vous retrouve là-bas dans un quart d'heure, on emmène Roberto manger une glace, puis tu le raccompagnes en fin d'après-midi. Après on aura toute la soirée devant nous.

Brigette était tentée d'accepter. Il n'y avait rien dont elle avait plus envie que de voir Tim. Mais Cee Cee serait folle de rage si jamais elle apprenait que Brigette avait emmené Roberto quelque part sans sa permission. Après tout, elle n'était pas obligée de le savoir...

— Alors ? demanda Tim.

— Allons manger une glace ! On arrive dans vingt minutes.

Les choses se passaient encore mieux que Tim ne l'avait espéré.

Il regarda encore une fois la photo de Roberto dans un journal à scandale.

LE PETIT GARÇON LE PLUS RICHE DU MONDE.

Il laissa courir son regard sur ces phrases magiques :

... Roberto Stanislopoulos est-il vraiment le petit garçon le plus riche du monde ? Des amis très proches de feu Dimitri Stanislopoulos, le milliardaire mort d'une crise cardiaque il y a trois mois, disent qu'il le sera bientôt. C'est à New York que...

Tim regarda par la fenêtre, songeur. Il avait harponné Brigette sans problème. Mais il n'aurait jamais pensé en avoir deux pour le prix d'un...

95

Steven se demandait s'il devait tout dire à Mary Lou. Indécis et préoccupé, il reposa le magazine sur son bureau. Jerry le lui avait apporté un quart d'heure plus tôt, furieux et révolté. Une nouvelle série de photos obscènes de la jolie Noire s'étalaient en pleines pages au beau milieu du mensuel *Le Jouisseur*.

— On dirait que notre amie t'a joué un sale tour ! avait dit Jerry.

Mais Steven ne pouvait en croire ses yeux. Il examina l'objet du délit pendant cinq minutes, refusant d'admettre qu'elle avait pu faire une chose pareille. Finalement il découvrit que les photos étaient truquées. On avait découpé le visage de Mary Lou sur d'autres clichés, puis on avait fait un montage de ce célèbre visage sur le corps d'une inconnue. Les ignobles ! Comment avaient-ils osé !

Quand Jerry fut informé de la découverte de son ami, il s'exclama :

— Ce coup-ci c'est la fortune qui t'attend ! Ça va leur coûter un maximum en dommages et intérêts !

Steven ressassait tout cela dans sa tête, quand il fut pris d'une impulsion subite. Il fallait tout raconter à Mary Lou. Elle le découvrirait tôt ou tard, alors autant qu'il le lui apprenne lui-même.

Dès qu'il ouvrit la porte de l'appartement, une forte odeur de gaz le fit tousser. Mary Lou avait-elle laissé un brûleur allumé ? Peu probable, elle avait horreur de cuisiner. Il courut jusqu'à la cuisine et poussa un cri. Mary Lou gisait sur le carrelage, inanimée. La porte du four était grande ouverte et un numéro du *Jouisseur* traînait sur le sol, près du corps.

96

Gino, en peignoir de bain blanc, allait se servir encore une coupe quand il s'aperçut que la bouteille de dom pérignon était vide. Plus la moindre goutte. Ils avaient tout bu.

— Hé ! cria-t-il à l'adresse de Paige qui prenait une douche, on a fini le champagne !

— Vivons dangereusement ! répondit-elle depuis la salle de bains. Commande une autre bouteille !

Il composa le numéro du bar en rigolant et commanda une nouvelle dose du précieux nectar, puis se dirigea vers la salle de bains.

Paige était sous la douche, en train de se savonner les seins. Ils étaient beaux et pleins comme des fruits mûrs. Gino se mit à bander rien qu'à la regarder.

— Tu sais ce qui me ferait vraiment plaisir ? commença-t-il.

— C'est quoi ? demanda-t-elle.

— Ce serait de rester ici cette nuit. Tu te souviens, quand on était à New York, on...

— C'est impossible, Gino.

— Et pourquoi ?

— Parce que j'ai un mari qui n'apprécierait pas.

— Vraiment ? Tu peux baiser toute la journée avec qui tu veux, mais le soir venu, il faut rentrer au bercail pour sauver les apparences, n'est-ce pas ? dit-il, amer.

— Tu as tout compris, répondit-elle, tout en s'enroulant dans une grande serviette.

Elle se dirigea vers le lit, prit une cigarette sur la table de nuit et l'alluma. Il la rejoignit et s'assit au bord du lit.

— Tu sais, dit-il, tu m'as vraiment manqué. Tu es la seule qui m'excite autant.

Elle se mit à rire.

— Là, je ne te crois pas ! Même mort, tu banderas encore !

Il lui entoura les hanches de ses bras et pressa sa joue contre son ventre.

— Pendant que tu y es..., murmura-t-elle.

Il ne se fit pas prier davantage.

97

— Alors voici l'enfant ! s'exclama Tim Wealth.

— Dis bonjour à Tim, Roberto.

— 'Jour, Tim, dit gentiment Roberto.

Brigette lui prit la main fermement. Il y avait une circulation intense sur Sunset Boulevard, et ce n'était vraiment pas le moment qu'il se fasse écraser.

— Je veux une glace ! dit Roberto.

— Oh ! Tais-toi ! répondit Brigette.

— Tu auras une glace si tu es bien sage ! ajouta Tim.

Décidément, ils auraient fait des parents modèles.

— Allons chez moi, proposa Tim.

— Je veux ma glace ! piailla Roberto.

— Il y a des glaces chez moi, Roberto.

— C'est vrai ? demanda Brigette.

— Vanille, chocolat, praliné, annonça Tim.

— Alors, qu'est-ce qu'on attend ? dit-elle, en glissant son bras sous le sien.

98

Carrie venait de l'apprendre, et elle se devait d'en informer son fils au plus vite. Fred Lester, après une enquête discrète, avait établi, sans doute possible, que le père de Steven était Gino Santangelo.

Gino Santangelo ! Un ancien gangster devenu un grand homme d'affaires. Il était vieux désormais, et respecté. Comme elle. Pas plus tard que la veille, elle l'avait encore vu dans le journal. La photo avait été prise lors d'une réception donnée au profit d'une œuvre de charité, et Gino apparaissait souriant, bras dessous bras dessus avec un ancien président. Gino, le père de Steven...

Les résultats de l'investigation de Fred Lester ne laissaient aucun doute quant à cette paternité. Fred avait un groupe sanguin très rare qu'il aurait génétiquement transmis à Steven s'il avait été son père. Or, Steven avait le même groupe sanguin que Gino, ce que Fred avait découvert par l'intermédiaire de son avocat qui avait accès aux dossiers médicaux des repris de justice. Et Gino avait passé sept ans en prison, il y avait bien longtemps.

Fred avait rassemblé les preuves dans un dossier qu'il tendit à Carrie.

— Si vous pensez ainsi vous dédouaner, Mr Lester, vous vous trompez. Vous affirmez que Gino Santangelo est le père de Steven, vous avez des preuves en ce sens, soit, je vous crois. Mais je ne pourrai jamais vous pardonner de m'avoir violée...

— Carrie, c'était il y a longtemps, gémit Fred, sincèrement repentant.

— Cela ne change rien à l'affaire, le coupa Carrie, amère. Et j'ai décidé de ne pas publier mon livre.

— Mais... Vous ne pouvez pas savoir à quel point c'est important pour moi que ce livre paraisse.

— Ah oui ! En changeant les noms des principaux protagonistes, n'est-ce pas ? Pour protéger les *presque* innocents !

Elle ne lui laissa pas le temps de protester et sortit de son bureau sans le saluer.

Elle alla à pied jusque chez son fils pour se calmer. Quand elle arriva en bas de son immeuble, elle fut surprise d'y voir une foule de badauds qui se pressaient autour d'une ambulance. Carrie se fraya un passage au milieu des curieux et demanda à une femme bien mise :

— Que se passe-t-il ?

— Un suicide, je suppose, répondit l'inconnue. Surtout n'allumez pas de cigarette, vous feriez tout exploser. Vous ne sentez pas l'odeur du gaz ?

L'espace d'un instant, Carrie pensa que son fils était peut-être la victime. Son cœur se mit à battre follement. Mais Dieu soit loué, au même moment, elle le vit sortir de l'immeuble, bel et bien vivant.

Deux infirmiers le suivaient en portant une civière. Ils couraient. Visiblement, une vie était en danger.

— Steven, cria Carrie, tout en essayant de se frayer un passage dans la foule, Steven ! Que se passe-t-il ?

99

Il y avait déjà plusieurs heures que Ria était en salle d'accouchement. Costa avait finalement réussi à se calmer, mais il était cependant très frustré. Il avait tenté de joindre Gino, Cee Cee et Roberto, mais tout le monde était sorti.

N'y avait-il donc personne à qui annoncer l'incroyable nouvelle ? Lui, Costa Zennocotti, à l'âge de soixante-quinze ans, allait être père d'un instant à l'autre.

Cee Cee avait un mauvais pressentiment. Elle n'aurait pu donner d'explication rationnelle à cela, mais elle avait l'intuition qu'un malheur se préparait.

Elle lança un regard plein de ressentiment à la mère de Mr Golden et à son petit ami français. C'était de leur faute si l'on avait tant tardé à rentrer.

Brigette était complètement irresponsable. Cee Cee regrettait amèrement de s'être laissé influencer et de lui avoir confié Roberto. Elle n'avait jamais aimé Brigette. La jeune fille était égoïste, et jalouse de son demi-frère.

Cee Cee poussa un profond soupir. Si elle avait su que Marina del Rey était si loin de Los Angeles, jamais elle n'aurait accepté d'aller y faire soigner sa dent immédiatement. Mais le plus révoltant dans l'histoire était qu'Alice l'avait laissée poireauter deux heures dans la salle d'attente sans donner d'explications. Cee Cee était furieuse.

— Dans combien de temps arriverons-nous ? demanda-t-elle au chauffeur d'Olympia.

— Dans une demi-heure environ, madame, ça dépend de la circulation.

Cee Cee tenta de se détendre. A travers la vitre de la Rolls elle regarda la mer en espérant que ses sombres pensées finiraient par s'envoler.

— Est-ce que je te plais ? demanda Tim Wealth.

Brigette ne savait que répondre. Roberto était assis quelques mètres plus loin, et se gavait de glace au chocolat. Et c'était le moment que choisissait Tim pour lui poser la question cruciale.

— Tu sais bien que tu me plais beaucoup, dit-elle finalement.

— Moi aussi, tu me plais, dit-il, très sérieux tout à coup. Mais j'ai appris quelque chose sur toi qui m'ennuie beaucoup.

— Quoi ? demanda-t-elle, très vite.

— J'veux encore de la glace ! cria Roberto.

Oh ! Ce sale gosse ! Un de ces jours, elle finirait par le tuer !

Tim se dirigea tranquillement vers le réfrigérateur et en sortit une nouvelle glace qu'il posa devant Roberto.

Brigette était inquiète. Elle se demandait ce qu'il pouvait bien avoir découvert à son sujet. Il ne tarda pas à le lui apprendre.

— Tu as quatorze ans, lâcha-t-il, mécontent.

— C'est faux ! bluffa Brigette. J'en ai dix-huit, voyons, je te l'ai déjà dit !

— Oh, arrête ! Je sais même que tu auras quinze ans en décembre.

— Mais je...

— Et tu sais ce que je risque, moi, à cause de tes salades ?

— ...

— Je pourrais être condamné pour détournement de mineur.

Dans la pièce, un silence pesant était tombé. On n'entendait plus que Roberto qui lapait sa glace comme un petit chat. Brigette aurait donné n'importe quoi pour disparaître dans un trou. Tim Wealth n'allait plus tarder à lui dire qu'il ne voulait plus la voir et elle en mourrait.

— Comment l'as-tu découvert ? demanda-t-elle, honteuse et désespérée.

— Tu es une jeune fille célèbre, mais tu n'es pas encore un secret d'État, à ce que je sache ! J'ai lu la presse, tout simplement.

— Ma mère m'a toujours dit que les journaux n'imprimaient que des conneries.

— Peut-être. Mais j'ai vérifié, tu as réellement quatorze ans.

— Je veux regarder la télé, dit Roberto en sautant de sa chaise, sa glace à la main.

Tim alluma l'appareil, et le petit garçon s'installa par terre, tout près de l'écran.

Brigette se laissa tomber sur le lit de Tim.

— Je ne veux pas avoir quatorze ans ! dit-elle, des sanglots dans la voix. Je déteste ça ! Et maintenant, toi aussi tu vas me détester !

Puis elle fondit en larmes.

— Mais non, dit Tim, en lui caressant doucement les cheveux.

— Tu dis ça pour me faire plaisir, dit-elle entre deux hoquets.

— Absolument pas. Mais nous avons un problème tous les deux qu'il va falloir régler très vite.

— T'inquiète pas, répondit-elle, amère. Je retourne en pension en Suisse dans une semaine. Comme tu le vois, le problème va être vite réglé.

— Tu veux vraiment y aller ? demanda-t-il, très vite. Tu ne préférerais pas rester ici avec moi ?

L'idée que ce soit possible ne l'avait jamais effleurée. Mais à présent qu'il le lui proposait, elle réalisait que c'était là ce qu'elle souhaitait le plus au monde.

— Et comment on ferait ? demanda-t-elle, pleine d'espoir.

— Écoute-moi, petite fille, écoute-moi bien. J'ai un plan.

101

Paige téléphona chez elle à cinq heures et demie. Elle devait se rendre impromptu à San Francisco pour affaires et ne rentrerait que le lendemain.

— Mais tu ne passes pas à la maison pour prendre au moins un sac de voyage ? demanda Ryder.

Elle lui expliqua que son client arabe l'attendait avec impatience dans un avion privé prêt à décoller.

Ryder se montra très compréhensif. Les affaires sont les affaires.

Gino tenta de joindre Costa. Il composa le numéro de la maison qu'ils avaient louée à Bel Air, mais il tomba sur le répondeur.

— J'ai vraiment l'impression de vivre une aventure ! s'exclama Paige, très excitée. Il y a bien longtemps que ça ne m'est pas arrivé.

Elle s'allongea et s'étira avec délice.

— Tu sais Gino, tu es très persuasif.

— Y paraît, oui, dit-il, avec un sourire malicieux.

Lennie travailla tout l'après-midi à un nouveau scénario. Puis il finit la bouteille de vodka, mit un disque de Bruce Springsteen et admira le coucher de soleil sur Hollywood depuis le balcon de son appartement minable et poussiéreux.

Il y avait des années qu'il ne s'était pas senti aussi bien. Et surtout il y avait des mois qu'il n'avait rien écrit d'aussi bon.

Il était tout à l'euphorie de sa liberté retrouvée.

Fini le confort bourgeois stérilisant ! Fini les domestiques obséquieux ! Fini les jérémiades et les railleries de l'héritière psychopathe !

C'était comme s'il recommençait tout à zéro, et c'était très stimulant.

Évidemment, il était riche et célèbre. Mais il n'avait pas la grosse tête. Il était conscient de son talent, mais il ne se reposait pas sur ses lauriers. Et plus que jamais, il avait envie de continuer à créer.

Dès demain, il lui faudrait régler certaines choses. Il irait récupérer ce qui lui appartenait en propre — ce qu'il avait acheté avec « son » argent — dans la maison de Bel Air. Il mettrait Brigette et Alice au courant de sa décision. Si Brigette voulait rester en contact avec lui par la suite, il en serait ravi. Elle était très seule dans la vie, et il serait toujours prêt à l'aider.

Oui, demain, il réglerait tout cela. Mais ce soir, il avait envie de fêter sa toute nouvelle liberté. Il téléphona à Jess pour l'inviter à passer la soirée chez Foxie.

Jess prenait l'avion le lendemain aux aurores pour Atlantic City où Matt l'attendait pour le week-end. Mais elle accepta l'offre de Lennie avec joie, impatiente de savoir ce qui s'était passé.

Cee Cee ne put attendre que la Rolls s'arrête tout à fait pour sauter de la voiture et partir en courant vers la maison.

Il était un peu plus de six heures et, si jamais Lucky apprenait qu'elle avait confié son fils à quelqu'un d'autre pendant tout un après-midi, elle serait furieuse. Sa confiance envers Cee Cee était immense, et la jeune femme se devait de ne jamais la trahir.

— Roberto ! cria-t-elle en pénétrant dans la maison à bout de souffle. Roberto !

Pas de réponse.

— Ils sont probablement dans la chambre de Brigette, dit Alice qui venait d'arriver.

Cee Cee courut en direction du gigantesque escalier de marbre qui menait à l'étage et le gravit aussi vite qu'elle put.

— Roberto ! cria-t-elle encore une fois, dès qu'elle fut en haut.

Puis elle se précipita dans la chambre de Brigette. Son cœur se mit à battre follement quand elle constata que la pièce était vide. Il y avait des vêtements, des disques et des magazines étalés un peu partout. Mais pas de Brigette ni de Roberto en vue.

Cette fois, Cee Cee eut la certitude qu'il était arrivé quelque chose à l'enfant.

Malgré les protestations d'Alice elle fouilla la maison de fond en comble, sans succès. Deux domestiques mexicains, qui parlaient à peine anglais, réussirent à dire qu'ils ne savaient rien. Puis une bonne portoricaine fit son apparition et marmonna quelque chose d'inintelligible. Cee Cee crut néanmoins comprendre qu'il était question d'un taxi.

— Roberto est-il parti avec Brigette dans le taxi ? demanda Cee Cee en articulant exagérément chaque syllabe.

— Si, si, acquiesça la domestique.

— Eh bien voilà ! s'exclama tout à coup Alice. Brigette a vu qu'il était tard, qu'on ne rentrait pas, et elle aura raccompagné Roberto chez Gino. Que de tintouin pour rien !

On téléphona immédiatement chez Gino, mais l'appel resta sans réponse.

— Gino les a peut-être emmenés dîner ? suggéra Alice.

Cee Cee hocha faiblement la tête, souhaitant de toutes ses forces qu'elle dise vrai. Mais des idées noires continuaient à tourner dans sa tête.

102

Son avenir, c'était Tim Wealth. D'ailleurs, elle allait passer le reste de sa vie avec lui, ce n'était plus qu'une question d'heures.

Tim lui expliquait les détails de son plan, et elle écoutait attentivement. Quant à Roberto, il se rapprochait peu à peu de la télé, jusqu'à avoir le bout du nez pratiquement sur l'écran.

Le fait qu'elle n'ait que quatorze ans rendait Tim très éloquent.

— Tu comprends, si tu avais dix-huit ans, on n'aurait pas de problème, disait-il. On pourrait se tirer dans le Nevada ou ailleurs, se marier vite fait, et personne ne pourrait rien faire pour nous en empêcher. Mais comme tu es trop jeune, on n'a pas d'autre solution que de se cacher. Et pour ça, il nous faut de l'argent. Je veux dire pour faire ça sans risque, il nous en faut un maximum, un gros paquet de blé, tu comprends ?

— Mais moi, je suis très riche, remarqua Brigette avec raison. Mon grand-père m'a laissé une fortune.

— Peut-être, mais tout ça est bouclé jusqu'à ta majorité.

— Oui, mais c'est à moi quand même.

— Ça, on le sait. Ce qu'il faudrait, c'est le leur faire comprendre, à eux.

Il fit une pause calculée, avant de poursuivre, sur un ton suffisamment dramatique.

— Je veux être avec toi tout le temps, petite fille. Tu es quelqu'un de rare, et je ne supporterais pas de te perdre. Tu comprends ?

Elle acquiesça silencieusement. Comme dans un conte de fées, tous ses rêves se réalisaient.

Tim arpentait la pièce, les poings fermés, faisant de grands cercles avec ses bras, parlant haut et fort, comme s'il avait un auditoire à convaincre du bien-fondé de ses propos.

— Que ta mère tienne à toi ou pas, dans tous les cas, elle fera tout pour nous séparer. Lennie Golden aussi. Et Lucky. Ils diront tous que tu es trop jeune et qu'entre nous ça ne durera pas. Ils te trouveront une nouvelle pension, ils te feront surveiller sans arrêt, et nous ne nous reverrons jamais.

— Je m'échapperai ! déclara Brigette, romanesque.

— Euh, je ne veux pas t'obliger à en arriver à ce genre d'extrémité, dit-il très vite. Il faut qu'on s'organise avant eux.

Elle était complètement hypnotisée par son discours.

— Oui, oui, disait-elle, les yeux brillants.

— Voilà ce que nous allons faire, dit-il tout en se rapprochant d'elle. Nous devons réussir à sortir ton argent de leurs griffes. Après tout, tu as une fortune en propre, et il n'y a aucune raison qu'ils l'accaparent.

Elle approuva, très excitée par l'idée.

— Mais ils n'accepteront jamais de lâcher la monnaie. C'est donc à nous de les piéger, dit-il.

— Et comment ?

— En imaginant un petit scénario.

— Lequel ?

— Celui de l'enlèvement et de la rançon.

Elle frissonna, soudain dégrisée.

— C'est dangereux ? demanda-t-elle, d'une toute petite voix.

Il se mit à rire, faussement détendu.

— Mais voyons ! Est-ce que je t'entraînerais dans un truc risqué ?

— Et lui ? demanda Brigette.

Ils se tournèrent tous deux vers Roberto.

— C'est un bonus, dit Tim. Une espèce d'assurance qu'ils paieront vite et sans broncher. Dès demain, par exemple.

Brigette sentit comme une gêne du côté de sa conscience, oh, presque rien.

— Bien entendu, dès qu'ils auront payé, ils vous récupéreront tous les deux.

— Mais je ne veux pas rentrer ! protesta Brigette.

— Ce sera juste pour deux ou trois jours, le temps que j'organise notre fuite. Puis on se retrouvera à un endroit donné, prévu d'avance. Dans l'intervalle, tu expliqueras aux flics que tes ravisseurs étaient un couple de Mexicains qui te gardaient prisonnière à Santa Monica avec Roberto.

— Huuummm... Et pourquoi je serais partie en taxi avec Bobby ? demanda-t-elle judicieusement.

— Tu as reçu un coup de téléphone de ta mère qui t'a demandé de la rejoindre immédiatement et d'amener Roberto.

— Je vois que tu as pensé à tout, remarqua-t-elle sans la moindre ironie.

— Évidemment, petite fille.

Dieu qu'elle était naïve ! Ne devinait-elle donc pas le piège ? Dès qu'il aurait l'argent, il s'enfuirait illico avec Eden. Et Brigette se retrouverait de nouveau cloîtrée en Suisse, dans une de ces pensions pour riches. Et si jamais on l'arrêtait, il avait deux jolies photos polaroïd de la petite héritière dans tous ses états. Elle pensait qu'il les lui avait toutes données, mais en réalité, il en avait glissé deux sous le tapis. Ces clichés étaient une monnaie d'échange d'une valeur inestimable.

— Et on va leur demander combien ? s'enquit Brigette.

— Un million de dollars, répondit Tim sans l'ombre d'une hésitation. Cela ne grèvera pas leur budget, crois-moi.

103

A neuf heures du soir, Cee Cee ne tenait plus en place dans la maison. Elle faisait les cent pas de la cuisine au salon, téléphonant toutes les cinq minutes chez Gino.

— Oh ! Mais cessez un peu de vous agiter ! s'exclama Alice. Brigette et Roberto sont en sécurité, croyez-moi. Ils sont sortis avec Gino et ne vont plus tarder à rentrer. Ou peut-être sont-ils en visite chez la copine de Brigette.

— Qui est cette amie Mrs Golden, demanda Cee Cee, soudain en alerte.

Alice haussa les épaules.

— Est-ce que je sais, moi ? dit-elle. Une copine de classe sans doute.

— Mais vous n'avez même pas son nom, son numéro de téléphone ?

— Mais vous me prenez pour quoi ? Pour un détective privé ! Calmez-vous maintenant, et attendons-les tranquillement.

Cee Cee ne répondit rien. Elle se sentit soudain très déprimée. S'il était arrivé quelque chose au petit, elle ne se le pardonnerait jamais.

Costa devint le père d'une charmante petite fille de trois kilos trois cents à vingt heures quarante très exactement.

Il déambulait joyeusement dans les couloirs de l'hôpital en offrant des cigares à tout le monde.

Dès qu'il aperçut une cabine téléphonique, il s'y précipita pour annoncer la grande nouvelle à Gino. Personne ne répondant au téléphone, il appela chez Brigette.

Ce fut Cee Cee qui répondit.

— Oh ! Mr Zennocotti ! dit-elle. Où êtes-vous ? Est-ce que Roberto est avec vous ?

— Et pourquoi serait-il avec moi ? demanda Costa, surpris.

— C'est horrible, gémit-elle.

Puis elle se lança dans une grande explication à propos de la disparition de l'enfant.

Costa la rassura.

— Ils doivent être avec Gino, puisque Gino n'est pas chez lui. Ne vous inquiétez pas. Je suis certain qu'ils ne vont plus tarder à rentrer.

A dix heures du soir, le téléphone sonna dans la maison de Bel Air.

— Allô ! chantonna Alice, qui était passablement pompette après avoir absorbé quantité de verres de Grand Marnier.

Claudio, quant à lui, s'était attaqué à une bouteille de cognac qu'il avait vidée entièrement.

— Un million de dollars, dit une voix menaçante.

— Comment ?

— Roberto. Brigette. Un million de dollars si vous voulez les revoir.

— Je vous entends mal, veuillez parler plus fort.

— Ne prévenez surtout pas la police, ne vous occupez que de l'argent. En billets de cinquante dollars, et pas de séries numérotées.

— Je ne comprends pas. Qui êtes-vous ?

— Au centre commercial *Farmer's Market*. A quatre heures, demain après-midi. Entrez dans le centre commercial et dirigez-vous tout droit vers la librairie, entrez-y et allez au rayon diététique. Déposez le sac dans le coin gauche, au fond. Et quittez le magasin par la sortie la plus proche, sur votre droite. Ne vous retournez pas. Pigé ?

— Oh ! Mon Dieu ! gémit Alice.

— Si vous voulez les revoir vivants, vous avez intérêt à suivre mes instructions à la lettre. Un million de dollars. Pas de flics et pas d'embrouilles. Si vous faites exactement ce que je vous ai demandé, les enfants vous seront renvoyés dans l'heure qui suivra le moment où vous aurez déposé l'argent.

Puis on raccrocha.

104

Dans le hall de l'aéroport Kennedy, les passagers se pressaient en direction des salles d'embarquement.

Lucky fendit la foule et fit enregistrer ses bagages sur un vol de la Pan Am. Elle eut à peine le temps d'avaler une tasse de café avant d'embarquer.

Steven arriva à l'aéroport un quart d'heure plus tard. Il avait l'air tendu quand il acheta son billet pour le prochain vol de la Pan Am à destination de Los Angeles. Il n'avait pas eu le temps de se raser. Il avait dû passer toute la nuit au chevet de sa fiancée.

Il y a parfois des choses qu'on doit se résoudre à faire dans la vie. Et qu'on ne peut pas faire en restant du côté de la loi.

Cette fois, Steven allait régler ses comptes tout seul.

Santino Bonnatti ne se doutait pas de ce qui l'attendait...

105

Au petit matin, Brigette se leva, enjamba Roberto qui dormait encore, couché sur des coussins, et se dirigea vers la salle de bains. Quand elle revint, Tim était debout.

— J'ai pas dormi de la nuit, se plaignit-elle. Qu'est-ce qu'on est serré ici !

Elle n'avait pas arrêté de se plaindre, de le réveiller toutes les heures. Mais sachant qu'il n'aurait plus à la supporter bien longtemps, il n'avait pas protesté.

— J'ai faim, dit tout à coup Roberto qui venait de se réveiller et qui se frottait les yeux.

— Moi aussi ! Je meurs de faim ! renchérit Brigette.

— Il n'y a rien à manger, dit Tim.

— Ce n'est pas grave, je vais aller faire les courses, proposa Brigette.

— Pas la peine, dit Tim très vite. Fais-moi une liste et je vais y aller moi-même. Il vaut mieux que ce soit toi qui restes avec Roberto.

Dès qu'il fut dans la rue, il téléphona à Eden.

— Tu es seule ? demanda-t-il.

— Non. Vous avez dû vous tromper de numéro, dit-elle d'une voix altérée.

Elle ne raccrocha pas immédiatement, et il eut le temps de lui dire très vite et tout bas :

— Retrouve-moi devant le restaurant *May* sur Wilshire, juste après quatre heures. Tout va bien. Ce soir, on aura quitté les États-Unis.

Il y avait un vol pour Mexico en fin d'après-midi. Et il avait déjà réservé les places.

— C'était qui ? demanda Bonnatti, soupçonneux.

— Un faux numéro, répondit Eden.

— Tu me prends pour un cave ? grogna-t-il, menaçant.

— Mais Santino, je te jure que...

Il lui envoya une gifle d'une telle violence qu'elle en fut à moitié assommée. Il lui avait fendu la lèvre avec sa chevalière et le sang coulait doucement, goutte à goutte, sur les draps de satin blanc.

— Je te l'ai déjà dit, tu ne m'échapperas pas, lui dit Santino d'une voix à faire trembler une championne de karaté. C'est moi qui te mettrai dehors, quand je l'aurai décidé. Et souviens-toi, ceux qui trahissent Santino Bonnatti ont intérêt à ne pas se balader seuls dans les rues après minuit.

— Mais je ne t'ai pas trahi ! parvint-elle à articuler.

— Ah non ? Salope, va !

Il la gifla encore une fois. Elle se mit à trembler et se recroquevilla sur le lit défait. Elle avait peur qu'il continue à s'acharner sur elle, cependant son intuition lui soufflait qu'il bluffait. S'il avait des soupçons, il n'avait pas de preuves. Mais la coupe était pleine. Il lui fallait s'échapper coûte que coûte. Elle irait faire des achats cet après-midi, dans une petite boutique de Sunset qui avait une deuxième sortie discrète. Zeko l'attendrait dehors, et il ne la reverrait jamais.

106

Après le coup de téléphone du ravisseur, Alice resta prostrée plusieurs minutes dans un fauteuil, avant de piquer une crise de nerfs. Claudio envoya chercher Cee Cee qui s'était allongée sur son lit un moment. Elle dévala le grand escalier, téléphona à Costa, puis se mit à arpenter le grand salon en se répétant : « Mais qu'est-ce que j'ai fait ! Qu'est-ce que j'ai fait ! »

« Il ne faut pas prévenir la police avant d'avoir joint Gino. Compris ? » furent les premiers mots de Costa quand il arriva. Il essaya à nouveau de téléphoner à Gino, mais fut accueilli par le répondeur. Gino disait qu'il serait absent toute la nuit, mais sans préciser où on pouvait le joindre.

— Et Lucky ? demanda Cee Cee, inquiète. Elle sera folle de rage. Elle va m'en vouloir toute sa vie. Tout cela est de ma faute.

— Ce n'est la faute de personne, dit Costa.

Cette nuit était en passe de devenir la plus mémorable de sa vie.

Il téléphona à Atlantic City et Matt lui dit que Lucky devait prendre le premier avion du matin. Bien. Puisqu'elle arrivait, inutile de la prévenir à l'avance et de la faire souffrir pour rien. Costa décida qu'il irait l'attendre à l'aéroport.

Puis il essaya de joindre Lennie et Olympia à New York. Une bonne lui dit que Miss Stanislopoulos était sortie et que Lennie était rentré à L.A. Il ne put en apprendre davantage.

Costa passa une nuit blanche. Il envoya Alice au premier avec Claudio, et Cee Cee chez Gino, pour le mettre au courant des événements dès qu'il rentrerait. Puis il s'installa dans le bureau de

Lennie, et essaya de réfléchir à la situation. Qui avait bien pu enlever les enfants ? Ils réclamaient un million de dollars, une somme considérable que seuls Lucky ou Gino étaient capables de réunir avant quatre heures de l'après-midi. Il regretta alors de n'avoir pas prévenu Lucky avant son départ d'Atlantic City. Il essaya de la joindre mais elle était déjà en route pour l'aéroport. Il téléphona alors à l'hôpital pour prendre des nouvelles de sa femme et de sa fille. De ce côté-là, tout allait bien. Quant à lui, il se sentait tout à coup très, très vieux.

Lennie passa une nuit délicieuse, dans un cocon de bonnes vibrations. Il travaillait de nouveau avec la même énergie, le même plaisir qu'à ses débuts. Il avait retrouvé ses amis. Et cette soirée chez Foxie avec Jess resterait l'une des plus extraordinaires de sa vie. Et pour couronner le tout, il était libre !

Dès son réveil, il bondit du lit, avala une tasse de café en sifflotant, prit une douche rapide, et se mit au travail dans l'euphorie.

Il se promit de téléphoner à sa mère en début d'après-midi pour lui faire part de son divorce imminent. Pourvu qu'elle n'en ait pas une crise cardiaque ! Alice s'était tellement bien habituée à être la belle-mère de l'une des femmes les plus riches du monde. Pauvre Alice...

107

Tim était tout guilleret quand il revint chez lui, un énorme sac de papier brun dans les bras. Il avait acheté du lait, du pain, du beurre, de la confiture, des oranges et même une glace pour que Roberto se tienne tranquille. Tout se passait comme prévu... jusqu'à présent, du moins. Il se prit à rêver du Brésil. Mexico, c'était vraiment trop près de la Californie.

Ah ! Rio, la plage d'Ipanema, Copacabana ! Avec un million de dollars au chaud, ils pourraient faire ce qu'ils voulaient. Il abandonnerait peut-être ce métier d'acteur qui ne l'avait pas mené très loin, il fallait bien l'avouer. Il pourrait devenir auteur de chansons, ou dragueur sur les plages, au choix. Bientôt, plus rien ne l'arrêterait dans ses fantasmes les plus fous.

Arrivé devant la porte de son appartement, il posa le sac à terre, fouilla dans sa poche pour y trouver sa clé et l'introduisit dans la serrure en criant joyeusement :

— C'est moi !

Puis il se retrouva plaqué au sol par un homme d'une force incroyable. Il s'était écroulé sur le sac de provisions, et le lait commençait à inonder la moquette.

— Fum..., commença-t-il.

Mais un coup de pied dans les côtes le ramena à la raison.

— Qu'est-ce que c'est que ce cirque ? dit Santino Bonnatti.

Les deux colosses qui l'accompagnaient regardaient les enfants sans comprendre.

— Une réunion de famille ? demanda-t-il encore.

— Qui êtes-vous ? Et qu'est-ce que vous voulez ? hurla Brigette en se jetant sur la brute qui avait recommencé à frapper Tim, recroquevillé à terre. Foutez-lui la paix !

— Oui, foutez-lui la paix, renchérit Roberto, qui s'était rapproché d'elle et lui avait entouré une jambe de ses petits bras.

Santino Bonnatti eut une moue de dégoût. Mais où Tim Wealth avait-il bien pu dégoter ces enfants ?

108

Steven ne fit pas un sourire au Chinois pourtant fort gentil qui était assis à sa gauche dans l'avion. Lucky n'échangea pas un mot avec le vieil homme d'affaires à l'haleine fétide qu'on installa à côté d'elle sur le vol New York-L.A.

Steven et Lucky voyageaient en première classe. Pourtant, ils refusèrent l'un et l'autre le champagne qu'on leur proposa. Et pendant les cinq heures de vol, ils semblèrent perdus dans leurs pensées.

Ils se précipitèrent avec la même impatience pour sortir de l'appareil dès que celui-ci eut atterri et se retrouvèrent nez à nez sur le seuil de la porte de l'avion.

— Lucky Santangelo ! s'exclama Steven.

Elle le regarda, sembla plonger dans sa mémoire pour en extirper un souvenir, puis le reconnut tout à coup.

— Monsieur le Procureur ! dit-elle avec un grand sourire.

— Monsieur l'ex-Procureur ! rectifia-t-il.

— Tu as laissé tomber ? J'aurais pourtant parié que tu allais devenir le Procureur général de la ville.

Ils marchèrent côte à côte dans le couloir d'accès à l'aéroport.

— La dernière fois qu'on s'est vus, j'allais être arrêtée. Tu te souviens ? demanda Lucky.

— Tu venais de tirer sur l'homme que j'essayais de coincer depuis deux ans.

— En état de légitime défense, précisa-t-elle.

— Bien sûr !

— Absolument.

Ils firent quelques pas sans rien dire.

— Tu habites Los Angeles ? demanda Lucky, curieuse.

— Non, je suis ici pour quelques jours seulement.

— Et qu'est-ce que tu fais depuis que tu n'es plus procureur ?

— Je suis avocat.

Ils prirent le tapis roulant.

— Tu sais, dit Steven, dans le temps, ton père a bien connu ma mère.

Il était tout près d'elle et remarqua l'éclair soudain qui traversa ses yeux verts.

— Vraiment ? dit-elle.

— Il avait une boîte à cette époque, le *Clemmie's*, c'était dans les années trente, je crois.

— Exact.

— Eh bien...

— Lucky ! s'écria Costa.

Elle lui fit un signe de la main, tout en se demandant comment il pouvait savoir qu'elle devait arriver par ce vol.

— Mon oncle, expliqua-t-elle à Steven. Ç'a été un plaisir de te revoir.

Dieu qu'elle était belle !

Il la regarda s'éloigner. Il était plus que temps qu'il découvre l'identité de son père.

Olympia avait passé la nuit avec Flash. Elle l'avait retrouvé au *Studio 54* la veille et ne l'avait plus lâché depuis. Ils s'étaient défoncés toute la nuit, et sérieusement cette fois. Flash avait de nouveau plongé dans l'héroïne, Olympia y goûtait déjà depuis plusieurs mois. L'accord était parfait.

Olympia tombait à pic. Flash était fauché, son groupe l'avait lâché, et sa jeune femme l'avait plaqué. Tout le monde avait fini par en avoir assez de ses divers excès. Il en était arrivé au point où il était pratiquement incapable d'aligner trois notes. Mais Olympia ne semblait pas prendre ombrage de son état larvaire. Elle, au moins, appréciait l'héroïne, et ne semblait guère se soucier de ses effets pervers.

Ce fut une longue et douce nuit, interrompue seulement par la venue sporadique de plusieurs dealers. Levine, la revendeuse préférée du chanteur, fit son apparition à six heures du matin.

— Reviens vers onze heures, lui dit Flash, assez vaseux, et rapporte-moi ce que tu as de meilleur.

Levine promit de revenir avec de la dope de premier choix et s'éclipsa.

Flash laissa planer un regard envoûté sur la chambre. L'hôtel était crasseux, la chambre dans un désordre inextricable, l'abondance de canettes vides le disputant à l'opacité de la fumée dans la surenchère du laisser-aller. Mais Flash aimait bien cette atmosphère. Il ne commençait à se sentir bien que lorsque l'air devenait irrespirable. Olympia souriait béatement à ses côtés.

A onze heures trente, Levine entra dans la chambre avec la clé que Flash lui avait confiée.

A la vue du spectacle qui s'offrit à ses yeux, elle resta clouée d'horreur sur place quelques secondes avant de prendre ses jambes à son cou et de détaler.

109

Santino faisait les cent pas dans la chambre de Tim.

— Alors, enculé, tu crois que tu vas t'en tirer comme ça ? éructa-t-il.

Tim tenta de se relever, mais l'un des hommes de Santino le bloqua au sol en lui mettant un pied sur l'estomac.

— Veux rentrer à la maison ! cria Roberto, toujours accroché à la jambe de Brigette.

— Dis au petit connard de la boucler ! cria Santino à l'adresse de Brigette.

Brigette se mit à trembler comme une feuille. Elle ne comprenait pas ce qui se passait, mais quoi qu'il en soit, elle avait très peur.

— Je ramène Bobby à la maison, Tim, dit-elle d'une voix altérée.

Elle se dirigea vers la porte, tenant fermement la main du petit dans la sienne.

Tim vit un million de dollars qui s'apprêtait à disparaître à jamais.

L'un des gardes du corps de Santino bloqua la porte.

— Laisse-les partir, dit Bonnatti. Et toi, pucelle, t'avise pas de cafter, ou ton petit frère va se retrouver avec un bras en moins.

— Je ne dirai rien, je vous le promets, dit-elle.

Elle n'avait plus qu'une idée en tête : fuir d'ici, et vite.

Elle prit Roberto dans ses bras et passa la porte en s'efforçant de ne pas succomber à la tentation de s'enfuir en courant.

Santino se rapprocha de Tim.

— Alors, espèce de petit acteur minable de mes deux, tu baises ma femme, et tu crois que je vais fermer les yeux, dis, fumier !

Il lui donna un coup de pied sur la nuque du bout de sa chaussure italienne et pointue.

— Parce que si c'est ce que tu crois, petite bite, tu te berlures ! Je vais te casser en deux, moi, et je vais te bousiller ton joli sourire, ça va pas traîner !

— Je peux vous donner la moitié. On peut partager un million de dollars si vous rattrapez les enfants, marmonna Tim.

Santino lui écrasa le larynx de sa semelle pur cuir.

— Qu'est-ce que tu me racontes encore comme conneries ? grogna-t-il.

— C'est pas des conneries, je vous jure. Ces deux mômes valent très cher. Elle, c'est une Stanislopoulos, et le gamin aussi. Il a hérité d'un paquet de blé à la mort de son père, Dimitri Stanislopoulos. C'est le fils de Lucky Santangelo. Et il y a une rançon d'un million de dollars à la clé.

— Tu te fous de ma gueule ? beugla Santino.

— Et pourquoi je ferais ça ? se plaignit Tim.

— Ouais, hein, pourquoi ? railla Santino.

Il se tourna vers l'un de ses deux gorilles.

— Va les chercher, Blackie. Tout de suite.

L'homme se précipita dans l'escalier.

Tim massa sa pomme d'Adam sur laquelle apparaissait un vilain bleu.

— Je peux me lever ? demanda-t-il, lamentable.

Mais Santino ne l'écoutait pas. Il se souvenait...

La garce, elle s'en était tirée sans une égratignure. Elle avait tué son père. Elle allait payer, très cher.

Dire qu'il tenait son fils ! Il se demanda s'il ne rêvait pas.

110

Costa attendit d'être en route vers Bel Air pour raconter toute l'histoire à Lucky. Au fur et à mesure qu'il parlait, elle devenait de plus en plus blême. Ses yeux noirs lançaient des éclairs.

— Où est Gino ? demanda-t-elle, dès que Costa eut fini.

— Je ne sais pas. Il a laissé un message sur le répondeur disant qu'il ne rentrerait pas de la nuit. Et on n'a pas eu de nouvelles de lui ce matin.

— Est-ce qu'il a une petite amie ici ?

— Pas que je sache.

Costa hésita un instant avant de poursuivre.

— Maintenant que j'y pense, je me souviens que nous avons rencontré Paige Wheeler hier, et que ça a eu l'air de lui faire plaisir. Tu penses que...

— Téléphone chez elle et à son bureau.

— Bonne idée.

Lucky se conduisait en femme d'affaires froide et avisée. Mais au fond d'elle-même, elle était désespérée, dévorée d'angoisse et de frustration. La seule chose qu'elle ait jamais vraiment crainte était en train de lui arriver, et sa propre impuissance la rendait folle de douleur.

— Est-ce que quelqu'un s'est renseigné du côté de la compagnie des taxis ? Est-ce qu'on a retrouvé le chauffeur qui les a accompagnés ?

— Non, répondit Costa, un peu honteux.

Il se sentit coupable. Comment avait-il pu ne pas y penser ?

Lucky ne lui fit aucun reproche. Il n'était qu'un vieil homme qui n'avait pas dormi de la nuit et qui avait subi un choc.

Elle jeta un coup d'œil à sa montre. Mon Dieu ! Il était presque midi. Mais où était donc passé Gino ? Et pourquoi ne réapparaissait-il pas ?

Interrompant le cours de ses pensées, elle dit :

— Je vais contacter Boogie. Je vais donner des instructions à mes banquiers de Las Vegas pour qu'ils lui remettent un million de dollars, puis je lui louerai un avion et avant quatre heures il sera là avec l'argent.

A Bel Air, Lucky fut accueillie par Alice, Claudio et une Cee Cee aux yeux rougis.

— Qui est-ce ? demanda-t-elle à Alice en dévisageant Claudio.

— C'est un ami. Je ne sais pas ce que j'aurais fait sans lui.

Lucky lui jeta un regard peu engageant. Dorénavant, elle devait se méfier de tout le monde.

— Est-ce que vous avez joint Olympia ? demanda-t-elle encore.

— On a laissé plusieurs messages à New York. Mais elle n'est toujours pas rentrée chez elle.

— Et Lennie, vous l'avez prévenu ?

— Non. On nous a dit qu'il avait quitté la ville.

Lucky poussa un profond soupir.

— J'ai besoin d'être seule, dit-elle. Laissez-moi.

Dès qu'ils eurent quitté la pièce, elle téléphona à un vieil ami de Gino. Elle lui expliqua brièvement la situation, puis lui dit :

— Il faut que vous m'aidiez. J'ai besoin d'une voiture avec un chauffeur expérimenté. Il me faut également deux hommes armés et une camionnette de surveillance maquillée.

Puis elle fit le nécessaire pour que Boogie arrive au plus vite avec l'argent. Serait-il là à temps ? Et si on ne leur rendait pas les enfants ? Et si elle ne devait jamais les revoir ? Elle se mit à trembler mais se ressaisit bien vite. Inutile de penser au pire, cela n'arrangerait pas les choses.

— Et si on allait passer le week-end à San Francisco ? suggéra Gino. De toute façon, t'es censée être là-bas, alors je ne vois pas pourquoi on se priverait.

— Parce qu'en plus, tu sais conduire ! dit Paige, taquine.

— Je sais faire un tas de choses que tu n'imagines même pas, mon ange.

Elle eut un sourire mutin.

— Ah oui ? dit-elle. Je croyais pourtant que tu m'avais tout montré...

Gino partit d'un grand rire.

— Allez, va, s'exclama-t-il, on part tout de suite, on prend l'autoroute, on s'arrête dans un bon hôtel pour la nuit, et demain on est là-bas. Lundi matin, on rentre par le premier vol, ni vus ni connus. Alors, c'est oui ?

— Mais enfin, Gino, tu te rends compte de ce que tu me demandes ? Je n'aurais même pas dû passer la nuit avec toi. Tu as l'air d'oublier que je suis mariée.

— T'es d'accord ou pas ? l'interrompit Gino.

— Je crois que tu ne me laisses pas le choix, soupira-t-elle. Je suis trop faible avec toi.

Au fond, elle était ravie.

Lucky déambulait dans le bureau de Lennie. Ça lui faisait une drôle d'impression d'être là, dans sa maison, au milieu de ses affaires. Elle prit un scénario qui traînait sur sa table et le feuilleta d'un air absent.

Elle pensait à son fils. Il était tellement beau, tellement fort, il avait une telle envie de vivre, une telle curiosité, une telle énergie. Si jamais « ils » touchaient un seul de ses cheveux...

Elle les tuerait.

Cela ne lui faisait pas peur.

Elle avait déjà tué, une fois.

Et cette fois encore, elle ne reculerait pas.

Cee Cee frappa timidement à la porte et entra dans la pièce, l'air piteux.

— On a retrouvé le chauffeur. Il est là.

— Fais-le entrer, dit Lucky d'une voix morne.

Un homme au cou de taureau fit son apparition. Il avait le nez fleuri de l'alcoolique patenté. Il portait un short trop large pour lui et une chemisette hawaïenne.

Lucky lui tendit un billet de cent dollars.

— Je veux que vous me racontiez tout ce dont vous vous souvenez à propos de la jeune fille et du petit garçon que vous êtes venu chercher ici hier.

— Je les ai chargés à quatre heures et demie, dit l'homme. Je les ai déposés au coin de Fairfax et de Sunset, juste à l'entrée du drugstore.

Il se passa une langue sèche sur ses grosses lèvres.

— Drôlement mignonne, la demoiselle, ajouta-t-il.

— Et qu'est-ce qui s'est passé après que vous les avez déposés ?

— Ben, elle regardait à droite à gauche, comme si elle attendait quelqu'un.

— Et avez-vous vu un homme s'approcher ?

— Avec le tee-shirt qu'elle portait, elle les attirait comme des mouches. Y en a plusieurs qui se sont arrêtés.

— Comment était ce tee-shirt ?

— Rouge et collant. Et y avait quelque chose écrit dessus.

— Quoi, exactement ?

— Écoutez, j'ai de la mémoire, mais pas à ce point-là.

— Bon, et le petit garçon, il était comment ? Il avait l'air content ?

— Ah, ça oui ! Il n'arrêtait pas de dire qu'il allait manger une glace et ça avait l'air de lui faire drôlement plaisir.

— Vous n'avez rien remarqué d'autre ?

— Je crois qu'ils sont partis avec un type, mais j'en suis pas sûr. Le feu passait au vert à ce moment-là, et j'ai démarré assez vite.

— Comment était l'homme ?

— Grand, mince. Je l'ai pas vraiment regardé.

— Est-ce que vous le reconnaîtriez si on vous montrait sa photo ?

— Non.

— Bon, ce sera tout, merci.

L'homme se retira. Restée seule, Lucky soupira. Elle n'avait pas appris grand-chose. Mais au moins, une chose était certaine : ils étaient partis de leur plein gré. Personne ne les avait enlevés en pleine rue.

Puis elle repassa dans sa tête les propos du chauffeur de taxi. Elle se souvint de ce qu'il avait dit à propos de Brigette. Tout le monde la considérait encore comme une petite fille dans sa famille, Lucky la première. Mais, en réalité, elle était devenue une femme, très attirante de surcroît, et les hommes la voyaient comme telle. Peut-être l'un d'eux lui avait-il mis le grappin dessus...

Lucky se précipita hors du bureau de Lennie et appela Cee Cee.

— Où est la chambre de Brigette ? demanda-t-elle.

Cee Cee l'accompagna jusqu'au premier étage et elles pénétrèrent dans la chambre de la jeune fille. Il y régnait un désordre incroyable. Lucky essaya de se souvenir où elle cachait ses trésors quand elle avait son âge. Elle regarda sous le matelas. Sans succès. Elle sortit une photo d'un cadre. Il n'y avait rien derrière. Puis elle souleva une pile de magazines. Gagné ! Il y avait là un petit carnet à spirale avec les mots « Mon Journal » imprimés sur la couverture en lettres dorées.

Elle l'ouvrit et toute une série de photos polaroïd tombèrent sur le sol. Lucky les ramassa, les regarda, et comprit tout de suite qu'elle avait vu juste. Un homme tenait Brigette. Oh combien !

111

L'homme fondit sur eux, saisit Roberto et le prit dans ses bras avant que Brigette ait pu faire quoi que ce soit pour l'en empêcher.

— Mr Bonnatti veut vous voir, grogna l'homme.

Roberto commença à gigoter dans tous les sens pour se dégager, mais en vain. Et personne, sur Hollywood Boulevard, ne sembla remarquer cette grande brute qui tenait dans ses bras un petit enfant hurlant. Brigette aurait pu facilement s'enfuir à ce moment-là, mais pouvait-elle décemment abandonner Bobby ?

— Qui est Mr Bonnatti ? demanda-t-elle, bravement.

— Ne t'inquiète pas de ça, répondit l'homme. Demande juste au gosse de la fermer, et allons-y.

La tête basse, elle le suivit jusque chez Tim.

Quand ils arrivèrent dans l'appartement, Tim était allongé sur le lit, très pâle.

— Euh... Brigette ? commença-t-il d'une voix faible en regardant Bonnatti. Cet homme est un ami. On était... euh... impliqués dans une sale affaire avec un mec à qui je devais de l'argent. Mais maintenant, tout est arrangé.

La grande brute posa Roberto sur le sol et le petit garçon lui décocha un coup de pied dans le tibia. Santino vint se planter devant Brigette.

— Je suis désolé de vous ennuyer comme ça. J'ai juste une ou deux petites choses à régler avec vous, annonça-t-il.

Brigette sentait que quelque chose n'allait pas.

— Je veux ramener Bobby à la maison, dit-elle, tremblante.

— C'est impossible, dit Tim, sans la regarder dans les yeux. Sois raisonnable, Brigette, tu sais bien qu'on a un plan tous les deux.

— Et je vais participer à ce projet, lança Bonnatti, d'une voix suave.

Elle détestait cet homme. Il puait l'after-shave à plein nez.

— Je crois que j'ai changé d'avis à ce sujet, dit-elle.

— Dommage pour toi, poupée, parce que j'ai bien peur que t'aies pas le choix, annonça Santino.

— Veux rentrer à la maison ! Veux rentrer ! piaillait Roberto en sautillant sur place.

Santino se rapprocha de la jeune fille et lui caressa la joue.

— C'est de la chair fraîche, ça, dit-il. Tu veux bien me faire plaisir ?

Brigette sentit un frisson d'angoisse la parcourir.

— Ne me touchez pas ! cria-t-elle en reculant d'un pas.

— Et qu'est-ce que tu vas faire pour m'en empêcher ? dit-il.

D'un mouvement rapide, il la plaqua contre lui d'un bras de fer, colla sa bouche dégoûtante contre la sienne, et lui infiltra sa langue épaisse entre les dents. Elle le mordit. Il poussa un affreux grognement et se dégagea.

— Sale petite conne ! cria-t-il.

Il la gifla avec une telle violence qu'elle se retrouva par terre. Elle se mit à sangloter nerveusement.

Roberto courut vers elle, s'agenouilla sur le sol et posa sa petite joue contre la sienne.

Tim prit une profonde inspiration. Il n'avait pas voulu que les choses se passent ainsi, mais il ne pouvait plus rien faire pour arrêter l'infernale machine dans sa lancée...

Eden émit le désir d'aller faire des courses, mais Zeko refusa de la laisser sortir. Il avait reçu des ordres très clairs en ce sens. Elle tenta même de lui faire un numéro de charme, mais il se montra intraitable.

Une fois de plus, elle se retrouva cloîtrée dans sa chambre. Et Tim qui l'attendait... Mais cela n'était pas ce qui l'inquiétait le plus. Elle se demandait le sort qu'on lui réservait. Elle avait lu de nombreux faits divers, à propos de femmes de gangsters qu'on avait retrouvées mortes un beau matin. D'autres avaient fini dans un bordel à l'étranger. Santino lui avait même raconté l'histoire d'une fille qui s'était soi-disant pendue à cause de lui. Elle était perdue. Elle n'avait plus aucun moyen de s'en sortir. Elle resta prostrée sur son lit, quand soudain une idée lui traversa l'esprit. Une idée de génie ! Oui, il y avait quelqu'un qui pouvait l'aider.

112

— Paige Wheeler est à San Francisco. Et personne n'a l'air de savoir dans quel hôtel elle est descendue. J'ai fait mon enquête, et il semble qu'elle n'ait loué de chambre dans aucun des meilleurs hôtels, pas plus que Gino d'ailleurs, dit Costa, découragé.

Lucky leva le nez du journal de Brigette qu'elle avait commencé à parcourir.

— Elle n'est peut-être pas partie, dit Lucky. Elle est peut-être tout simplement planquée quelque part à L.A. avec Gino. Demande à Cee Cee de vérifier. Qu'elle commence par le *Beverly Hills Hotel* et le *Beverly Wilshire*.

— Tu as trouvé quelque chose de nouveau ? demanda Costa.

— Je te le dirai quand j'aurai tout lu.

L'écriture de Brigette était pratiquement illisible, et ses histoires étaient décousues. Lucky essaya de déchiffrer les écrits les plus récents. Ils dataient vraisemblablement de la veille de sa disparition.

Dîné avec qui tu sais ! ! ! Chez Trader. Génial. Puis allés direct chez lui. Il m'a tout fait ! ! ! Tout ! ! ! Je lui ai donné de la coke histoire de lui faire un petit cadeau. Il était ravi. Pris des photos pour s'amuser. Puis passé toute la nuit avec lui. Dit à Alice que j'étais chez une amie. Elle est tellement bête. J'aime Tim. Je pense qu'il m'aime aussi !

Il s'appelait donc Tim. C'était un début. Lucky revint en arrière et tomba finalement sur le passage crucial : l'inauguration du *Santangelo*.

Quelle soirée fantastique ! Rencontré Tim Wealth ! Le grand Tim Wealth ! Et il est encore plus génial en chair et en os ! J'ai finalement fait l'amour, et avec lui ! ! ! J'arrive toujours pas à y croire. Je lui ai dit que j'avais dix-huit ans ! Je l'aime ! Je l'aime ! Je l'aime !

Lucky laissa tomber le carnet et se rua hors de la chambre. Qui était donc ce Tim Wealth ? Vite, un téléphone. Il fallait appeler Matt immédiatement. Lui devait le savoir.

Mais Matt ne trouva pas trace de Tim Wealth sur la liste des invités à l'inauguration, pas plus qu'il ne fut capable de dire de qui il s'agissait. Lucky allait raccrocher quand Matt lui proposa de rester en ligne pendant qu'il allait chercher Jess. Peut-être qu'elle saurait.

Lucky pianotait, impatiente, sur le récepteur. Il était presque une heure et demie, et il lui faudrait bientôt aller chercher Boogie à l'aéroport.

Jess prit enfin la communication.

— Tim Wealth a joué dans un film il y a environ quatre ans. C'est un très bon acteur, et personne n'a jamais compris pourquoi il n'avait jamais rien fait depuis. Il a complètement disparu de la circulation.

— Il était à l'inauguration, n'est-ce pas ?

— Je ne l'ai pas vu, répondit Jess.

— Jess, s'il vous plaît, demandez à Matt de me trouver son adresse immédiatement, et de me rappeler le plus vite possible chez Lennie. C'est très urgent.

— Mais pourquoi ne m'a-t-il rien dit ? J'étais avec Lennie hier soir. Et j'ignorais que vous...

— Lennie est à Los Angeles ? demanda Lucky complètement estomaquée.

— Vous n'êtes pas avec lui ?

— Non. Mais je suis dans sa maison parce que... Ce serait trop long à vous expliquer maintenant. Où puis-je le joindre ?

Jess était perplexe. Elle ne comprenait pas du tout ce qui se passait.

— Il est retourné dans son ancien appartement.

Elle lui donna le numéro.

Sur ces entrefaites, Costa fit irruption dans la pièce.

— Gino était au *Beverly Wilshire*. Il est parti il y a une heure.

— Merde ! dit Lucky.

— Comment ? demanda Jess.

— Rien. Trouvez-moi l'adresse de Tim Wealth et rappelez-moi.

Puis elle raccrocha. Costa avait l'air épuisé.

— Pourquoi n'irais-tu pas voir ta femme et ta fille à l'hôpital ? lui suggéra Lucky. Tu ne peux plus rien faire pour moi, pour le moment.

— Je vais avec toi à l'aéroport, dit-il, soudain autoritaire.

Lucky ne se laissa pas impressionner.

— Non, tu ne viens pas.

— Oh mais si, je vais venir.

— Va vite voir ton bébé, Costa. Ce n'est plus qu'une question de minutes maintenant. Je crois que je sais qui a enlevé les enfants.

— Et tu m'annonces ça comme ça, de sang-froid ! Qui est-ce ? Dis-le-moi !

— J'aurai son adresse dans deux minutes, dit-elle.

Elle ferma les yeux. Elle avait l'impression que sa tête pesait quinze tonnes. Elle était en train de vivre le pire des cauchemars. Elle pensait à Lennie et mourait d'envie de l'appeler, de tout lui raconter, de se réfugier dans ses bras, de se laisser aller. Mais elle rouvrit les yeux et se ressaisit. Elle devait s'en sortir seule. Une aide extérieure ne serait qu'une perte de temps supplémentaire.

Le téléphone sonna. Avec avidité, elle saisit le combiné.

— Ça tient du miracle, mais j'ai réussi, annonça Matt. J'ai l'adresse.

113

Il bâilla, s'étira et décida qu'il avait assez travaillé. Trente pages dans la journée, c'était très bien. S'il continuait à ce rythme-là, il aurait bientôt fini son scénario.

Il se leva pour aller se faire couler un bain, quand le téléphone sonna.

— Salut ! dit-il, alors, on file toujours le parfait amour ?

— Comment savais-tu que c'était moi ? demanda Jess.

— Mais parce que tu es la seule personne qui sache que je suis ici !

— Plus maintenant.

Il poussa un grognement mécontent.

— A qui tu l'as dit ?

— A Lucky, répondit Jess, sur un ton taquin.

— Ah oui ? dit-il, faussement détaché.

— Je pensais que ça ne t'ennuierait pas.

Il ne savait pas s'il était content ou non. La seule chose qui aurait vraiment pu lui faire plaisir, ç'aurait été de la voir. Mais d'un autre côté, il craignait que ces retrouvailles ne soient légèrement prématurées.

— Et pourquoi as-tu fait ça ? demanda-t-il.

— En vérité, répondit Jess, elle est chez toi en ce moment.
— Chez Olympia, rectifia Lennie.
— Écoute, peu importe. En tout cas, elle est là-bas.
— Ah oui, et pourquoi ?
— Ç'a pas l'air d'aller très fort, dit Jess.
— Mais encore ?
— Appelle-la, tu verras.
— Je te remercie de ton aide précieuse, dit-il, ironique.
— Débrouille-toi, mon vieux.
— Va te faire foutre !

Et il raccrocha. Sa décision était déjà prise. Il ne lui téléphonerait pas. Il irait directement là-bas. Rien qu'à l'idée de la voir dans la demi-heure qui allait suivre, il se mit à trembler d'émotion.

Brigette eut soudain le sentiment très net qu'ils couraient un grave danger. Elle serra encore plus fort le petit Roberto qui était assis à ses côtés à l'arrière d'une grosse limousine noire. Deux hommes à l'air patibulaire les encadraient, installés chacun à une extrémité de la banquette. Santino Bonnatti était à l'avant, à la droite du chauffeur. Il se retourna vers eux et leur dit sur le ton de la plaisanterie :
— J'ai des projets pour vous, les enfants. On va faire des choses qui sont généralement réservées aux grands.

Il regarda Brigette d'un air concupiscent.
— Tu pensais que cet acteur de merde était un supercoup, hein ? Attends un peu ce que « nous » allons faire tous les deux, poupée.

Elle frissonna. C'était la première fois de sa vie qu'elle avait peur pour de bon. Et pas seulement pour elle, pour Roberto aussi qui n'était encore qu'un tout-petit, et pour Tim. Qu'est-ce qu'ils lui avaient fait ? On les avait fait attendre un bon quart d'heure dans la voiture, sous la garde des deux cerbères. Et quand Santino avait réapparu, Tim n'était pas avec lui.
— Où est Tim ? avait-elle demandé d'une voix altérée.
— Comment il était au plumard ? avait dit Santino sans répondre à sa question.
— ...
— Tu veux pas le dire ? Tant pis. Tu vas pas tarder à voir ce que c'est qu'un mec, un vrai !

114

En route vers Bel Air, Lennie répétait son texte. Il fallait faire passer l'émotion, sans pour autant verser dans le pathos. « Oui, j'ai quitté Olympia. » Non, trop impersonnel. Et pourquoi pas : « Oui, j'ai finalement sauté le pas. » Trop prétentieux. Ah ! Voilà ! « Lucky, je ne savais pas que tu étais là. Il faut que je te le dise, j'ai quitté Olympia. »

Dieu, mais quel sot ! Il avait l'impression d'être un adolescent balbutiant. Pourquoi ne pas lui dire tout simplement qu'il l'aimait ?

Quand il entra dans la maison, il sut immédiatement que quelque chose ne tournait pas rond. Alice était allongée sur l'un des canapés du salon, pâle comme une morte. Une espèce de lilliputien lui tenait la main, tout en regardant la télévision.

— Que se passe-t-il ici ? demanda Lennie, inquiet.

— Lennie ! Mon fils ! s'exclama Alice.

Elle réussit à s'asseoir sur le canapé.

— Lennie ! Mon petit ! Ils ont enlevé Brigette et Roberto. Ils ont pris les enfants.

115

Trois voitures étaient garées devant la résidence des Bonnatti. Steven s'arrêta derrière une Toyota jaune pisseux. Avant de quitter l'aéroport, il avait téléphoné à l'hôpital pour prendre des nouvelles de Mary Lou. Tout allait bien. Elle était hors de danger. Carrie avait décidé de rester à son chevet quand Steven avait annoncé qu'il devait partir immédiatement pour Los Angeles.

— Pourquoi dois-tu partir si vite ? avait demandé Mary Lou.

— Parce que, parfois, la justice est impuissante à régler certains problèmes.

— Je ne comprends pas.

Cela lui importait peu, qu'elle comprenne ou pas. Il savait ce qu'il avait à faire.

Il sortit de sa voiture de location et sonna au portail des Bonnatti.

Ce fut Donatella elle-même qui répondit. Santino luttait depuis plusieurs années pour qu'elle se décharge de différentes tâches sur les domestiques. Mais Donatella ne voulait rien savoir. Elle refusait toute aide extérieure, ce qui lui permettait de vivre en jouant les martyrs ou les tyrans domestiques, c'était selon.

Aujourd'hui, elle avait décidé de lessiver le carrelage de la cuisine. C'était samedi, mais qu'à cela ne tienne ! Santino et les enfants étaient sortis, et elle en profitait pour gommer ses frustrations en frottant et briquant avec ardeur.

Elle apparut sur le seuil de la maison, les cheveux en bataille, suant, par tous les pores de sa peau, la fatigue du travailleur manuel.

— Qu'est-ce que vous voulez ? demanda-t-elle, en reluquant Steven de la tête aux pieds.

Il regarda cette harpie et, naturellement, il la prit pour la femme de ménage.

D'une main, elle tenait une balayette qui ne datait pas d'hier, et son autre main grassouillette était posée sur l'une de ses hanches monstrueuses.

Stevens sentit instinctivement qu'il lui fallait mesurer ses propos.

— Je suis désolé de vous déranger, madame, mais il faudrait que je vois Mr Bonnatti. C'est assez urgent.

Elle suçait un gros bonbon très dur qui lui déformait la joue par instants.

— Vous avez rendez-vous ? aboya la mégère.

— Non, j'arrive de l'aéroport. Et je viens de New York spécialement pour le voir.

Donatella fut surprise de constater que Santino était en affaires avec un Noir. Il ne lui confiait jamais rien. Et parfois, ça la rendait folle.

— Qui êtes-vous ? demanda Steven.

Elle eut une espè.e de rire chevalin.

— Vous me prenez pour la bonne, hein ? Mais vous savez, y en a pas une à Beverly Hills qui fasse reluire les carrelages comme moi ! Je suis Mrs Bonnatti.

Gino et Paige s'arrêtèrent sur la route dans un restaurant en terrasse sur le Pacifique. Ils se régalèrent d'un homard et d'une bouteille de vin blanc. Ils profitaient l'un de l'autre et ils bénissaient chaque instant.

Ces dernières années, Gino n'avait pas eu d'aventures sérieuses avec des femmes mariées. Paige était différente de toutes les autres. Il n'était plus vraiment dans la fleur de l'âge, mais avec elle, il se sentait terriblement vivant. Elle le faisait rire, elle le faisait jouir, et il avait envie de l'avoir en permanence à ses côtés.

Au dessert, il décida d'aborder le sujet.

— Tu n'as jamais songé à quitter Ryder ?

Elle laissa courir son regard sur l'infini de l'océan.

— Ryder a besoin de moi. Mes enfants aussi.

— Baratin !

— Absolument pas.

— Tss ! Tss ! Ton mari s'en remettrait très vite si tu le quittais du jour au lendemain. Et tes enfants ne sont plus des bébés, il me semble.

— C'est agréable de voir à quel point tu me juges indispensable.

— Allez ! Arrête de jouer les susceptibles ! Je te veux toute pour moi, tu comprends ?

— Mais tu m'as.

— Pour un malheureux week-end, oui.

— Peut-être ce serait moins bien si on vivait ensemble.

Il n'arrivait pas à avaler ça. Elle résistait ! C'était la première femme qui lui résistait. Enfin, peut-être c'est justement ça qui lui plaisait. Paige faisait toujours ce qu'« elle » voulait quand « elle » le voulait.

— Bon, il faut que je téléphone chez moi. Sinon, ils vont mettre le FBI à nos trousses.

Elle le regarda traverser la salle de restaurant. Il avait de la classe, Gino Santangelo, beaucoup de classe.

116

Dès qu'elle aperçut Boogie, Lucky se sentit rassurée. Il avait toujours été à ses côtés dans les moments difficiles, et elle savait qu'elle pouvait compter sur lui.

Il portait toujours son blouson de récupération de la dernière guerre. Sous son bras, il avait un sac en cuir qui contenait la rançon. Ses yeux bleu délavé épiaient les alentours, toujours aux aguets.

Quand ils furent dans la voiture, Lucky lui donna tous les détails de l'histoire.

— Crois-tu qu'on devrait mettre la police au parfum ? demanda-t-elle, pour le sonder.

— Pas question, répondit-il. Nous devons régler ça nous-mêmes.

Elle fut soulagée qu'il se range à son avis. Depuis que Gino avait disparu, elle ne savait plus à quel saint se vouer.

— Voilà ce qu'on va faire, lui expliqua-t-elle. On va déposer la rançon à l'endroit prévu, puis tu prendras les ravisseurs en filature, ça te va ?

— C'est parfait.

— J'ai deux hommes dans une camionnette de surveillance. Ils te suivront et resteront postés devant la maison où ces salauds s'arrêteront. Il y a le téléphone dans la camionnette et je pourrai rester en contact avec eux en permanence.

Boogie la regarda intensément.

— Et après, demanda-t-il, que comptes-tu faire ?

Elle resta silencieuse un moment. Puis elle parla d'une voix dure et menaçante.

— T'inquiète pas pour moi. Je veux revoir les enfants sains et saufs. Et quand je les aurai récupérés...

Ses yeux lancèrent des éclairs.

— ... le salaud qui les a kidnappés regrettera d'être né.

117

Le salon des Bonnatti était nickel, les meubles brillaient sous les rayons du soleil qui pénétrait par la grande baie vitrée. Sur le plancher, il y avait trois paires de patins de feutre en rang serré. Dans un coin de la pièce trônait un grand piano noir, recouvert d'un immense napperon en dentelle crème. Sur l'un des murs, des photos de famille étaient accrochées dans des cadres dorés.

Steven n'avait aucune envie de s'asseoir. Sa visite n'avait rien d'amical.

— Mrs Bonnatti, dit-il, votre mari fait partie de la pire espèce de la race humaine.

Et il balança un exemplaire du *Jouisseur* sur la table de bois ciré.

— La jeune femme que vous voyez là, sur la couverture, est ma fiancée, expliqua-t-il, la voix pleine de rancœur. Ou plus précisément, il s'agit de son visage dont on a fait un montage sur le corps d'une autre.

— Hé ! Pourquoi vous me montrez ça ! protesta Donatella. Je ne veux pas que ce genre de magazines pénètre chez moi !

— Je suis heureux de vous l'entendre dire, répondit Steven, ironique. Mais apparemment, votre mari n'a pas les mêmes opinions sur le sujet. C'est lui qui les publie.

Il prit le magazine, le feuilleta rapidement, et s'arrêta sur la double page où apparaissait la pseudo-Mary Lou.

— Jetez donc un coup d'œil sur ces photos, Mrs Bonnatti. Elles sont truquées, vous m'entendez ? Truquées ! C'est le visage de Mary Lou Moore sur le corps d'une autre.

— Je ne veux pas voir ces cochonneries ici !

C'était la curiosité qui l'avait poussée à laisser entrer cet étranger, mais à présent, elle le regrettait. Elle avait espéré apprendre quelque chose que son mari lui avait caché. Mais il est certains mystères qu'on regrette après coup d'avoir percés.

— Mary Lou Moore a tenté de se suicider à cause de ces photos. Elle a failli mourir à cause de votre sadique de mari, vous m'entendez ?

— Je ne suis au courant de rien, dit Donatella, d'un air maussade.

— Vraiment ? Il serait peut-être temps que vous...

Le téléphone se mit à sonner, l'interrompant subitement. Donatella se précipita sur l'appareil. Si c'était Santino, elle lui dirait de rentrer immédiatement. Elle voulait éclaircir cette histoire de magazines pornographiques au plus vite. Si c'était vraiment lui qui publiait ces horreurs, elle ne lui pardonnerait jamais. Elle décrocha le combiné.

— Qui est-ce ? aboya-t-elle.

Une voix féminine étrangement rauque lui répondit.

— Mrs Bonnatti ? Donatella ?

— Oui, oui, qui êtes-vous ? demanda-t-elle, impatiente.

— Savez-vous que votre mari a loué une maison sur Blue Jay Way où il a installé sa maîtresse ? souffla la voix.

— Quoi ? Que voulez-vous dire ?

— Sa maîtresse. Sa petite amie.

La voix murmura l'adresse complète de la maison en question.

— Pourquoi ne viendriez-vous pas voir vous-même ? ajouta l'inconnue.

Elle raccrocha.

118

La femme de chambre de l'hôtel new-yorkais vint faire ses doléances au réceptionniste, quand elle quitta son service à dix-huit heures quarante-cinq.

— Écoute, Albert, il faut faire quelque chose. Ça fait plus de vingt-quatre heures que j'ai pas pu rentrer dans la chambre du chanteur.

— Quel chanteur ? demanda Albert, à moitié défoncé par les deux joints qu'il avait fumés avant de prendre son service, histoire de ne pas envoyer les clients au diable avec leurs requêtes absurdes.

— Mais Flash, voyons ! Le chanteur de rock !

Albert ne savait pas que la star était là. Quelqu'un avait dû louer la chambre pour lui.

— Ça fait longtemps qu'il est là ? demanda-t-il.

— Trois jours.

— Effectivement, il ne sort pas souvent !

La femme de chambre haussa les épaules et prit congé. Albert ne se sentait plus de joie. Le standard sonnait avec insistance, mais il ne l'entendait plus. Il allait enfin rencontrer sa vedette préférée !

Albert bondit et courut jusqu'à l'ascenseur. Dans quelques secondes, il allait voir Flash en chair et en os !

119

Ils arrivèrent au *Farmer's Market* avec vingt minutes d'avance. Dave, un ancien détective privé, gara la camionnette de surveillance sur le parking de CBS.

— Pose-moi un micro émetteur et poses-en un à Boogie, lui demanda Lucky. C'est moi qui vais déposer l'argent, et c'est Boogie qui va prendre le ravisseur en chasse. Tu les suivras, et en même temps, tu resteras en contact permanent avec moi.

— Aucun problème, répondit Dave.

Dave était un fin limier. Il serait en outre fort honorablement dédommagé pour sa peine. A priori, on pouvait donc compter sur lui.

Santino était d'une nature soupçonneuse. Bien que ses sbires lui aient juré fidélité éternelle, il n'avait en eux qu'une confiance limitée. Il décida donc d'être présent quand on irait chercher l'argent de la rançon. Si Tim Wealth lui avait vraiment dit la vérité, il s'agissait alors du meilleur coup de l'année.

Santino eut un mauvais sourire. Lucky Santangelo devait être folle de rage et d'angoisse. Elle devait prier pour revoir son enfant sain et sauf. Mais il n'était pas du tout certain qu'elle le revoie jamais. Santino ricana. La vengeance est un plat qui se mange froid.

Le *Farmer's Market* était une espèce de paradis pour les touristes. On trouvait là le plus grand magasin de souvenirs de la ville, et un marché qui vendait tous les produits frais imaginables, ainsi que toute l'épicerie fine d'importation.

Il y avait même une librairie. Et c'était là que Lucky devait déposer l'argent. Elle se dirigea lentement vers la librairie Dalton avec le grand sac de cuir qui contenait le million de dollars exigé. Apparemment elle était fort calme, mais intérieurement elle bouillait d'une rage sourde.

Il y avait du monde dans la grande librairie. L'œil aux aguets, elle repéra tout de suite le rayon diététique. Elle s'en approcha et constata qu'il n'y avait personne dans les parages, excepté une très grosse dame qui feuilletait *Aerobics,* le livre de Jane Fonda.

Lucky regarda sa montre. Il était quatre heures moins deux.

La grosse dame remit le livre en place et s'éloigna.

Lucky regarda de nouveau sa montre. Quatre heures moins une...

Elle chercha Boogie des yeux, mais ne le vit pas, ce qui ne l'inquiéta pas outre mesure. Boogie était capable de se glisser dans la foule et de disparaître.

Quatre heures pile.

Avec précaution, elle posa le sac de la rançon dans le coin gauche du rayon et sortit du magasin par la porte indiquée. Une fois dehors, elle n'eut plus qu'une envie : retourner dans la boutique, et sauter sur le type qui allait ramasser le sac. Mais elle se maîtrisa. Il y avait dans la doublure du sac un mini-émetteur connecté au récepteur de Boogie. Les ravisseurs seraient vite repérés.

Santino désigna Blackie pour aller ramasser l'argent, et décida de l'attendre dans la voiture avec les enfants et ses deux autres hommes de main. Ils s'étaient garés dans une petite rue, à environ deux cents mètres du centre commercial.

Blackie était une espèce de colosse aux dents jaunes et aux cheveux gras. Il avait un air perpétuellement renfrogné.

— Ne lambine pas, lui ordonna Santino.

Puis il se tourna vers Brigette et lui mit la main sur la cuisse. Elle fit un bond de côté.

— De la chair fraîche ! s'exclama Santino en la lorgnant d'un air concupiscent. J'en peux plus d'attendre !

120

— Ralentis, dis Paige. Tu vas nous tuer !

— Tu veux conduire ?

— Franchement, oui, j'aimerais autant.

Gino arrêta la Porsche sur le bas-côté de la route et ils changèrent de place. Paige boucla sa ceinture de sécurité, et demanda à Gino d'en faire autant. Il s'y résigna de mauvaise grâce. Prendre des risques était nettement plus son genre.

Paige se réinfiltra dans le flot de voitures qui déboulaient dans le rétroviseur. Il leur restait deux heures de route avant d'arriver à L.A.

— Je ne me suis jamais senti aussi impuissant de ma vie, grogna Gino. Quand je mettrai la main sur le fils de pute qui a fait ça, il regrettera d'avoir vu le jour, crois-moi.

— Calme-toi, répondit Paige.

Elle conduisait encore plus vite que lui, mais avec une plus grande maîtrise.

— Lucky va avoir besoin de toi, poursuivit-elle.

— J'aurais dû être là ! J'aurais vraiment dû ! se lamenta Gino. Mais doux Jésus ! qui a bien pu oser faire une chose pareille ?

Lennie voulut appeler la police.

— Tu ne peux pas faire ça, dit Alice avec une détermination qui ne lui était pas coutumière. Lucky a dit qu'elle s'occupait de tout.

— Et comment s'y est-elle prise, hein ? cria Lennie. J'aimerais bien le savoir. Et d'abord, pourquoi personne n'a prévenu Olympia ?

— On a essayé, répondit Alice. Mais elle est introuvable.

— Mais bon Dieu, Brigette est sa fille ! Elle devrait être là, ou au moins savoir ce qui se passe.

— Je vais encore tenter de la joindre, dit Alice.

— Et Lucky ? Où est-elle en ce moment ?

Costa fit irruption dans la pièce.

— Je viens d'avoir de ses nouvelles, dit-il. L'argent a été déposé, et Boogie est en train de suivre les ravisseurs. Tout ce qu'il nous reste à faire pour le moment, c'est d'attendre et de voir si les enfants reviennent ou non.

— Je ne peux pas rester comme ça sans rien faire, dit Lennie. Donnez-moi le numéro du téléphone de sa voiture.

Costa s'y résolut à contrecœur.

— Ça ne va pas lui plaire que vous la dérangiez pour rien. Je vous préviens, dit Costa. Elle veut que la ligne reste libre en permanence.

— J'en n'ai rien à foutre, dit Lennie. Je me sens concerné autant qu'elle par cette affaire.

Donatella Bonnatti regarda fixement Steven.

— Hé, Mr Berkeley, vous êtes venu pour voir mon mari. Il n'est pas là, alors maintenant vous feriez mieux de partir.

Depuis quelques secondes, Steven l'observait attentivement. Elle semblait agitée et bizarre. Ce coup de téléphone l'avait bouleversée. Et ce n'était pas Bonnatti qui l'avait appelée, il l'aurait juré.

Donatella se dirigea vers la porte.

— S'il vous plaît, partez maintenant. Il faut que je sorte.

Steven acquiesça d'un hochement de tête.

— Je reviendrai, annonça-t-il.

— Vous ferez comme vous voudrez, dit-elle, l'air ailleurs.

Elle ne semblait plus du tout fâchée par ce que Steven venait de lui apprendre. Elle avait l'esprit occupé par une autre pensée.

Steven traversa le jardin et sortit sur le trottoir. Il se glissa dans la voiture. Il démarra et roula jusqu'en bas de la rue. Puis il se gara et attendit.

Un quart d'heure plus tard, la Toyota jaune apparut dans son rétroviseur. Donatella était au volant. Elle prit la direction d'Hollywood. Steven mit le contact et la suivit.

121

Eden faisait les cent pas dans sa chambre. Zeko, ce crétin, veillait dans le jardin. Il était plus de quatre heures. Tim l'attendait et elle n'avait aucun moyen de le rejoindre. Elle oscillait entre le désespoir et la rage.

Soudain, elle entendit le bruit d'une voiture qui s'arrêtait devant la maison. Pleine d'espoir, elle se précipita vers la fenêtre, mais ce ne fut hélas que pour voir arriver Santino. Il était accompagné de ses deux cerbères habituels, et il y avait aussi une jeune fille et un petit garçon avec lui.

Avait-il l'intention de lui présenter ses enfants ? Elle avait du mal à croire qu'il soit tombé si bas.

Elle courut jusqu'à sa chambre et en claqua la porte. Elle n'en sortirait sous aucun prétexte. S'il voulait l'y forcer, il devrait d'abord la tuer.

— Allez, ma poule, dit Santino en poussant Brigette à l'intérieur de la maison.

Son cœur battait si vite qu'elle l'entendait. Elle avait les oreilles qui bourdonnaient. Alice lui avait raconté des histoires à propos de jeunes filles qui disparaissaient sans crier gare. « La traite des Blanches, avait-elle expliqué. Ils s'asseyent à côté d'elles au cinéma, dans le noir. Puis ils leur plantent une aiguille dans le bras et les emmènent Dieu sait où. »

Brigette avait ri de ces alarmants récits. Et elle s'était moquée de Lucky chaque fois que celle-ci avait évoqué le risque d'un enlèvement. A présent, elle comprenait, trop tard, qu'elles avaient toutes les deux raison.

Brigette se demandait ce qui allait lui arriver. Lucky était-elle déjà à Bel Air ? Ou Lennie ? ou Olympia ? Avaient-ils averti la police ? Était-on en train de la chercher ?

Elle eut soudain l'impression d'être une petite fille sans défense. Mais elle lutta intérieurement contre la panique qui l'envahissait peu à peu. Elle se devait d'être forte pour Roberto. Il lui faisait confiance comme à sa maman. Il s'était accroché à sa main comme si sa vie en dépendait, et peut-être était-ce effectivement le cas.

Elle s'adressa à Santino en essayant d'empêcher sa voix de trembler.

— Vous avez l'argent maintenant, vous êtes donc supposé nous laisser partir, comme Tim l'avait promis.

Santino eut un méchant ricanement.

— Tim ? Mais qui c'est ça ? demanda-t-il.

Puis il se tourna vers ses hommes.

— Est-ce que l'un d'entre vous a déjà entendu parler d'un certain Tim ?

— Tim ? Non, je vois pas, répondit Blackie.

— Nous non plus, ça nous dit rien, ce nom-là, renchérirent les autres.

— Allez, viens, ma poule, dit Santino à Brigette en la poussant vers la chambre. Et amène le gamin aussi. Un peu d'éducation sexuelle lui fera pas de mal. Et puis on fera un charmant tableau tous les trois, de quoi envoyer une belle photo souvenir à sa maman.

Santino ouvrit la porte de la chambre d'Eden d'un violent coup de pied.

— Dehors, sale conne, ordonna-t-il.

— Mais que se passe-t-il ? bredouilla-t-elle.

— Attends dehors et ne me dérange pas. C'est clair ?

Brigette la regarda d'un air implorant.

— Cet homme nous a kidnappés, commença-t-elle. Il a...

Elle fut interrompue par une gifle qui lui brûla la joue.

Roberto se mit à hurler.

Eden sortit de la chambre au moment où Santino frappait l'enfant. Elle ne pouvait rien pour eux. Elle était déjà incapable de se sauver elle-même.

122

Lucky avait dépêché les deux hommes qu'on lui avait envoyés d'Atlantic City sur les traces de Tim Wealth. Un coup de fil de l'un d'entre eux, surnommé le « Gardien », l'avertit qu'ils l'avaient retrouvé.

Quand elle arriva dans l'appartement d'Hollywood Boulevard, un corps gisait sur le sol. Ce n'était pas un homme qu'on s'était contenté de tabasser. On lui avait tiré deux balles dans la tête à bout portant.

— Tim Wealth, annonça le Gardien. Il a rendu l'âme peu après mon arrivée.

— Et alors ? demanda Lucky.

— Alors, il y a un problème, répondit-il. Vous connaissez un dénommé Santino Bonnatti ?

Son cœur s'arrêta.

— Bonnatti ? souffla-t-elle.

Le Gardien acquiesça.

— C'est lui qui a les enfants, dit-il.

123

Blue Jay Way était une petite rue tranquille située sur les hauteurs d'Hollywood. Il n'y passait que peu de voitures, hormis celles des résidents.

Boogie, caché à l'arrière de la camionnette de surveillance, se dit que c'était l'endroit rêvé pour y garder des enfants kidnappés. Il aurait juré qu'il était sur la bonne piste. Et il en fut tout à fait sûr quand il vit trois hommes, serrant de près deux enfants, sortir de la voiture qu'il avait suivie jusqu'ici. L'un des malfaiteurs lui rappelait quelqu'un, mais il fut incapable de mettre un nom sur ce visage.

Il fut tenté de se précipiter, revolver en main, mais il se domina. Les vilains étaient probablement armés, et il ne pouvait se permettre de faire courir le moindre risque aux enfants. Après tout, la décision d'intervenir appartenait à Lucky, et à elle seule.

Il composa le numéro de téléphone de la voiture de sa patronne pour l'avertir de sa découverte.

— Où es-tu ? demanda-t-elle, d'une voix altérée.

Il lui donna l'adresse exacte de la maison où les ravisseurs étaient entrés avec les enfants.

— Est-ce que par hasard tu aurais reconnu Santino Bonnatti parmi ces trois hommes ?

Boogie réalisa alors que le visage qui lui avait paru familier était celui de Bonnatti.

— Oui, répondit-il, il était là. Que comptes-tu faire maintenant ? Avertir la police ?

— Non. Ce serait trop long et trop risqué. J'ai les deux mecs d'Atlantic City avec moi. Toi, tu es avec Dave. On va s'occuper de tout ça nous-mêmes, c'est la seule solution.

— Je ne sais pas combien ils sont, dit Boogie. Il y a peut-être d'autres hommes dans la maison.

— Essaie de le savoir. On arrive, répondit Lucky.

Puis elle raccrocha.

Boogie se glissa jusqu'à l'avant de la camionnette pour avertir Dave de la tournure que prenaient les événements.

— Elle veut qu'on se débrouille seuls, dit-il. Son môme est à l'intérieur. Tu marches avec nous ?

Dave acquiesça d'un hochement de tête, tout en caressant le calibre 38 qu'il s'était glissé dans la ceinture.

— Lucky sera très généreuse, précisa Boogie.

— C'est pas une question de fric, dit Dave. Je n'aime pas les gens qui déconnent avec les enfants, ils méritent une leçon.

— Amen, dit Boogie.

Puis il se faufila jusque dans le jardin en un rien de temps. Rusé comme un renard, souple et silencieux comme un chat, il se posta derrière le groupe de buissons le plus proche de la maison. Il n'avait pas fait deux ans de Vietnam pour rien. Boogie était un homme de terrain.

Lennie s'était installé dans son ancien bureau et tentait de joindre Lucky depuis près d'une demi-heure. La ligne était perpétuellement occupéc. Il poussa un énième juron et frappa la table du poing. Elle avait besoin de lui et il n'était pas là.

Alice arriva sur ces entrefaites et déposa une tasse de café brûlant devant lui sans un mot. Puis elle sortit de la pièce aussi silencieusement qu'elle y était entrée. « Cela ne lui ressemble pas », se dit Lennie. Mais il n'avait pas le cœur à s'attendrir sur sa mère.

Enfin, la ligne se libéra. Il entendit sonner deux fois, puis une voix d'homme lui répondit.

— Ouais ?

— Passez-moi Lucky.

Il y eut un drôle de bruit, puis enfin sa voix à elle.

— Où es-tu ? demanda Lennie.

Elle le reconnut tout de suite, mais ce n'était pas le moment de s'épancher.

— Je m'occupe de tout, Lennie, dit-elle brièvement.

Il laissa libre cours à la colère qui montait en lui depuis une heure.

— « Tu » t'occupes de tout ! Et la police alors, c'est fait pour les chiens ?

— Oublie la police, répondit-elle, très calme, et fais-moi confiance.

— Je veux savoir où tu es, répéta-t-il, pressant.

— Je ne peux pas te le dire.

— Ben voyons ! cria-t-il, frustré de se sentir évincé.

— On se rapproche de Blue Jay Way, dit le chauffeur.

— Il faut que je te laisse, souffla Lucky dans l'appareil. J'aurai récupéré les enfants d'ici dix minutes.

— Mais, bon Dieu, où es-tu ? hurla Lennie dans le combiné.

Elle pouvait bien le lui dire, finalement. Quand il arriverait sur les lieux, tout serait déjà réglé.

— Tu promets de ne pas prévenir la police ? dit-elle.

— Je promets, soupira Lennie.

Elle lui expliqua alors très vite où elle se trouvait. Il raccrocha et se rua hors de la maison.

124

Il y avait maintenant plusieurs minutes que le réceptionniste de l'hôtel, à New York, attendait derrière la porte. Il avait frappé une dizaine de fois déjà, sans obtenir de réponse. Finalement il sortit son passe de sa poche, l'introduisit dans la serrure, et pénétra dans la chambre.

Tout d'abord, il pensa qu'ils dormaient. Ils étaient allongés nus et immobiles sur le lit, dans une des drôles de positions que donne parfois le sommeil.

Le réceptionniste retint sa respiration pour mieux écouter la leur. Ne percevant pas le moindre souffle, il se rapprocha du lit. Il aperçut tous les indices d'une nuit de défonce : des flacons d'amphétamines à moitié pleins, une seringue vide, et un petit sac de poudre blanche à peine entamé traînaient sur l'une des tables de nuit.

Le réceptionniste se rapprocha encore du lit. Il sentit alors l'odeur caractéristique de la mort et se mit à trembler. Ce n'était pourtant pas la première fois qu'il se trouvait confronté à un tel spectacle, et vraisemblablement pas la dernière. Mais il n'arrivait pas à s'y faire.

Une sirène de police se mit à hurler dans la rue. Il sursauta. Le bruit s'évanouit aussi vite qu'il avait jailli, mais cela suffit néanmoins à ramener notre homme à la réalité. Il décrocha le téléphone et composa le numéro de police secours, tout en détaillant les cadavres avec une espèce d'irrépressible curiosité. Flash avait la bouche ouverte sur deux rangées de dents cariées. Olympia gisait sur le dos, sa peau laiteuse marbrée de violet.

La nouvelle parvint aux agences de presse juste à temps pour que tombent les dépêches avant le bulletin d'information de dix heures à New York. Il était sept heures à Los Angeles.

Ah ! Comme les médias se régalaient de la mort des gens célèbres. Là, ils avaient affaire à un « doublé », avec tous les ingrédients dont un journaliste pouvait rêver.

L'argent.
Le sexe.
La drogue.
Et le rock and roll !

125

— Déshabille-toi, ma poule, ordonna Santino.

— Vous feriez mieux de me laisser tranquille, l'avertit Brigette, les pupilles dilatées par la peur.

Santino se mit à rire. Il avait fermé la porte à clé et glissé la clé dans sa poche. Et il était là, à l'abri du monde extérieur, avec ce petit cul tout neuf qu'il mourait d'envie de fourrer.

Ah... Mais il y avait aussi le petit. Santino eut un rictus d'immonde perversité. Cette situation collait parfaitement avec ses fantasmes les plus fous.

Il ôta sa veste et brancha une caméra vidéo posée dans un coin de la pièce sur un trépied.

Brigette se mit à frissonner. Elle avait la chair de poule et claquait des dents. Ses yeux allaient du revolver, fiché dans son holster sous le bras gauche de Santino, à la caméra vidéo.

— Dépêche-toi d'enlever tes vêtements ! beugla Santino.

Puis, comme elle n'obéissait pas, il dégaina et pointa son revolver sur Roberto, qui se réfugia dans un coin comme un petit animal traqué.

— Maintenant, petite pute ! ou c'est le môme qui va morfler.

Brigette était tétanisée par la peur. Non ! C'était trop horrible. Cela n'était pas en train de lui arriver à elle. Elle se mit à pleurer.

— Allez, bouge ton cul, et plus vite que ça, lui ordonna Santino. Je veux te voir devant la caméra.

Brigette obéit. Soudain Roberto bondit et se rua sur Santino. Il lui martela la jambe droite de toute la force de ses petits poings.

— Arrête ! Arrête ! criait le petit garçon.

Santino l'envoya bouler à l'autre bout de la pièce.

Les pleurs de Brigette redoublèrent, mais cela ne semblait pas gêner le méchant.

— A poil, salope. Sinon, je descends ce petit connard immédiatement, dit-il, menaçant.

Donatella roulait au ralenti dans Blue Jay Way. Soudain, elle reconnut la voiture de son mari, garée un peu plus loin.

Le traître ! Le menteur ! L'ignoble individu ! Comment osait-il lui faire ça à elle, sa femme, la mère de ses enfants !

Elle lui avait donné les meilleures années de sa vie, à lui, cet animal en rut.

Elle se gara et sortit de sa voiture, bouillonnante de rage et de dépit.

Au moment où Donatella sortait de la Toyota, la voiture de Lucky s'arrêtait juste derrière la camionnette de surveillance, garée en haut de la rue.

Boogie en descendit pour l'accueillir.

— Santino est à l'intérieur avec trois autres types, annonça-t-il. Et il y a aussi une femme dans la maison. C'est tout ce que j'ai pu voir. Alors voilà ce que je propose : je pénètre dans la maison par-derrière pendant que le Gardien et Caveman font diversion à l'entrée.

— Et moi je fais quoi ? demanda Lucky. Je tricote, pendant ce temps-là ?

— Tu devrais rester dans la voiture. Je te ramènerai les enfants sains et saufs. Fais-moi confiance.

— Ton scénario ne me plaît pas du tout. Je viens avec vous.

— Tu vas me gêner, tu...

— Je vous suivrai, c'est tout, l'interrompit-elle.

292

— Ça pourrait être dangereux.

Elle le fixa, furieuse.

— Mais tu me connais ou pas, Boogie ? Depuis toutes ces années, tu devrais avoir compris.

C'était inutile d'argumenter. Personne n'avait jamais dit à Lucky Santangelo ce qu'elle devait faire.

— Je préviens les autres, dit-il. Et on y va.

Tout en marmonnant de nouvelles injures entre ses dents, Donatella marchait sur le trottoir couvert de graviers qui menait à la maison où elle espérait bien trouver son mari. Avant de partir, elle s'était changée. Elle avait mis un tailleur noir et des chaussures à talons. Elle s'était recoiffée et s'était mis du fard à paupières vert et du rouge à lèvres vermillon. Elle n'avait jamais maîtrisé l'art du maquillage et le résultat s'en ressentait. Ruminant toujours sa rage, elle sonna au portail de la maison maudite.

— Qui c'est, cette bonne femme ? demanda le Gardien.

— Peu importe, elle va nous être utile, répondit Lucky. Foncez, rejoignez-la, et engagez la conversation avec elle. Inventez n'importe quoi pour attirer l'attention des autres sur vous pendant qu'on rentre par-derrière.

— O.K., on y va, dit le Gardien.

Et les deux groupes entrèrent en action.

C'était facile de se perdre à Hollywood. Il y avait tellement de petites rues qui se terminaient en cul-de-sac.

Steven avait perdu la trace de la Toyota de Donatella quand elle avait tourné dans Doheny Drive, et il n'arrivait pas à la retrouver.

Cela n'avait aucune importance. Il allait faire demi-tour, retourner chez les Bonnatti, et attendre Santino devant chez lui. L'ignoble finirait bien par rentrer. Steven savait déjà quel genre d'accueil il réservait à cette brute épaisse.

— Mais qu'est-ce qu'il a l'intention de faire avec ces enfants ? demanda Eden à Blackie.

Ils étaient dans la cuisine, et le cerbère fouillait dans le réfrigérateur. Il avait faim.

Il eut un geste d'agacement. Il n'avait aucune envie qu'on vienne troubler le cours de ses pensées. Aujourd'hui, pour la première fois de sa vie, il avait eu un million de dollars entre les mains. Cela avait duré trois minutes, mais ce souvenir ne cessait pas de le ravir. Le fait qu'il ait également tué un homme, et de sang-froid, ne semblait pas ternir sa douce rêverie.

— Tu me dégoûtes ! lança Eden. Tu bosses pour le dernier des salauds et tu t'en fous !

— Qu'est-ce que ça peut te faire ? dit-il en enfournant la moitié d'une tranche de rosbif dans sa grande bouche de carnassier.

C'est alors qu'Eden entendit sonner. Son cœur se mit à battre la chamade.

— Hé ! Doucement ! dit Zeko en ouvrant le portail.

Donatella venait de donner un coup de pied dedans.

— Qui êtes-vous ? brailla Donatella. Et où est mon mari ?

Zeko en resta bouche bée.

— Mrs Bonnatti ! souffla-t-il, complètement médusé.

— Oui, je suis Mrs Bonnatti. Et alors ? Poussez-vous, maintenant, il faut que je rentre dans cette maison.

Zeko était éberlué. Qu'est-ce que le patron allait dire de « ça » ?

Tout à son étonnement, Zeko oublia de refermer le portail et se retrouva soudain nez à nez avec deux hommes.

— FBI, dit l'un deux, en lui présentant sa carte. On fait une enquête sur l'un de vos voisins et on aimerait vous poser quelques questions.

Brigette était recroquevillée, toute nue, au milieu du grand lit défait. Des ruisseaux de larmes coulaient sur ses joues. Ce malade l'avait forcée à poser devant la caméra. Et à présent, il déshabillait Bobby, très amusé de voir le gamin se débattre.

Elle frissonna à l'idée de ce qui allait suivre. Santino lui avait expliqué dans le détail ce qu'il avait l'intention de faire. La brute venait d'enlever son pantalon et une violente érection bombait son caleçon sur lequel étaient imprimés de ridicules petits palmiers.

Bobby hurlait et ses cris de terreur allaient droit au cœur de Brigette. C'était de sa faute s'il était là.

Santino était concentré sur le petit garçon. Il l'avait saisi par la taille, et il s'apprêtait à commettre l'acte le plus vil qui soit.

Boogie se faufilait à travers les cactus et les buissons épineux du jardin, tel un redoutable félin. Lucky faisait de son mieux pour le suivre de près, et se griffait les bras et le visage.

Ils approchaient de leur but. Une piscine s'étalait devant eux, et seules des baies vitrées leur barraient l'accès de la maison.

— On va les faire exploser, dit Boogie, tout en se baissant pour ramasser une grosse pierre. Dans une minute je te ramène les enfants, Lucky.

— Mrs Bonnatti ? demanda Eden en apparaissant sur le seuil de la maison.

Donatella lui lança un regard haineux.

— Mon mari est là, hein ? Mon Santino ! C'est vous qui le gardez prisonnier !

— Effectivement, il est là. Mais avant d'aller le voir, je crois que nous devrions parler un peu, toutes les deux.

— Il couche avec vous ? demanda Donatella. Dites-moi la vérité.

C'est alors que le Gardien pénétra dans la maison.

— Attendez une minute, commença Zeko.

Mais Caveman lui braqua son revolver sur la nuque.

— Tiens-toi tranquille ! lui ordonna-t-il, et dis-nous plutôt où sont les enfants.

— Mais qui sont ces gens ? demanda Donatella, complètement paniquée. Que se passe-t-il ?

— Mets-toi contre le mur et tais-toi, mémé, dit Caveman. Toi aussi, ordonna-t-il à Eden.

Blackie fit alors son apparition. Il sortait de la cuisine. Caveman lui fit signe de rejoindre les autres contre le mur. Blackie tenta de faire demi-tour, mais Caveman lui dit :

— Un pas de plus et t'es mort.

Blackie obtempéra.

Un grand bruit de vitres brisées éclata alors derrière la maison, suivi d'un premier coup de feu.

Puis l'on tira encore, et encore.

HUIT MOIS PLUS TARD

Mai 1984

Un pesant silence régnait dans la salle d'audience.

Lucky regardait loin devant elle, et bien que dévorée par la peur du verdict qui allait tomber, son attitude ne trahissait aucune émotion.

Le greffier commença à lire la sentence à haute voix.

— En ce jour du 4 mai 1984, dans l'État de Californie...

Des mots. Encore des mots. Qu'il en vienne au fait, vite.

Lucky balaya le public du regard. Ses yeux s'arrêtèrent un instant sur Brigette qui était assise au premier rang. L'adolescente, l'air solennel, se tenait bien droite contre le dossier de sa chaise, les cheveux tirés en queue de cheval, le teint pâle.

Lucky était furieuse qu'on l'ait autorisée à venir. Brigette avait traversé des moments pénibles qu'il était cruel et stupide de lui faire revivre.

Le greffier continuait à déclamer ses formules. Et Lucky espérait... priait...

Depuis le début, elle avait eu la presse contre elle. Pour les journalistes, elle était « Lucky Santangelo, la fille du gangster ». Et bien que Gino n'ait pas été mêlé, depuis plus de vingt ans, aux milieux du crime organisé, les reporters semblaient avoir la mémoire tenace.

Lucky redressa fièrement la tête. Quelle que soit la sentence, elle était décidée à l'accepter avec dignité.

— Et nous, le jury, poursuivit le greffier, déclarons l'accusée, Lucky Santangelo, coupable de meurtre au second degré.

Le verdict la transperça comme une décharge électrique.

La salle d'audience entra en transe. Des gens criaient, des centaines de pieds martelaient le plancher.

Ce vacarme lui fit tourner la tête. Elle regarda la horde de journalistes se précipitant à l'extérieur de la salle, ces rats qui couraient, qui couraient vers quoi ?

Vers leurs téléphones, leurs machines à écrire, leurs télex. Il fallait transmettre l'information avant le bouclage, afin que les lecteurs, avides et accros, aient leur dose quotidienne d'infos.

Soudain une voix perçante s'éleva. Brigette s'était brusquement levée et elle criait :

— Nooon ! Non ! Non ! Lucky Santangelo n'est pas coupable. C'est moi la coupable, c'est moi qui ai tué Santino Bonnatti !

ÉPILOGUE

Le 1ᵉʳ septembre 1984 était un jour parfait pour un mariage. Le ciel était bleu et sans nuages, le soleil brillait, et la grande maison blanche qui se dressait au milieu du parc rempli de fleurs était l'endroit rêvé pour accueillir les invités.

Roberto, qui avait maintenant cinq ans et demi, était garçon d'honneur. On le voyait passer d'un groupe à l'autre, dans son smoking noir. Cee Cee veillait sur lui, légèrement à l'écart de toute cette agitation. Et une vingtaine de détectives se baladaient dans la foule, incognito.

Costa, Ria et leur bébé furent les premiers à arriver. Alice se précipita sur eux dès qu'elle les aperçut. Elle avait noué des rubans dans sa chevelure clairsemée et elle portait une robe vert pomme. Son nouveau chevalier servant, un chanteur pop sur le retour, sifflotait sans arrêt.

Jess et Matt arrivèrent peu de temps après Costa. Matt était très élégant dans son costume de soie gris perle et Jess était positivement saucissonnée dans une robe de grossesse. Elle attendait des jumeaux pour la semaine suivante, et elle ressemblait à une pastèque mûre et prête à éclater, ainsi que le lui avait fait remarquer Lennie avec son tact habituel.

Steven Berkeley arriva dans une Rolls vert bronze, le cadeau de mariage de sa femme, Mary Lou, assise à ses côtés. Il l'avait épousée une semaine après qu'elle eut quitté l'hôpital.

Carrie les accompagnait, plus élégante que jamais. Neuf mois plus tôt, elle avait donné le manuscrit de son livre à Steven.

— Je ne le ferai publier qu'avec ton accord, lui avait-elle dit.

Steven avait profité de son voyage de noces en Europe pour le lire à tête reposée. A son retour, il avait dit à sa mère que ce serait un crime de ne pas le publier. Puis il en avait fait une photocopie et, muni de cette histoire et des documents concernant sa parenté avec Gino, il était allé voir Lucky Santangelo en prison.

Les journaux s'acharnaient contre elle. Les journalistes, qui avaient la morale de leur côté, s'en donnaient à cœur joie. Après tout, si elle avait réussi à s'en tirer une première fois, faute de preuves suffisantes de sa culpabilité pour le meurtre d'Enzio Bonnatti, ils entendaient bien ne pas laisser triompher une seconde fois le pouvoir de l'argent et le bénéfice du doute.

Steven vint donc lui rendre visite et lui apprit qu'il était son frère, documents à l'appui.

— Il semble que nos vies soient mêlées de bien des manières, lui dit-il avant de la quitter. Et je ne sais pas encore si tu l'accepteras jamais, mais je suis très fier d'être ton frère. Et je ferai tout pour te sortir de là.

Non seulement elle accepta Steven, mais encore elle convainquit Gino qu'il avait un fils. Plusieurs mois s'écoulèrent avant que Gino se rende à l'évidence, mais il finit par rencontrer Steven, et l'on pouvait espérer — mais seulement espérer — que des relations s'établiraient entre eux.

Brigette portait une robe blanche. Une robe virginale de demoiselle d'honneur. Et elle était d'une beauté époustouflante avec ses immenses yeux bleus, son teint lumineux et son corps souple et mince.

Brigette était désormais l'une des filles les plus riches du monde. Elle avait hérité de toute la fortune de sa mère, et elle disposait en outre de la rente royale que lui avait octroyée feu son grand-père.

Brigette fréquentait à présent une école privée dans le Connecticut, et elle passait tous ses week-ends chez Lucky, laquelle avait accepté de grand cœur ce rôle de tutrice.

Brigette était heureuse, mais n'en continuait pas moins à faire le même cauchemar.

Tim Wealth.

Souriant.

Heureux.

Et qui lui disait :

« Salut, petite fille ! Comment ça va ? »

Puis elle le voyait mort, gisant sur le sol de son appartement.

Elle se souvenait de ce jour maudit dans ses moindres détails.

Le revolver.

Le revolver de Santino.

Le revolver posé sur la table de nuit.

Santino. Tellement bestial à l'instant où il allait violer Bobby. Santino, immonde, abject, tout-puissant. Il fallait qu'elle l'arrête, qu'elle fasse n'importe quoi pour l'arrêter.

Alors elle avait bondi et saisi le revolver sur la table de nuit. Sa main avait à peine tremblé quand elle avait dirigé l'arme sur lui et pressé la détente.

La balle l'avait touché à l'épaule, et il était tombé en arrière. Le sang avait commencé à couler sur son bras, sur sa poitrine.

— Espèce de petite conne, avait-il balbutié.

Alors elle avait tiré une deuxième fois, puis une troisième.

Le sang avait giclé sur les murs. Il avait eu un dernier sursaut, des petits tremblements nerveux, puis son corps était retombé, inerte, sur le plancher. Il était mort.

Et c'était à cet instant que Lucky avait surgi dans la pièce.

A partir de ce moment-là, Brigette n'avait plus qu'une vision brouillée de la suite des événements. En réalité, Lucky lui avait pris le revolver des mains, en avait essuyé les empreintes, elle avait sorti la cassette de la caméra vidéo et ordonné à Boogie d'emmener les enfants.

Puis une très grosse dame était apparue à la porte de la chambre et avait commencé à hurler, complètement hystérique.

— Vous l'avez tué ! Salope ! Je vous ai vue ! avait-elle crié.

Dans la confusion qui s'était ensuivie, Boogie avait pris Roberto dans ses bras et poussé Brigette dans le jardin. Ils s'étaient retrouvés à l'arrière d'une voiture en deux temps trois mouvements. Puis Boogie avait foncé jusqu'à la maison de Bel Air, leur avait donné des calmants à chacun et ordonné de ne jamais répéter à personne ce qui s'était passé.

Puis Brigette avait appris qu'on avait arrêté Lucky pour meurtre. Elle s'était tue, elle avait gardé son secret jusqu'au moment où, dans la salle d'audience, il avait fallu qu'elle avoue. C'était trop horrible, trop injuste, elle ne pouvait laisser condamner Lucky à sa place.

Son aveu avait tout remis en question. On avait cependant envoyé Lucky en prison. Mais au fil des mois, on avait reconstitué les faits, Steven avait remis la bande vidéo au juge d'instruction. Et finalement, Lucky avait été relâchée. Quant à Brigette, qui était encore mineure, elle avait été mise en liberté surveillée pour un an.

Brigette était contente d'avoir dit la vérité. Lucky, à sa sortie de prison, l'avait serrée dans ses bras et l'avait félicitée.

— Ce que tu as fait demandait un sacré courage, avait-elle dit. Je t'en serai toujours reconnaissante.

A présent, tout allait bien dans sa vie, bien que sa mère lui manquât. Oui. Olympia lui manquait cruellement.

— Salut ! T'as l'air en pleine forme ! s'exclama Gino en donnant une petite tape amicale sur l'épaule de Costa.

— Peut-être, mais je ne me sens pas si bien que ça, gémit Costa. Toujours mes rhumatismes. Si tu savais comme j'ai mal dans le dos.

— Oh ! ça va ! l'interrompit Gino. Tu ne vas pas nous faire une liste de tes petits bobos ! Il faut continuer à se conduire comme si on était en bonne santé. C'est ça le secret, mon vieux.

Et Gino était une preuve vivante du bien-fondé de sa philosophie. Il faisait toujours bien plus jeune que son âge, quoiqu'un début d'arthrite vienne parfois lui rappeler qu'il n'avait plus vingt ans. Mais il profitait vraiment de la vie. Il avait une fille splendide, un petit-fils pour assurer la continuation de la lignée et il jouissait d'une excellente santé. Ah oui ! il avait aussi un nouveau fils ! C'était bizarre, comme histoire, mais apparemment vrai. Steven était un homme complexe et intéressant. Et Gino commençait à s'habituer à lui.

Mais en dépit de tout cela, Gino n'était pas vraiment comblé, car Paige Wheeler n'était pas sienne. Officiellement du moins. Et parmi toutes les femmes qu'il avait voulues dans sa vie, Paige était la seule qui ne se soit pas rendue à lui.

Ils continuaient à se voir, les après-midi au *Wilshire*, et lors d'occasionnels week-ends. Mais Paige refusait catégoriquement de quitter son mari pour lui.

Gino ne perdait pas espoir de réussir à la convaincre. Et cela donnait du sel à sa vie. C'était un merveilleux défi.

Lennie se regarda une dernière fois dans la glace. Il était nerveux comme un lion en cage. Et il était aussi incroyablement heureux, parcouru de délicieux frissons d'émotion.

Pour la seconde fois, il faisait le grand pas. Mais cette fois-ci, il avait pleinement conscience de son acte, et il allait dire oui en parfait accord avec lui-même. Cette fois-ci, il s'engageait en sachant que c'était pour toujours.

Lucky Santangelo.

Dangereuse.

Obstinée.

Forte.

Imprévisible.

Sensuelle.

Et ce qu'on pouvait imaginer de plus excitant.

Il avait cru, à un moment de sa vie, qu'Eden était la femme qu'il lui fallait. Pauvre Eden, courageuse Eden, qui avait témoigné au procès de Lucky, qui avait raconté ce qui s'était passé dans cette chambre — alors qu'elle n'avait rien vu. Lui, bien sûr, était arrivé trop tard sur les lieux. Lucky était déjà intervenue.

Mais Eden faisait désormais partie de son passé.

Il arrangea le nœud de sa cravate. Sa cravate de soie blanche sur sa chemise de soie blanche. Il portait un costume d'alpaga noir et des chaussures de tennis noires.

Personne ne lui avait jamais reproché d'être conventionnel, n'est-ce pas ?

— Alors, ma chérie, on est prête ? demanda Gino à Lucky.

Elle se tourna vers lui.

— C'est la première fois que tu m'appelles « ma chérie », dit-elle, émue.

— Tu sais quoi ?

— Oui ?

— J'ai toujours pensé que les démonstrations d'affection ne servaient à rien.

— Ah oui ?

— Mais j'ai eu tort. Je t'aime beaucoup, Lucky. Je t'aime énormément. Et je suis fier de toi, vraiment très fier.

Elle sentit des larmes perler sous ses paupières et se jeta dans ses bras.

— Moi aussi, je t'aime, papa, dit-elle.

— Hé ! Attention, tu vas me décoiffer !

Gino. Il était si beau, si impressionnant. Son passé de gangster lui importait peu — même si c'était en partie à cause de cela qu'elle avait été arrêtée. Oui, sept mois en prison, ç'avait été dur, surtout pour un crime qu'elle n'avait pas commis, mais elle l'avait supporté dignement, elle s'était conduite comme une vraie Santangelo. En Gino, c'était l'homme qu'elle aimait, son père. Elle l'adorait, elle pouvait maintenant l'admettre sans complexe et sans souffrance.

— Et si on y allait ? suggéra Gino. Les invités t'attendent.

Il lui présenta son bras avec cérémonie, et elle s'y accrocha.

Lennie l'attendait.

Le mariage fut célébré dans le parc de la maison d'East Hampton. Lucky Santangelo et Lennie Golden.

Lucky arriva au bras de son père et regarda son futur époux avec un amour infini. Il lui renvoya un regard chargé de folle passion.

Gino donnait sa fille à un homme formidable.

Roberto était garçon d'honneur.

Brigette, demoiselle d'honneur.

Et Jess était le témoin de Lennie.

Ce fut un mariage parfait.

TABLE

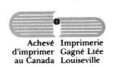

Achevé   Imprimerie
d'imprimer Gagné Ltée
au Canada Louiseville